市場対国家＊上巻

アンジェラ・スタント、アレグザンダー・ヤーギン、レベッカ・ヤーギンと
オーガスタ・スタニスロー、ルイ・スタニスロー、カトリーナ・スタニスロー、
ヘンリー・スタニスローへ

日本の読者へ

世界はいま、深刻な危機に陥りかねないと同時に、大きな機会が得られる決定的な時期になっている。この時期に、日本で本書が刊行されることは、著者として大きな喜びである。二十一世紀にどのように備えるべきかをめぐる日本国内の論争には、世界的な視点が是非とも必要になっており、本書がそのような視点を提供できるものになるとわたしたちは期待している。

日本にとって、一九九〇年代はある意味で、「失われた十年」になった。またしても不況に突入している。この十年から抜け出すためには、日本は新しい考え方を受け入れ、国家と市場の新しいバランスを受け入れる姿勢をもたなくてはならない。このような変化が、日本国民の勤勉と規律に加われば、日本経済は活力を取り戻すことができるだろう。それだけではない。日本の制度と日本の将来に対する国民の信認が回復するだろう。日本経済の回復という大きな事業に、本書がささやかな貢献ができるようわれわれは望んでいる。

市場と国家の関係という問題は、日本の現在の苦境で核心になっているものである。一九八〇年代初めから九〇年代後半までの間、日本は悲観論が根強い時期、楽観論と自信に満ちた時期をへて、ふたたび悲観論が蔓延するようになっている。九〇年代は日本にとって、失望と幻滅の時期になっ

たほどである。

日本で、そして世界で、なにが起こっているのか、今後になにが待ち受けているのか、日本はどのような選択を迫られているのか。これらの点を考えるにあたって必要な幅広い視野を、読者が本書でえられるよう期待している。

『市場対国家』は、「考え方」の変化がきわめて大きな力をもちうると論じている。本書のテーマはこうだ。市場と国家の関係について、世界がなぜ考え方を変えてきたのか、これまでの考え方の変化が逆転することはあるのか。経済を管理するのは、政府の指導であるべきなのか、それとも、市場の見えざる手であるべきなのか。世界は、市場の見えざる手に経済の管理をゆだねる方向に動いてきた。技術の進歩と市場の統合がこの変化を強化する力になり、これまでの国境の壁を侵食する力になってきた。このグローバル化に対する反応はまちまちであり、不確かでもある。しかし、すでにその兆候があきらかになっているように、この変化によって、一九九〇年代のグローバル化は、二十一世紀にはさらに進んで、新たな状況が生まれようとしている。本書ではこれを「グローバル性」と呼んでいる。国境と時間帯の壁が無意味になり、世界が二十四時間、つねに結ばれている状態である。そのような世界では、日本の旧来の体制は、これまでどれほど効率的ではあったとしても、うまくは機能しないだろう。政府が経済を指導する体制では、世界市場の現実には対応できない。意思決定を分散しなければならない。

しかしそのグローバル経済が現在、深刻な危機に陥っている。「市場の勝利」の時期は終わり、市場の試練の時期がおとずれた。「アジアの通貨危機」は世界の金融危機にまで拡大した。本書では、

バンコクの不動産バブルの破裂ではじまった今回の危機が、なぜ世界全体に伝染し、リスクからの逃避が起こって、世界経済を脅かすまでになったかも論じている。日本が少なくとも現在のところ、銀行システムの深刻な危機の解決にまともに乗り出そうとしていない点も、このような世界的な視野から考える必要がある。本書ではさらに、緊急に必要な解決策も示唆している。市場からの全面的な撤退ではなく、巨額の短期資金の移動のペースをやわらげることが解決策になる。世界経済全体が崩壊する事態になれば、さまざまな国で危険な政治勢力が登場してくるだろう。このリスクを軽視するわけにはいかない。しかし、それよりも、グローバル性という新しい現実に対応して、その金融面の問題に対処するために必要な新しい考え方と仕組みが編み出されていく可能性の方が高い。

これらの点が、本書で論じられている。市場と国家の関係という問題を、ともに考えていただければ幸いである。

一九九八年十月

ケンブリッジ・エネルギー研究所会長
ダニエル・ヤーギン
ケンブリッジ・エネルギー研究所所長
ジョゼフ・スタニスロー

目次

（下巻＊目次）

はじめに

フロンティアにて

INTRODUCTION:
AT THE FRONTIER

本のアイデアは思わぬところで生まれることが多い。本書のアイデアはひとつには、ある夏の日、モスクワ郊外で生まれた。イズマイロボの屋外市場がモスクワ市の南西端、地下鉄の終着駅近くに広がっている。以前は絵画や工芸品を展示していた公園が、いまでは広大な市場に姿を変えている。これは、共産主義が崩壊し、政府の管理によってではなく、市場の需要によって動く経済に移行したことをいち早く、目に見える形で示したものだといえる。

ここでは、過去と将来が同時に売られている。雪におおわれた村落や聖像を描いた絵画が、大部分はだれが描いたかもわからないまま売られている一方で、ツァーの記念品、韓国製の家電製品や安物のビデオが売られている。時代物の食器、染みのついた制服、ツァーの肖像入りの記章などを売る露店が競い合っている。中央アジアの絨毯、カフカスの剣、ロシア帝国軍と赤軍の記念品もある。そして、あちこちの露店にマトリョーシカがある。木製の人形のなかにまた人形が入っているのはどれもおなじだが、デザインは千差万別だ。昔ながらの農民の娘もあるが、ソ連の歴代の指導者、アメリカの大統領からプロ・バスケットボール選手まで、じつにさまざまな人物の人形がある。この市場で好まれる通貨はドルである。ほんの数年前まで、ドル紙幣を持っているだけで、厳しい懲役刑を受けかねなかったのだが。

この市場には、じつに多様な人たちがおとずれる。この日は、イギリスのサー・ブライアン・フォール大使も来ていた。大使は外交官として、三十年にわたってソ連とロシアの問題を扱ってきた。ジョージ・スマイリーと仲間たちが活躍した冷戦の時代からのロシア通である。その間に三人の外相の上級顧問、駐カナダ高等弁務官など、さまざまなポストを歴任している。この日は、外交上の

目的があったわけではない。他の人たちと同様に、夫人と娘とともに買い物に来ていた。昔ながらの母なるロシアを思わせる農村風景を描いた絵画を探していた。しかし大使はときおり、ロシアに劇的な変化が起こったのは事実なのだと自分に言い聞かせなければならなかった。イズマイロボの露店のひとつひとつが、この変化をはっきりと示している。この市場は、ばらばらになり混乱していると同時に、活力を取り戻した社会を象徴している。そこに暮らしている人たちの理解を超えるほど苦しく急速な変化の過程にある社会、これらの人たちが予想もしていなかったし、まして準備していなかった革命を経過してきた社会を象徴しているのだ。

通路を歩きながら、大使が語った。「ソ連の崩壊が一九六〇年代か七〇年代であれば、ロシア人にとって、どれほど楽であったかと思う」

それはなぜなのか。

「西側で、政府の介入がはるかに大きな役割を果たしていたし、国の計画と国有企業がごく普通になっていたからだ。巨大な国有企業を維持し、どれほど赤字をだしていても、政府が資金をつぎ込むのであれば、ロシア人にとってははるかに受け入れやすかった。市場経済への移行も、これほど厳しく苦しいものにならなかっただろう」

この意見を聞いて、国と市場の適切な関係についての考え方が一九七〇年代以降、世界中でどれほど変わったのかが、突然、あざやかに理解できたように思えた。当時の常識であった考え方、圧倒的な力をもっていた考え方が、いまでは幅広く批判されるようになっている。信用されなくなり、放棄された部分もある。当時は少数派だとされていた考え方や、異端にすぎないとされていた考え

方、いくつかのセミナーで議論されているだけだった考え方が、いまでは主流の位置を占めるようになった。この結果、世界のほとんどの国で経済のあり方が変わり、ときには根底から変わって、きわめて大きな影響をきわめて広範囲に及ぼしている。

世界の各地で、社会主義者が資本主義を信奉し、政府が以前に国有化した企業を売却し、各国がほんの二十年前に追放した多国籍企業を呼び戻そうと必死になっている。マルクス主義と中央管理は放棄され、起業家がもてはやされている。世界各地で証券取引所がつぎつぎにつくられている。投資信託のマネージャーが有名人になっている。いまでは、左派の政治家も、政府が福祉国家拡大の資金を負担できないと認めるようになり、アメリカのリベラル派も、政府の役割の拡大があらゆる問題の解決策にはならない可能性があることを認めるようになった。これまでの考え方を根本から見直し、再評価しなければならなくなった人が多い。こうした変化によって、世界各地で、新しい見通しが開かれ、新しい機会が生まれている。この変化で、これまでにはなかった心配や不安を抱えるようになった人も多い。国境を無視しようとするグローバル経済との結び付きが強まるにつれて、政府が自分たちを保護してくれなくなるのではないかと恐れている。そして、市場の要求に不安を表明している。一九九五年に中南米をおそい、九七年には東南アジアをおそったような国際資本市場のショックと混乱によって、こうした不安が嵩じて、市場の危険性を問題視する見方が生まれ、市場の正統性すらも疑問だとする見方がでてきている。九七年にアジアではじまった金融危機が九八年には世界各地に波及したことから、世界市場への統合がもたらす大きな影響と予想外のリスクという深刻な問題が新たに認識されるようになった。しかし、これらの点はいずれも、歴史

的な背景のなかで判断されなければならない。

変化が起こったのはなぜか

市場重視への変化が起こっているのはなぜなのだろうか。国が（つまり中央政府が）経済を支配し、管理する時代から、競争、市場開放、民営化、規制緩和が世界中で経済についての考え方の主流になる時代に変化したのはなぜなのだろうか。この問いからは、さらに、別の問いが生まれてくる。この変化は逆転不可能なものなのであろうか。進歩と発展の過程の一局面なのだろうか。政府と市場の関係が根本から変わって、政治、社会、経済はどのような影響を受け、どのような見通しになるのか。本書は、これらの基本的な問いに答えようと試みたものである。

国と市場の間の境界をどこに引くのかは、大々的な講和会議によって一気に決着をつけられるような問題ではない。二十世紀を通じて、知識の世界で、政治の世界で、この問題をめぐって大規模な衝突が起こり、たえず小競り合いが起こってきた。この戦いは全体として、二十世紀という時代を作り上げてきた大きな動きのひとつであったといえる。現在では、この衝突がきわめて深い影響を広範囲に与えており、世界を作り変え、二十一世紀の世界の下地をつくっている。

この境界は、国と国の間のものではなく、国のなかの役割分担を決めるものである。経済のなかで国が担うべき部分、国が責任を負う部分はどこまでであり、国は国民に対してどのような保護を提供すべきなのか。民間の意思決定に任されるべき部分はどこまでであり、個々人が責任を負うべ

き部分はどこまでなのか。この境界はしっかりしていないし、はっきりもしていない。つねに動いているし、あいまいな部分も少なくない。しかし、二十世紀の大部分の期間、国は地位を高め、以前なら市場に任されていた部分に勢力を拡大していった。国が勝利を収めたのは、革命があり、二回にわたる世界大戦があり、大恐慌があったからであり、政治家や政府の野心が強かったからでもある。民主主義の先進国では国民が福祉の向上を求めたからであり、開発途上国では進歩と生活水準の向上を追求しようとしたからであり、公正と公平を求めたからでもある。こうした動きの背景には、市場に対する不信感があった。市場が行き過ぎることがあり、市場が失敗することが少なくなく、市場が満たせない必要、提供できないサービスがきわめて多く、市場に任せた場合のリスクと人的、社会的なコストがきわめて高く、市場の力が濫用される可能性が高すぎるという見方である。二十世紀前半の混乱がもたらした苦痛がきわめて大きかったため、政府は国民に対する責任と義務の範囲を拡大し、それまでになかった役割を担うようになった。「政府の知識」、すなわち、中央の政策決定者の集団的な知識が、「市場の知識」、すなわち市場で個々ばらばらに判断をくだす民間の意思決定者や消費者の知識よりも優れているとみられるようになった。

この考え方が極端な形であらわれたソ連、中華人民共和国などの共産諸国では、政府が市場の知識と私有財産をすべて抑圧し、中央計画と生産手段の国有に置き換えようとした。政府は全知全能だとされた。西側の先進国の多くと、第三世界のかなりの部分では、「混合経済」がモデルになり、市場経済を完全に窒息させることはなかったが、政府が知識を活用し、経済を支配する立場に立った。これによって、経済を再建し、現代化し、成長軌道に乗せようとした。公正な社会の実現、機

会の提供、生活水準の向上を目指した。これらの目標を達成するために、経済全体を支配できる「管制高地」を制圧し、維持しようとした政府が多い。

「管制高地（コマンディング・ハイツ）」という言葉の由来は、七十五年ほど前に遡る。一九二二年十一月、ボリシェビキが権力を握ってから五年たって、体力が衰えていたウラジーミル・イリイチ・レーニンが、ペトログラード（現在のサンクトペテルブルグ）で開催された共産主義インターナショナル第四回大会の演壇にのぼった。レーニンにとって、公の場での発言はこれが最後から二番目のものになった。その一年前、経済が混乱する絶望的な状況を背景に、レーニンは新経済政策を採用し、中小企業と農業を民間の手に任せる方針をとっている。この結果、資本主義と妥協し、革命を売り渡したと非難されるようになった。この日、レーニンは体力こそ衰えていたが、生来の辛辣さと皮肉の冴えは衰えておらず、新経済政策を擁護する演説を行なった。この政策では、市場が機能するのを許容するが、国が経済でもっとも重要な部分を支配しつづける。「管制高地」は国が握っている。これこそが、決定的な点なのだと、レーニンは批判派に語った。集団化が進められ、スターリン主義が確立し、市場が完全に抹殺されたのは、レーニンがこう語ってから何年かたった後である。

この言葉は、大戦間の時代のイギリスに伝わり、フェビアン協会とイギリス労働党が使うようになった。さらに、インドでジャワーハルラール・ネルーをはじめとする国民会議派が使うようになり、世界各地に広まった。この言葉が使われなかった国でも、方向は変わらなかった。政府が国民経済の戦略的な部分、主要な企業と産業を支配する政策がとられるようになったのだ。アメリカで

も、国有化の政策はとられなかったが、政府が経済的規制によって経済の管制高地を支配するようになり、アメリカ特有の規制型資本主義が発展することになった(1)。

全体としてみて、国の管理の範囲が拡大するのは、動かしがたい流れのように思えた。戦争直後は、荒廃し混乱した国の復興に必要な資源を動員できるのは、政府だけだった。一九六〇年代には、政府は経済を効率的に運営でき、景気の微調整ができるとすら思えた。七〇年代初めには、混合経済は事実上、批判を受けることもなくなり、政府は役割を拡大していった。アメリカですら、共和党のニクソン政権が賃金と物価を統制する大がかりな政策を実行しようとしている。

しかし、一九九〇年代になると、後退を続けているのは政府の側になった。共産主義は失敗に終わっただけでなく、旧ソ連では完全に消滅し、中国でも少なくとも経済政策の面では棚上げにされている。欧米では、各国政府が経済への支配と責任の範囲を縮小している。「市場の失敗」に代わって、「政府の失敗」が注目を集めるようになった。国が役割を拡大しすぎ、野心を膨らませすぎて、経済の審判役ではなく、主役の地位を狙うようになったときにぶつかる困難が注目されるようになったのである。アメリカの連邦準備制度理事会議長として、インフレを克服する戦いを指揮したポール・ボルカーは、この変化の理由を簡潔に説明している。「各国の政府が傲慢になっていたのだ」

史上最大の大売出し

現在では、経済を支配するコストが高く、その効果に対する幻滅が広がったことに対応して、各

国の政府が民営化を進めている。これは、人類の歴史がはじまって以来最大の大売出しである。世界中の政府が総額数兆ドルにも及ぶ資産を売却して、事業から撤退している。鉄鋼会社、電話会社、電力会社から、航空会社、鉄道、ホテル、ナイトクラブまで、あらゆる事業が売却されている。旧ソ連、東欧、中国はもちろん、西ヨーロッパ、アジア、中南米、アフリカの諸国でも、民営化が進められている。そしてアメリカでも、州政府や地方政府が、それまで運営してきた公営事業を市場に任せるようになっている。それと並行して、はるかに影響が大きいが、あまり理解されていない動きとして、過去六十年にわたってアメリカ経済のほぼすべての分野に影響を与えてきた規制制度がくつがえされている。市場に代わって政府が管理する制度から、国民を守るもっと効率的な方法として、市場での競争に頼る制度に移行することが、その目的になっている。

この移行は、政府の終わりを示すものではない。政府支出がGDPに占める比率はいまでも、ほとんど変わっていない国が多い。その理由は、先進国では移転支出、福祉予算などの社会政策予算がかさんでいることにあり、ほとんどの国で、政府はいまでも、社会のさまざまな問題を解決する最後の拠り所になっている。しかし、政府の役割、とくに経済のなかで果たす役割は、はっきりと後退している。世界のどの国でも、政府は国有企業を減らし、規制を減らし、市場の境界が拡大できるようにしている。

国が管制高地から撤退したことは、二十世紀と二十一世紀を隔てる大きな違いになるだろう。これまで門戸を閉ざしてきた多数の国が、貿易と投資に国内経済を開放し、それによって、グローバル経済の規模が事実上、大幅に拡大した。多数の雇用が創出された。そして、経済の移動性が高ま

り、資本と技術が世界中をやすやすと動き回って、新たな市場と新たな機会、事業環境が良好な場所を探し求めている。しかし、労働者はそう簡単には移動できないので、取り残されることになりかねない。この結果、労働者は世界的な競争の激化と、社会的安全網の喪失という、二重の不安に怯えている。

十年ほど前に登場した「グローバル化」という言葉が、経済活動と戦略が統合され、国際化していく過程をあらわす言葉として、ごく普通に使われるようになった。しかし、現実はこの言葉以上に進んでいる。新しい現実が生まれているのだ。新しい現実は、グローバル化が進む過程ではなく、グローバル性とも呼ぶべき状態である。昔ながらの境界が打破されるか、意味を失って、世界経済が確立しているのである。ソ連と共産主義の崩壊によって、世界政治の地図が様変わりし、国際関係で政治的なイデオロギーの重要性が低下している。資本市場が成長し、貿易と投資の障壁が低下を続けているため、世界各国の市場は結び付きを強め、考え方の自由な流れが促されている。新興市場の出現で、国際経済の活力が高まり、きわめて大きな機会が生まれている。各国の国内企業が国際事業に乗り出すようになった。多国籍企業として長年の実績のある企業も、国際事業に進出したばかりの企業も、世界戦略の策定を急いでいる。この動きと同時に、この動きを促進するものとして、技術革命が起こっており、その影響はきわめて大きく、どこまで大きくなるかはまだわからない。コンピューターを中心とする情報技術によって、情報交換、調整、統合、連絡が容易になり、世界が一体化している。その変化の速度はきわめて速く、規模はきわめて大きいので、どの国の政府にとっても管理の能力をはるかに超えるものになっている。国際的な関係が深まり、加速してい

るため、国境の壁は確固としたものではなくなり、これまでの国境管理の方法のうちいくつかは、意味をもたなくなってきている。

「考え方」の力

このような動きの背景には、考え方の基本的な変化がある。一九三六年、イギリスの傑出した経済学者、ジョン・メイナード・ケインズは、有名な『雇用、利子、貨幣の一般理論』の結論部分で、こう述べている。考え方は、「一般に考えられているよりはるかに強力である。世界を支配しているのは、考え方以外にないといえるほどである。権力の座にあり、天の声を聞くと称する狂人も、それ以前に書かれた学問的な悪文からその錯乱した思想を導き出している。……そうなるまでの期間には差があるが、良かれ悪しかれ、ほんとうに危険なのは、既得権益ではなく考え方なのである」

過去二十年、国と市場の関係が劇的に見直され、考え方の力がきわめて強いとするケインズの言葉の正しさが、あらためて示されることになった。主流からあきらかに外れていた概念と考え方が、急速に舞台の中央に位置するようになり、世界のあらゆる地域で、経済を様変わりさせている。ケインズすらも、みずからの言葉通りに葬り去られた。第二次大戦中、ロンドン空襲のさなかに、ケインズはオーストリア出身の経済学者、フリードリヒ・フォン・ハイエクのためにケンブリッジ大学のカレッジに疎開先を用意した。寛大な申し出であった。ケインズは当時、主導的な経済学者であり、ハイエクはケインズ経済学を批判する無名に近い学者にすぎなかったからだ。戦後、政府に

よる経済の管理を説くケインズ経済学は磐石だと思えた。しかし、それから半世紀たって、主流の座から転落したのはケインズであり、高く評価されるようになったのは、自由市場を強く擁護してきたハイエクである。ハーバード大学のケインズ流「新経済学」は一九六〇年代、ケネディ政権とジョンソン政権で圧倒的な力をもっていたが、九〇年代に世界的に影響力を誇っているのは、シカゴ大学の自由市場学派である(2)。

しかし、経済学者などの学者や思想家が考え方を作り上げているとしても、それを実行に移すのは政治家である。そして、この驚くべき変化から得られる大きな教訓のひとつは、指導者と指導力の重要性である。イギリスの「思想担当相」をかってでたキース・ジョゼフとその弟子のマーガレット・サッチャーが、イギリスの混合経済をくつがえそうとしたとき、ドン・キホーテのような戦いに乗り出しているようにみえた。しかし、二人は国内で成功を収めたうえ、世界のかなりの国でも、政策課題に影響を与えることになった。世界でもっとも人口の多い中国の進路を、共産主義の道から世界経済への統合の道に変えたのは、革命に生涯を捧げ、マルクス主義を信奉する鄧小平であった。そしてアメリカでは、レーガン大統領の勝利によって民主党が政策を見直さざるをえなくなった。

市場重視への流れで使われる言葉には、注意すべき点がある。アメリカ人にとって、国と市場の間の世界的な戦いには、なんとも奇妙に思える点があるかもしれない。「リベラル派（リベラリズム）」と「自由主義（リベラリズム）」の戦いのように思えるからだ。アメリカでは、「リベラル派（リベラリズム）」とは、政府が経済に介入して積極的な役割を果たすべきであり、経済での政府の関与と責任を拡大するべきだとする立場を意味する。と

ところが、アメリカ以外の各国では、「自由主義（リベラリズム）」はほぼ正反対の立場を意味している。アメリカのリベラル派なら「保守主義」と呼ぶ立場を意味しているのだ。「自由主義」は国の役割を減らし、個人の自由、経済面の自由を最大限に認め、市場を最大限に活用し、意思決定の分散をはかるよう主張している。ジョン・ロック、アダム・スミス、ジョン・スチュアート・ミルらの思想家の流れをくむ考え方である。財産権の重要性を強調し、政府の役割は社会が円滑に機能するようにし、審判になることだとみている。したがって、本書ではアメリカ以外の国に関して「自由主義」という言葉を使う場合には、旧ソ連や中南米に関する部分であっても、政府の役割を拡大するのではなく、縮小するよう求める立場を意味している。*

*――リベラル派という言葉の意味がアメリカで逆転したのはなぜなのだろうか。第一次世界大戦の間、革新主義の代表的な論者の何人かが、「革新主義」に代えて「リベラル派」という言葉を使うようになった。これはシオドア・ローズベルト大統領が第三党の革新党の候補者として出馬し、落選して人気が落ち、それとともに「革新主義」という言葉に傷がついたからである。もともとリベラルを標榜していた人たちは、この言葉の意味が変えられたことを苦々しくみていた。一九二〇年代に、ニューヨーク・タイムズ紙が、「長年使われてきた『リベラル』という言葉が収奪された」と批判し、「過激なアカは……『リベラル』という言葉を本来の所有者に返却すべきだ」と主張した。一九三〇年代初め、ハーバート・フーバー候補とフランクリン・ローズベルト候補は、どちらが本物の「リベラル派」かで激論をかわした。ローズベルト候補が勝利を収め、左派だという非難をはねのけるために、「リベラル派」という言葉を使った。「リベラル派」とは、「政府が経済に果たす責任と役割についての新しい考え方を示すやさしい言葉」だと述べている。ニューディール以降、アメリカではこの言葉は、経済のなかでの政府の役割を拡大する主張を意味するようになった。

過去と将来を結び付ける

伝統的な自由主義が力をつけてきたのは、過去の復活であり、過去との結び付きを取り戻す動きでもある。自由主義の最盛期は、十九世紀後半だったのだから。二十一世紀の開幕を目前に控えた世界は、十九世紀後半の世界ときわめてよく似ているといえるほどである。当時も現在も、経済面の機会が拡大し、旅行と貿易の障壁が低下している。当時も現在も、新技術が変化を促す力になっている。十九世紀には、ふたつの技術革新によって、文明がはじまって以来、貿易の流れを制約してきた季節風と海流という自然のリズムの壁を完全に打ち破ることができた。十九世紀の前半、蒸気機関によって、鉄道と船による旅客と貨物の輸送が、それまでのどの方法よりも安全で、速く、便利になった。一八一九年にはすでに、アメリカの汽船、サバンナが帆に加えて蒸気機関を使って大西洋を横断している。十九世紀半ばになると、蒸気機関が完全に帆に代わって使われるようになった。一八六五年には三度にわたる失敗の後、大西洋を横断する電報用海底ケーブルが敷設され、市場が結合された。これらの技術の普及によって、世界の貿易が飛躍的に拡大した。それだけでなく、民間の投資資金が海外に流れるようになった。ヨーロッパの資金が、北米や南米、アジアやアフリカの鉄道建設に投入されるようになり、鉄道によって港湾と結ばれた鉱山やプランテーションに投入されるようになったのだ。イギリスの資金がアメリカの鉄道開発のかなりの部分をまかなったことから、アメリカは十九世紀の新興市場の代表になった。十九世紀後半から二十世紀にかけて、

世界は平和と経済成長の時代になり、第一次大戦の殺戮の後になると、当時は黄金の時代だったといわれるようになった。

決定的な試練

世界中で伝統的な自由主義が復活したのは、どのような背景があったからなのだろうか。国は経済を現代化する役割を果たすと期待されてきたが、予想外のコストと結果によって、国有企業と国の介入に失望する見方が広まった。財政の負担が重くなりすぎ、政府の管理能力を超えるようになった。政府債務残高と財政赤字が膨らみすぎたのだ。インフレが慢性化し、経済に深く根をおろすようになった。政策の意図と実績の差が広がっているとみられるようになり、政府に対する信認は薄れ、冷笑的な見方が強まった。そして、中央計画経済の偉大な道標であったソ連が崩壊し、あらゆる種類の国家統制主義が信頼を失った。一方、東アジア諸国の勃興によって、国と市場の関係を見直す必要があることが示され、世界経済に参加することの利点が強調されるようになった。

市場が勝利を収めたように思えるが、これは長続きするものなのだろうか。それとも、政府がふたたび役割を拡大していくのだろうか。これは、以下のいくつかの重要な問いに今後どのような答えがだされていくかによって決まってくるだろう。市場経済は、経済の成長、雇用の創出、生活水準の向上といった点で成果をあげられるだろうか。福祉国家をどのように見直していくのか。市場経済がもたらす結果は、公正で公平で正当だとみられるようになるだろうか。経済の国際化が進む

なかで、国のアイデンティティはどうなるのか。環境が十分に保護されていると人びとは判断するだろうか。開発途上国では若年層の急激な増加、先進国では社会の高齢化という人口動態の重荷に、市場経済はどう対処するのか。こうした問いとその背後にある論点が、本書の全体を通じたテーマになっている。(3)

本書の構成を説明しておこう。第1章から第3章までは、ヨーロッパ、アメリカ、開発途上国で政府が経済の管制高地を制圧していき、一九七〇年代には難攻不落と思えるまでになった過程を描いていく。第4章では、最初の大がかりな反攻になった八〇年代のサッチャー革命を取り上げる。第5章では、八〇年代と九〇年代に政府と市場の関係について、世界各国で見方が変わる背景となった力について説明する。第6章から第8章まではアジアの動きを描き、東アジア諸国の活力と「経済の奇跡」後にこれら諸国の改革を促している力、中国が二十年をかけて進めてきた共産主義から資本主義への転換、「許認可支配」を解体して世界経済を志向するようになったインドの動きを紹介する。第9章では、従属理論からショック療法へ、苦痛にみちた転換を進めてきた中南米諸国を取り上げる。第10章では、ロシアと東欧諸国が「市場行きの切符」を手にして、共産主義後の世界に向けた困難な旅を続けているさまを説明する。第11章は、市場統合と政府の減量に取り組み、福祉国家の苦境に対処しようとしているヨーロッパをテーマとしている。第12章は世界的な変化の過程という枠組みのなかでアメリカの動きをとらえ、財政赤字削減が政府の役割拡大の流れに与えた影響と、経済的規制と社会的規制の逆方向への動きを分析していく。最後の第13章では、今後の見通しを論じる。世界の各地域が直面する経済、政治、社会の基本的問題はなんなのか。一九九〇年代

末に発生した世界的な金融危機は長期的にどのような影響を与えるのか。市場重視の流れは逆転するのか、それとも基本的で構造的な変化なのか。二十一世紀に経済の管制高地を制圧するのは、政府なのか市場なのか。これらの問題を取り上げていく。

過去五十年に経済の方向を変え、世界各国の命運に影響を与えてきた人物、考え方、衝突、転換点を以上の構成で語っていく。物語のテーマはこのように幅広いので、おのずから制約がでてくる。アメリカだけを取り上げて、あるいは他の地域や国のうちのひとつだけを取り上げて、何巻もの本を書くこともできる。本書では、その方法はとらず、以上のすべてをひとつの大きなキャンバスに描く方法をとった。管制高地をめぐる波瀾にみちた戦い、戦いで争われたものと戦いの結果、二十一世紀の見通しが、全体を貫くテーマになっている。

物語の始まりは、首脳会議である。会議の焦点は経済ではなく、典型的な国際政治であった。年は一九四五年、場所はベルリンである。

第1章

栄光の三十年間

ヨーロッパの混合経済

chapter 1

THIRTY GLORIOUS YEARS:
Europe's Mixed Economy

一九四五年七月、連合国の最後の首脳会談が、ベルリン郊外のポツダムにあるかつてのカイザーの宮殿で開催された。第二次大戦の終幕とその後の平和を計画することが議題であった。参加した首脳のうちひとりは、経験の浅いアメリカの新大統領、ハリー・トルーマンであり、フランクリン・ローズベルトの後を受けて就任してから三か月もたっていなかった。二人目の参加者はソ連の独裁者、イオシフ・スターリン首相であり、当時、連合国では「ジョーおじさん」と呼ばれていた（本人はこの愛称を極端に嫌っていたが）。情け容赦のない独裁体制を築き、強制収容所で大量の人命が失われていたが、その全貌があきらかになるのは、何十年も後のことである。一方、五か年計画と大規模な工業化に代表されるソ連の中央計画経済は、このときすでに数多くの人たちを魅了しており、その後数十年にわたって影響が続くことになる。三人目の参加者のウィンストン・チャーチル首相は、偉大な戦略家、不屈の指導者であり、イギリスが孤立したとき、ブルドッグのような断固とした姿勢で、枢軸国の攻勢に対する抵抗を指導し、その中心になった。まさに「歴史に輝く英雄」であり、一九四〇年から四一年の最悪期に同首相がいなければ、連合国が勝利できたとは思えないほどである。

ポツダム会談では、きわめて影響の大きな問題が話し合われた。交渉が難しく、対立を招きかねない議題がいくつもあった。ソ連の対日参戦の時期、ドイツ占領の仕組み、賠償、そしてもちろん、国境の確定があった。それ以外にも話し合うべき点があった。会談がはじまった後、トルーマン大統領はニューメキシコの砂漠で原子爆弾の実験が成功したとの知らせを受け、何気なさを装ってスターリン首相のところに行き、アメリカが新しい武器を開発したと伝え、きわめて強力な武器だと

語った。スターリンの答えもおなじように何気ないものであった。その話を聞いてうれしい、うまく使うよう希望している……。大統領から新兵器の件を聞いたとき、スターリン首相は驚かなかった。原爆についてはすでに、スパイから情報を得ていたのだ。

九日間にわたって厳しい交渉が続いたあと、会談は一時中断した。スターリン首相にはブルジョワ民主主義の奇妙な習慣だと思えたはずだが、イギリスで選挙があったからだ。一九四〇年五月から続いてきた挙国一致内閣に代わる政権を選ぶために、総選挙が行なわれていた。チャーチル首相は、開票結果を見届けるために、七月二十五日にポツダムを離れた。自分が死ぬ夢にうなされることもあったが、保守党が大勝して、すぐにスターリン首相との交渉に戻れると確信していた。しかし、イギリスの有権者は、失業と生活苦の三〇年代への逆戻りをおそれて、労働党に地滑り的な勝利を与えた。戦時の絶望的な危機にあたってイギリスを指導してきたチャーチルにとって、この敗北はとてつもない屈辱であった。「みさげはてたものだ」と、開票結果をみて評した。何週間かたって、妻が慰めの言葉をかけた。「遠回しの祝福かもしれません」。チャーチルはこう答えた。「遠回しすぎて、とても祝福だとは思えなかった」

「現代政治史でもっとも偉大な冒険家」と呼ばれたことがあり、マールバラ公爵の子孫であり、ボーア戦争では騎兵隊の将校として英雄になった男であり、駆け引きの名人にして名文家であり、自由主義の改革派から帝国の守護者に転じた並外れた政治家は、首相の座を追われた。代わって首相になったのは、クレメント・アトリーである。国内のスラム街の貧困と絶望に衝撃を受け、「キリスト教の倫理」と自身が表現するものにつきうごかされて、弁護士としての当初十四年間を、ロンド

ンのイースト・エンドでソーシャルワーカーとして働いた政治家だ。[1]

チャーチルとは、正反対といえるほど性格が違っていた。当時、「寡黙でそっけない」と評されていたアトリー首相は、新聞は読まず、記者会見は十分以内に終え（「その点で話すことはなにもない」「その考え方は奇妙だと思う」といった言葉をはさんだ）、いつも言葉数をできるかぎり少なくしていることに誇りをもっていた。晩年に「自分は不可知論者だと考えていますか」と質問され、「わからない」と答えている。「来世があると信じていますか」という質問には「可能性はある」と答えた。

こうして、チャーチルはポツダムに戻らず、代わってアトリー新首相が会談に加わることになった。新首相は社会主義を標榜しているが、イギリス代表団の構成にはほとんど変化はなく、政策はまったく変わらなかった。首相の従者すら変わっていない。新首相に従者がいないことを知って、チャーチルが自分の従者を残したからだ。スターリン首相にとって、この動きはすべて、まったく理解できないことであった。なにか裏があるに違いないと考えた。ソ連のモロトフ外相がアトリー首相に語ったように、チャーチルには選挙結果を「調整」する手がなかったとは思えないからだ。

ポツダムでは、労働組合指導者で外相に就任したアーネスト・ベビンがもっぱら話したが、アトリー首相は黙ってすわったまま、パイプの煙につつまれ、ときおりうなずくだけで、気にするようすもなかった。「犬を飼っているのなら、自分で吠えることはない。それに、アーニー（ベビン）はすばらしく優秀な犬だ」と説明している。[2]

アトリーをはじめとする労働党の幹部は、オックスフォード出身の知識人、労働組合指導者、炭鉱労働者の寄せ集めで内部対立がたえなかったが、戦争の勝利が近づくとともに、有権者の琴線に

触れる政策を打ち出していた。チャーチルに欠けていた点だ。そして、労働党が実行に移した政策によって、新しい時代がはじまることになった。政府が、すなわち「国」が、経済の管制高地を攻略し、支配しようと試みる時代がはじまったのだ。この動きはまず、先進工業国で復興、経済成長、完全雇用、公正と公平の旗印のもとで起こり、後に発展途上国でも、進歩、国家建設、反帝国主義の旗印のもとで起こった。労働党は「混合経済」のモデルを確立し、それに正統性を与えた。政府が財政政策によって、あるいは民間セクターと並んで活動する国有セクターを確立して、直接に強力に経済に介入すること、福祉国家体制を強化していくことが混合経済の特徴である。このモデルは四十年にわたって維持された。労働党のこの努力からはじまった政治と経済の潮流は、その後、世界全体に広まり、一九七〇年代に最高潮に達することになる。

混合経済への道

西ヨーロッパ全体で、いくつかの大きな要因によって、混合経済に向けた合意が形成されていった。第一の要因は、だれの目にもあきらかな現実である。戦争によって引き起こされたすさまじいばかりの破壊、貧困、混乱である。この荒廃によって、未曾有の危機が起こった。ここまでの惨状は、過去に例がなかった。アメリカのヘンリー・スティムソン陸軍長官は、「おそらく世界の歴史のなかで最悪の」光景だと日記に書き記している。数千万の人たちが極端な食糧不足に苦しんでいる。餓死の一歩手前をさまよっている人たちも少なくなかった。当時の危機は、被害者数をみればあき

らかだ。死傷者数、ようやく生き残った人たちの数、避難民の数、離散家族の数などである。また、物理的な破壊の跡もあきらかだった。住宅や工場が瓦礫になり、農地が荒廃し、輸送機関が寸断されている。それだけではなく、一見しただけではわからない部分にも、荒廃が広がっていた。機械は古くなり、ガタがきている。労働者は疲労し、栄養不足に苦しみ、混乱している。技術や技能が離散している。異常気象も危機を深める要因になり、それが頂点に達した一九四七年冬には、「シベリア冬」と呼ばれたほど寒さが厳しくなった。

なんらかの対策が必要だった。それも早急な対策が。困窮は極端なまでになっている。救援の手を早くうたなければ、ヨーロッパ大陸全体が共産主義勢力に支配されるようになると恐れられていた。経済の復興と回復に必要な投資、資本財、技能を動員しようにも、民間セクターはまともに機能してはいない。貿易も国際決済も止まっている。この空白を政府が埋めて、責任を引き受けるしかない。政府が復興を組織し、経済回復の主役になるしかない。それ以外に方法はなかった。

混合経済の政策と制度が生まれた背景には、それまで数十年の歴史もあった。とくに重要なのは、一九三〇年代の大恐慌と、それを象徴する失業者の急増だ。失業こそが構造的問題の中心であり、あらゆる政策が失業問題の解決を目標にして策定されていた。この点を把握しなければ、その後四十年間の動きも、現在の世界経済の状況も、理解できない。二〇年代には、ほとんどの国で市場経済がうまく機能していたとはいえない状況にあったし、三〇年代になると市場の失敗が極端になった。失敗を繰り返すことはないだろうと信頼できる状況にはとてもなかった。このため、政府がはるかに大きな役割を担って、完全雇用を実現し、長期にわたる不況を根絶し、経済活動を規制し安

定させなければならなくなった。そうしなければ、戦争の終結とともに経済が恐慌に逆戻りし、終わったばかりの戦争で掲げられた約束と理想が実現できなくなり、戦争での犠牲が無駄になりかねない。

第二次大戦が終わったとき、ヨーロッパでも世界の大部分の地域でも、今日では想像が難しいほど、資本主義は信頼を失っていた。不安定で、非効率で、無能だとみられていた。経済成長とまともな生活をもたらすとは、考えられていなかった。当時、イギリスの歴史家、A・J・P・テイラーがこう書いている。「ヨーロッパでは、アメリカ流の方法、つまり民間企業を、だれも信じていない。正確にいうなら、それを信じているものは敗北があきらかになった党派に属しているのであり、一六八八年の名誉革命の後のジャコバイトと変わらないほど、将来が暗いと思える」。資本主義は倫理の面からも疑わしいものとされていた。理想主義ではなく貪欲に訴えるもの、不平等をもたらすもの、国民を裏切ったものとされており、戦争を引き起こした元凶だとする見方も強かった。

もうひとつの要因もあった。これも、今日では理解するのが難しくなっている点だが、西ヨーロッパでソ連経済が高く評価され、敬意をもたれていた。五か年計画による工業開発、「指令統制型」の経済、完全雇用の実現……、これが当時のソ連の主張であり、イメージであった。失業者があふれ、資本主義が失敗した一九三〇年代、ソ連は偉大なオアシスであり、解毒剤だとみられていた。ソ連がナチのきわめて効率的な軍隊の攻撃に耐えたことでも、ソ連型の経済モデルの名声がさらに高まった。これらの点から、社会主義の評判が高くなった。ソ連経済に対する敬意と称賛は、ヨーロッパの左派だけにみられた現象ではない。中道派にもみられ、保守派にすらみられた。スターリ

ン体制の野蛮さやそれが与えた苦痛は、明白になっていないか、まともに取り上げられていなかった。中央計画経済の限界や硬直性、そして技術革新をもたらすことができないという決定的な欠陥があらわれてくるのは、数十年も後のことだ。歴史家のE・H・カーはつねにソ連の「実験」に好意を寄せていた人物だが、それでも、四七年にこう書いたとき、事実をそれほど誇張していたわけではない。「たしかに、『われわれはいまや全員が計画を信奉している』とするなら、それは、意識しているかいないかにかかわらず、大部分がソ連の実践と成果の影響によるものである」。ソ連型モデルは、左派の旗印になった。社会民主主義者、中道派、保守派にとっては難題になり、悩みの種になった。ソ連型モデルが右派から左派まで、政治的な立場のすべてにわたって、考え方に影響を与えたことは否定できない[3]。

イギリス——約束を守る

イギリスの労働党にとって、失業という妖怪は原点であり、そこにこそ存在理由があるともいえるものであった。労働党が実現しようとしたのは、「英雄にふさわしい祖国」である。これは第一次大戦が終わったとき、当時のデービッド・ロイド・ジョージ首相が約束したものだが、大戦間の厳しい時代に国民の期待が裏切られていた。一九二〇年代には、失業者が急増し、生活が苦しくなり、労使の対立が激化し、階級制度が維持され、下層階級はなまりと教育の違いによって機会が閉ざされ、下層から抜け出せない状態になっていた。三〇年代には、これらの問題がさらに深刻になって

いる。労働党の立場からは、イギリスの資本家が期待にこたえられなかったのはたしかだ。投資を十分に進めることができず、起業家精神を発揮することもなかった。非情で下劣な経営者が利益を隠し、新技術を敬遠し、革新を避け、労働者を搾取してきた。こうした経営者に経済復興の役割が担えるとは思えない。

一九三〇年代の苦境と失業者の急増に反応して労働党の運動が活発になった背景には、十九世紀末に、工業化に伴う貧困とスラムに対応し、景気循環による経済危機と不況に対応してはじまった思想運動があった。クレメント・アトリーが父親の法律事務所ではなく、ロンドンのイースト・エンドではたらくことにしたのも、おなじ状況に気づいたからだ。アトリーのように、貧困の問題に心を傷めた人たちは、程度に違いこそあれ、改革と社会正義の実現に尽くし、効率の向上を目指し、政府には国民への責任があるとの見方を強め、イギリス流の社会主義を信奉するようになった。イギリス流社会主義の大筋は、十九世紀後半にウェッブ夫妻、ジョージ・バーナード・ショーらが設立したフェビアン協会によって確立されている。知識人の集まりであるフェビアン協会は、きわめて大きな影響力をもつようになり、「個人の利益をやみくもに求める動き」に代えて、「共同の福祉」の達成を目指した。ショーによるなら、「集産主義」と「社会主義の確立」に向けて、一歩ずつ前進することが目標であった。そのための手段としては、革命ではなく、漸進主義がとられた。

一九三〇年代に、イギリスの社会主義者は世界各国を見渡して、「成果をあげている」政府を見習おうとした。モデルのひとつになったのは、ローズベルト大統領が取り組んでいたニューディール政策であり、積極的な行動、実験、経済への介入を柱とする改革が特徴になっていた。ソ連にひか

れたものもおり、共産主義、社会主義、中央計画経済の「英雄的な」成果によって、世界的な経済の停滞のなかで、ソ連だけが例外になっているとみていた。イギリスの知識人の一部は、ウェッブ夫妻に率いられて、ソ連型共産主義への憧れをいつまでももちつづけた。ソ連型モデルには、労働組合指導者よりも知識人の方が強くひかれている。アーネスト・ベビンらの労働組合指導者は、国内の労働運動の主導権をめぐって共産党と戦ってきた結果、共産主義に激しく反対するようになり、第二次大戦の後、ソ連の拡張主義にとくに強く反対する勢力になっている。

戦争によっても、経済に対する政府の関与が大幅に拡大していた。第二次大戦中に経済を管理した実績によって、政府の能力が証明され、計画の利点が示されている。政府は経済の管理を引き受け、三〇年代よりもはるかに効率的に運営し、規模もはるかに拡大させた。戦争前に資本家が経営していたときよりも、おなじ機械を使って、生産をはるかに増やすことができたのだ。それだけでなく、国民全体が団結して「総力戦の困難」に共同で耐えたことから、経済は階級闘争の場ではなくなり、国民全体の大義になった。国王一家ですら、配給手帳を受け取っていた。

このような歴史の流れがあって、アダム・スミス、自由放任、十九世紀流の自由主義経済思想は受け入れられなくなった。終戦直後には、アダム・スミスがいう自己利益の追求が積み重なって社会全体の利益をもたらすとの見方に、疑いの目が向けられ、頭からの不信の目も向けられていた。自己利益の追求が積み重なれば、不公正と不平等が生まれ、多数の汗によって少数が利益を得る結果になるとみられていたのだ。利益という考え方自体が、不道徳で不愉快なものであった。アトリー首相が語ったように、個々人の利益追求によって経済が進歩するとの見方は、「感情的な信念であ

って、事実の裏付けがない」とされていた。

第二次大戦が終わる直前に政権を握った労働党の政治家は、「新しいエルサレム」を築くことを目標としていた。この目標を達成するために、歴史の教訓を生かして、政府の役割を変えていこうとした。戦時に経済を管理した機関とその実績を基盤に、政府が国民の保護者・協力者になり、国民の幸福に対して、戦前にみられたよりはるかに責任を負うようにするのだ。そして、労働党にはそのための青写真があった。ベバレッジ報告がそれであり、第二次大戦中に、元官僚でロンドン大学経済学政治学部の学部長だったウィリアム・ベバレッジを長とする委員会から、イギリス政府に提出されたものである。報告書には、欠乏、疾病、無知、不潔、失業という「五つの悪」を根絶する社会政策がまとめられていた。印刷庁発行の報告書は、記録的な大ベスト・セラーになった（戦争が終わったとき、ヒトラーの塹壕で、報告書の論評が二編、「機密」の印が押されて発見されたほどである）。世界全体に大きな影響を与え、イギリスのみならず先進工業国のすべてで、社会福祉に対する国の責任についての見方を変えることになった。

労働党政権はベバレッジ報告の勧告を実行に移して、新たに設立した国民医療制度のもとで無料の医療サービスを提供し、年金の新制度をつくり、教育と住宅を改善した。そして、「完全雇用」の公約を実現しようとした。これらの政策の全体を、労働党は福祉国家と呼んだ。そして、福祉国家という言葉に誇りをこめていた。この言葉はもともと、たとえば一九四一年にヨーク大主教が使ったように、ヨーロッパ大陸の独裁国を指す「権力国家」との違いを明確にするための表現であった。もっとも、国民年金と国民健康保険の制度がはじまったのは、ヨーロッパ大陸である。一八八〇年

代にすでに、ドイツの宰相ビスマルクが導入している。イギリスでは、一九〇六年の改革派自由党政権が国営の失業保険、健康保険、老齢年金の制度をはじめて導入した。こうした初期の制度は、当時、「救急国家」と呼ばれ、ごく小規模なものであった。これに対して一九四五年の労働党の政策はきわめて広範囲なものであり、救急国家を目指していたイギリスを、世界ではじめての本格的な福祉国家に変えるものであった[4]。

管制高地を制圧する

一九一八年、イギリス労働党が採択した綱領には有名な第四条があり、シドニー・ウェッブが書いたこの条文には「生産・流通・交換の手段の共同所有」が目標として掲げられている。しかし、この言葉は具体的にはなにを意味するのか。この問いへの答えが、第二次大戦中にだされた。一九四四年のある夜、定年退職した元鉄道員で、操車場の仕事に動員されていたウィル・キャノンが、ロンドンに近いレディングの労働組合支部の会議にたまたま参加した。会議のなかでキャノンは「国有化」を決議するよう提案し、可決された。この決議がイギリス全土で注目され、四四年十二月、労働党がこの方針を採用するまでになった。ウィル・キャノンの提案はその後、世界各国で大きな反響を呼ぶことになる。

一九四五年七月、政権についた労働党は、国有化の方針を全面的に採用しており、経済の管制高地を制圧する決意をかためていた（経済の管制高地とは、もともとレーニンが使い、三〇年代半ば

になって、労働党でも使われるようになっていた言葉である）。第二次大戦の直後、労働党は管制高地を制圧するために、当時、国内のエネルギーの九〇パーセントをまかない、多数の中小企業に分かれていた石炭産業を国有化した。鉄鋼、鉄道、電力・水道、国際電気通信の各産業も国有化した。イギリスの制度のもとですら、企業の国有化には先例があった。一九一一年、海軍大臣だったウィンストン・チャーチルの政策によって、海軍用の燃料確保を目的に、後のブリティッシュ・ペトロリアムの過半数株式を政府が取得しているのだ。安全保障、軍事力の増強、ドイツとの海軍拡張競争のために必要だというのが、チャーチル海相の主張であった。

一九四〇年代には、国有化の根拠はまったく違っていた。これらの産業は民間企業が担っているために、投資が不足し、効率性が低く、規模が不足している。* 国有化すれば、資源を動員し、新技術を採用して、はるかに効率的になり、経済開発と成長、完全雇用、公平と公正という国の目標を達成できるようになる。経済全体の牽引役になり、現代化と所得の平等な再分配を実現できる。そう主張されていた。労働党のハーバート・モリソンが、三〇年代にロンドンの地下鉄とバスをひとつの機関にまとめた経験を生かして、国有化を急速に進めていった。

しかし、国有化を具体的にどのように進めればいいのか。その方法をめぐる議論の結果、国有化した企業を政府の省庁やそれに付属する機関にする「郵便局方式」は採用しないことになり、「公社

*――国有化にはもっと直接の先例がある。一九二〇年代の電力産業の国有化と中央電力庁の設立、三九年の国際航空産業の国有化による英国海外航空の設立である。

方式」を使うことになった。この方式は英国放送協会（ＢＢＣ）という先例があり、後に世界各国で国有企業と呼ばれるようになる。政府が取締役を任命し、取締役会が公社を経営していく。モリソンはこう説明した。「これらは公社になり、事業会社になる。必要な頭脳と技能を集め、自由に経営させる」。では、このような公社の活動をどのように調整して、労働党の政策を実行していくのか。この問いに対しては、「計画」を重視するという回答が用意された。一九四五年の労働党の選挙公約では、「計画」という言葉が繰り返し使われている。管制高地の制圧に向けた動きのなかで、少なくとも当初は、国有化の利点を実現する際のカギとして、計画の概念が強調されていた。そして、国有化自体も大きな新戦略であり、アトリー首相によるなら、「国全体の福祉をどの部門の利益よりも優先させる社会主義の原理を体現したもの」であった。

最終的には、イギリスの労働力のうち国有化された産業ではたらくことになったのは、約二〇パーセントであった。それでも、これらのほとんどは「戦略的な産業」であり、経済の基盤になっているものである。しかし、政府ができること、取り組もうとすることには限界もあった。戦争直後には、厳しい現実によって政策の余地が限られていた。イギリスは事実上、破産状態にあったのだ。国際収支は絶望的な状態であった。枢軸国との戦いに国富のかなりの部分をつぎ込んできたし、対外投資の清算を余儀なくされて、貿易外収支の受け取りが大幅に落ち込んだからである。一九四六年には、全面的な経済危機がはじまり、イギリスの困窮ぶりがあきらかになった。この冬は寒さがとくに厳しかったうえ、貿易と国際決済が崩壊状態に陥っていたため、経済の危機がいっそう深まった。大蔵省ですら、電力不足でエレベーターが動かなくなった。(5)

「問題を現実的に解決していく」

この危機に冷戦の始まりが重なって、管制高地の制圧を進める動きは事実上止まった。労働党は手をしばられることになったのだ。このため、労働党の政策は大部分が実行されないままになった。「計画」の大目標がさかんに議論されたが、実行に移されたのはごく一部にすぎず、やがて、この目標は放棄されている。アーネスト・ベビン外相は戦争中、政府による経済の直接統制にあたった経歴があるが、フランスが戦後に取り組んだ経済計画はイギリスに導入できないと語っている。「フランス流の方法はとらない。計画はつくっていない。問題を現実的に解決していく」。四七年、アトリー首相が国有化産業担当の閣僚をハーバート・モリソンからサー・スタッフォード・クリップスに交代させたため、この政策転換がいっそう進むことになった。クリップスは有能で現実的な管理者だが、独善ぶりが目立ち、チャーチルに「神さまのお陰で、神さまがそこにいる」と叱責されたこともある。もっと穏健な政策をとるよう声高に主張してきたクリップスが国有企業を管理する閣僚になり、中央計画の試みをはっきりと放棄する方針が示された。

イギリスの苦境はその後も続いた。食料の配給制度は一九五四年まで続いている。子供が生まれると菜食主義として登録し、両親が卵の配給を受けられるようにした。食肉のうち政府の管理の対象になっていなかったのは、兎の肉だけだ。キャンディすら、五三年まで配給制度の対象になっていた。このような厳しい経済環境の中でも、アトリー政権は成果をあげている。福祉国家の制度が

つくられ、国民は医療と教育を保証され、病気や障害や不運や老齢などの人生の浮き沈みがあっても、安心して生活できるようになった。

そして、最大の悪、なににもまして労働党員を戦いにかりたてた悪は根絶された。失業がほぼなくなったのだ。一九三〇年代に一二パーセントに達していた失業率は、四〇年代後半には一・三パーセントまで下がった。イギリスは、二〇年代と三〇年代に経済に関する考え方と政策の基礎になっていた金本位制に代えて、「完全失業本位制」を採用することに成功した。経済の健全さを判断する基準は、ポンドを支える金準備の量ではなくなった。はたらく意欲のある国民にどれだけの職を提供できるかが基準になったのだ。

労働党員は自分たちを社会主義者と呼んでいた。しかし、それはイギリス版の社会主義であり、カール・マルクスよりも、十九世紀の空想社会主義者、ロバート・オーエンの流れをくむものであった。アトリー党首は政権を握る直前に、イギリス版社会主義をこう定義している。「社会主義に向かう混合経済である。……豊かさ、完全雇用、社会保障の原則にしたがって、主要な経済力の一部を公共所有に移行させ、その他の経済活動の多くを公共の利益のために計画的に管理する」。この「混合経済」と福祉国家が、戦後の和解、アトリー合意など、さまざまな言葉をつけられたものの基礎になった。名前はどうであれ、この考え方はその後四十年間、世界各国に大きな影響を与えることになる。(6)

フランス——「経済の操縦桿」

フランスでは、国の役割が大幅に拡大したのは、戦争の惨状の結果である。フランスにとって、第二次大戦で経験したものは勝利でも敗北でもない。崩壊と屈辱、協力と抵抗であった。戦争が終わったとき、国の再生と正統性の再確立が急務になった。第三共和制の古い秩序に戻るわけにはいかない。旧秩序は破綻したのだ。終戦直後のフランスでは、イギリスと変わらぬほど、資本主義制度は「腐敗したもの」とみられていた。後進的であり、偏狭で、投資不足と「資本家精神の冷え込み」で停滞している。そうなった原因は、一族経営の硬直性と実業家の小心さにあり、起業家精神が欠けた実業家が競争を嫌い、一族の保身に汲々とし、「創造的リスク」を避けてきたことにある。これが当時の見方であった。第二次大戦がはじまる前にも、資本主義制度はすでに信頼されなくなっていた。一九三九年には、フランスの機械設備の平均年齢は、アメリカの四倍、イギリスの三倍に達しており、労働時間当たりの生産高は、アメリカの三分の一、イギリスの半分にすぎなかった。第一次世界大戦以前から国民の生活水準が向上しておらず、一九三九年の国民一人当たり所得は一九一三年と変わっていない。第二次大戦の惨状をへて、資本主義に対する批判が三つの点で強まった。第一に、経済体制が後進的なことが、軍事力と政治力の弱さをもたらす大きな要因になった。第二に、旧制度では、戦後復興という重大な課題を担うことができない。第三に、フランス企業のかなりの部分は、経営者がナチとビシー傀儡政権に協力しており、根深く腐敗している。

右派から左派までの政治勢力の大部分で、市場経済がいかにも弱体なため、政府の役割を拡大していく必要があるとの合意が形成されていた。臨時政府の首班になったド・ゴール将軍は一九四五年、「国が経済の操縦桿を握らなければならない」と語っている。戦前とは、常識が様変わりしたのだ。「特権階級」が「みずから失格を宣言した」ので、特権を剝奪するとド・ゴールは語った。新しいフランスを築き、経済を活性化させなければならず、そのために、経済を民間、規制対象、国有化の三つのセクターに分ける方針がとられた。国有化にはいくつもの目的があった。投資の促進、産業の現代化、技術の進歩をはかる。独占の問題を解決する。細分化されている産業を統合し、合理化する（なかには細分化が極端な産業もあり、たとえば電力業界には発電、送電、配電の専業企業が千七百三十社あり、その他に九百七十社が事業の一部としてこの業界に加わっていた）。ナチに協力した実業家から事業を没収し、「人民」に引き渡す。こうした目的以外に、国有化にはもうひとつ、きわめて重要な意味があった。共産党が支配している労働組合を復興の過程に組み入れ、復興に反対して戦いを仕掛ける事態を避けることであった。

国有化にはいくつか先例もあった。たとえば一九二〇年代に、国営石油会社のフランス石油を設立して自国の利権の保護と拡大をはかり、「政府の鉱工業活動を担う企業」とした。この種の企業はのちに「国策企業（ナショナル・チャンピオン）」と呼ばれるようになる。国営か、そうでなくても政府と密接に協力し、国内でも国際競争でも国益を担い、そのために政府に優遇される企業である。三七年には、鉄道業界の赤字が巨額にのぼったため、政府が大がかりな救済に乗り出し、国有化した。これらの例はあったが、大部分の産業では、国有化と政府の積極的な役割がフランスの伝統になっていたわけではな

い。ナチの占領からの解放で、これが大きく変わった。四五年と四六年の国有化法によって、フランス政府は経済の管制高地を制圧する姿勢を明確にし、銀行、電力、ガス、石炭などの産業を支配するようになった。また、ルノーやマスコミ関連の大手企業など、オーナーや経営者がビシー傀儡政権に協力した企業を接収して、国有化した。国有化の波が終わったとき、フランス経済は様変わりしていた。

しかし、国有化の実行が急速であったのと変わらぬほど急速に、一九四七年になってこの動きがとまった。フランスが採用した企業統治の形態のもとで、共産党が支配する労働組合の代表が取締役会に加わり、国有化されたばかりの産業に影響力をもちすぎる結果になった。そして、共産党がこの力を濫用してみずからの目標を追求しようと必死になったため、強い反発を招いた。法律の改正と連立の組み替えによって、共産党の支配権を奪うことができたが、国有化をさらに進めようとする意欲はほとんど残らなかった。四七年五月、共産党は連立政権から離脱し、モスクワから指示を受けて、大規模なストライキで政府に挑戦した。五〇年には、国有化の時期に閣僚として工業生産を担当した共産党指導者が、国有化に反対すると宣言している。国有化は「資本家の武器」であり、資本主義者の国家を支え、共産主義の潮流に抵抗するためのものだというのがその理由である。それでも、それまでの動きによって、フランスも混合経済の国になった。経済のなかでとくに重要ないくつかのセクターで、国有企業が大きな比率を占めるようになり、戦前の伝統とははっきりと訣別した。(7)

コニャックのセールスマン

戦後復興という課題に対応した動きは、経済に対する国の力を別の形で拡大する政策にもみられる。「計画化」の政策がそれであり、国家経済計画の実行は戦後フランスのトレードマークになった。経済の焦点を定め、優先順位を規定し、方向性を指し示すフランスの経済計画は、誘導的計画と呼ばれ、強制的で硬直的なソ連型の中央計画との違いが強調された。自由市場経済と社会主義の中間の道を強く意識したものである。

中間の道としての計画という性格にふさわしく、それを打ち立てたのは資本主義者の銀行家であり、社会党を支持する人物であった。この人物はジャン・モネであり、閣僚になったことはないが、戦後の時代全体を通じて、影響力がとりわけ強かったといえる。現在では「ヨーロッパの父」と呼ばれることが多く、現在の欧州連合（EU）の前身を提唱し、創設に尽くしたことで知られている。しかし、モネはそれ以前に、フランス経済の停滞を打ち破り、現代にふさわしいものに飛躍させた経済改革の父になっている。

モネは世界市民だが、必要になれば、牛を売買するフランスの頑固な農民のように振る舞うこともできた。国際主義に目覚めたのは、アルコールのためだといわれている。コニャック地方でブランデー醸造業をいとなむ家に生まれ、十六歳のときに学校を離れて、ブランデーの販売のために世界中を旅した。カナダ西部の大草原にある農家をたずね、エジプトのナイル河畔の村を訪問した。

この結果、フランス語より英語の方が語彙が多くなったといわれている。カナダを何度目かにおとずれたとき、内陸各地を旅した後、カルガリーで馬と馬車を探そうとした。まず目についた厩で、見知らぬ人にたずねたところ、「この馬を使ってくれ。戻ってきたら、ここにつないでおいてくれればいい」と言われた。このときはじめて、国際的な資源の共有という考え方に触れたと、後に語っている。第一次大戦中、モネは連合国の補給の組織化で重要な役割を果たしている。このころから、ヨーロッパとアメリカの数多くの人たちと知り合い、広範囲な人脈を築くようになった。これが後に役立つことになる。たとえば、パリ講和会議では、ジョン・フォスター・ダレス（後の国務長官）と知り合った。その後、無理をしてでもダレスとの友情を維持しており、「アメリカでは法律家が加わらなければ、重要なことはなにも決まらないからだ」と説明している。一九一九年、三十一歳の若さで、創設されたばかりの国際連盟の事務次長に選任された。いらだつことの多い仕事だったが、二年後に辞任した。家業に戻って経営難を克服し、コニャック事業から撤退して国際銀行事業に転進した。モネの人脈はきわめて広範囲にわたるものであり、それを積極的な目的のために活用したことから、現在の言葉でいうならば、ネットワークの父とも呼ぶべきだと思える。

柔軟性、意志の力、根気強さ、豊富な人脈、創造性が組み合わさった独特の能力をもっともよく示したのは、切羽詰まった愛情の問題を解決したときである。一九二九年、モネはイタリアの画家、シルビア・ディ・ボンディニと深く愛し合うようになった。しかし、相手は敬虔なカトリック教徒だし、夫があり、娘がいた。離婚と娘の養育権を手にいれようと試みたが、どうしてもうまくいかない。離婚裁判で有名なネバダ州リノですら、満足な結果は得られなかった。解決策を見つけ出す

までに、五年かかった。一九三四年、モネは銀行の仕事で中国に出張した帰りに、シベリア鉄道を利用し、モスクワで列車をおりた。そこには恋人が待っていた。モネは人脈を使って数日のうちに恋人にソ連の市民権を取得した。恋人はすぐに離婚手続きをとり、二人はすぐにモスクワで結婚した。その直後にパリ行きの列車に乗り、パリに新妻を残してニューヨークに行き、上海に戻って中国の鉄道業界を再編する仕事を再開している。モネは一か所にじっとしている人間ではないのだ。しかし、結婚生活は四十五年後に死別するまで続いている。

第二次大戦中、モネはふたたび政治の中枢にかかわるようになり、フランス亡命政府で補給・再建の調整と、経済問題でのアメリカ政府との交渉にあたった。緊急に必要な補給品と資金の流れを組織化し、連合国全体の経済政策を調整する役割を果たしている。ローズベルト大統領の側近グループにいつでも入り込めた（その後いつまでも、アメリカのスパイではないかとド・ゴール将軍に疑われることになる）。アメリカが「民主主義の武器庫」になるという言葉を考えたのもモネだ。ローズベルト大統領の側近はモネに深く感謝し、二度とその表現を使わないように頼んだ。歴史に残る名言として、大統領が使えるようにするためである(8)。

計画――「現代化か頽廃か」

モネはおそらくフランス人のだれよりもはっきりと、戦争による被害の程度を認識し、戦争直後のフランスが直面した復興の課題の大きさを認識していたといえよう。製造業の基盤は、戦争以前

から数十年にわたってガタがきていた。差し当たっての緊急の問題として、国際収支の危機が深刻になっていたし、産業を根本から現代化する必要があった。国際収支の危機は、政府が解決にあたるしかない。産業の現代化も、民間セクターに頼るわけにはいかない。このような背景から生まれたのが、モネ計画である。

計画が生まれる直接のきっかけになったのは、終戦直後の一九四五年八月、モネがワシントンでド・ゴール将軍とかわした会話であった。モネはこう言った。「フランスの偉大さを語ってみても、現在のフランスは小国にすぎません。偉大だといえるだけの力をつけなければならない。……このために必要なのは、現代化です。いまは時代の進歩から取り残されているからです。フランスを大きく飛躍させる必要があります」

「その通りだ」。アメリカの活力と繁栄ぶりに衝撃を受けていた将軍はそう答えて、モネに解決策を求めた。「試してみるつもりはあるか」

モネは引き受けた。当初はパリのブリストル・ホテルにいくつかの部屋を借り、バスタブを板でおおって事務用に使える場所を増やしていたが、やがて、首相官邸の近く、セザンヌの画商が所有していた家に移転している。スタッフ数を最小限に抑え、舞台裏での根回しを最大限に駆使して、フランス経済の復興を狙った第一回の計画を作り上げた。

モネ計画は基本的に、優先項目を定め、投資目標を設定し、投資資金を配分することを内容としており、経済の再建、とくに基幹産業の再建に焦点をあてていた。基幹産業とされたのは、国有化された電力、石炭、鉄道と、国有化の対象外であった鉄鋼、セメント、農業機械の各産業である。

目標を掲げるのは、理論的にみた最適水準まで投資を増やすためではなかった。積極的で前向きの計画をつくること自体が重要なのだと、モネは考えていた。経済が動きだすきっかけをつくりたかったのだ。経済に勢いがつけば、リスクを嫌い、「低水準に凍りつく」戦前の状況に逆戻りすることはないとみていたからである。

アメリカから援助を受けるためにも、計画が必要だった。アメリカのウィル・クレイトン経済担当国務次官補は、マーシャル計画の立案者のひとりだが、この点を明確にしており、個人的な意見としてフランス高官にこう勧めている。「リベラル派になるべきだ。統制経済派になるべきなのだ。資本主義に戻ってもいいし、社会主義を目指してもいい。……どちらの道を選ぶとしても、政府が……しっかりした計画を立て、労働時間で算出した生産コストを国際水準並みにするよう、経済を立て直す意思であることを示さなければならない。……計画がたしかに真剣なものであれば、アメリカは援助を行なう。フランスが繁栄することが、平和を維持するために必要だからだ」。フランスはマーシャル計画に基づく援助を受けることになるが、そのためには現実的な計画を示す必要があったわけだ。モネは、計画の機能を国内の政争から隔離することにも成功している。たくみな根回しによって、首相直属の独立委員会として総合計画委員会が設立された(9)。

計画の立案にあたって、モネは立案、調整、金融、人脈の各面での抜群の能力のすべてを注ぎ込んだ。この結果、すばらしい計画ができあがった。フランスにとっては将来への期待をもたらす基礎になり、アメリカにとっては援助を提供する根拠になり、フランス経済にとっては、資本家が悲観的なためにそれまで数十年にわたって止まっていた投資と再編が進むきっかけになるものであっ

た。とはいえ、計画通りにことが進んだわけではない。目標のうちいくつかは達成できたが、達成できなかったものもある。一九五〇年の段階では、当初の再建・現代化計画を達成できたのは石炭産業だけであった。経済全体の投資目標も達成できず、鉱工業生産の伸び率は近隣諸国にくらべてかなり低く、積極的な投資計画がインフレをもたらす要因になった。しかし、この計画によって、戦争直後の決定的な時期に、計画性、方向性、将来へのビジョン、自信、希望をもたらすことができた。これがなければ、深刻で危険な沈滞状況が続いていただろう。そして、この計画によって、フランスは五〇年代の経済の奇跡への道を歩むことができた。

モネは少年のころ、父親とともにブランデー事業の財務を熱心に調べた経験があって、貸借対照表が大好きであった。この計画も当時、「戦後ヨーロッパではじめて、一国の経済の貸借対照表をつくり、将来のための全体計画を立てる試み」だと称賛された。しかし、モネ自身はかならずしも、中央計画に夢中になっていたわけではない。その後に首相になった政治家が述べているように、「おもしろいことに、モネは計画を好んでいたわけではない」。国有化についても賛成とも反対とも語っておらず、壮大な計画より、開放的で大規模な市場を好んでいた可能性もある。しかしモネは、一時的な方法としてであれ、資本と信用に関して国有独占企業を利用した。他に選択肢はなかったからだ。

「現代化か頽廃か」。モネはその計画で、フランスにどちらの道を選ぶのか、選択を迫った。フランスが現代化の道を選ぶように、経済で果たす政府の役割を拡大し、この役割に関して、計画に関して、信頼性の高いモデルを作り出した。モネの伝記に記されているように、この計画は、「いわゆ

る『混合経済』……を支える合意が、フランスだけでなく、欧州全体で形成される一助になった[10]」

ドイツ——ラッキー・ストライクと「鶏の餌」

戦争直後、四か国の占領地域に分かれていたドイツでは、ヨーロッパのどの地域よりも、資本主義が信頼されなくなっていた。大企業の多くがヒトラーに協力したからである。ナチは「戦争国家」体制を築き上げ、私有財産を維持しながら、それをみずからの目的のために管理し、服従させてきた。社会民主党はナチの支配に始めから終わりまで一貫して戦ってきた唯一の政党であり、資本主義ではない道を目指していた。

戦争直後に生活が極端に苦しくなったことでも、社会主義者の夢を実現する条件が整っていると思えた。ドイツは荒廃し、絶望的な食糧不足に陥っていた。経済統制と配給制度によってしばられていたため、食糧を手に入れるには物々交換に頼るしかなくなり、暗い表情の人たちがぼろぼろの列車に乗って農村に行き、なけなしの家財と交換に、わずかばかりの卵やジャガイモを手に入れていた。闇市場が広がって、ごく少ない生産物のうち、合法的な流通経路で取引されるのは半分にすぎないと推定された。通貨のライヒス・マルクはほとんど価値を失い、当初の五百分の一にすぎなくなった。それに代わって事実上の通貨の役割を果たしたのは、アメリカのGIに人気のあるたばこ、ラッキー・ストライクである。当時の状況がいかに悲惨であったかは、ケルンのカトリック教会大司教が信者に対して、生き残るために食糧や石炭を盗むのは罪ではないと語ったことからも想

像できよう。ケルン市のコンラート・アデナウアー市長は、暖房がないため、背広とコートを着たまま眠ったという。同市長の運転手はもう少し幸運だった。病院の風呂で寝ていたので、寒さに震えることはなかった。

このような状況があったため、戦争直後のドイツは社会主義への道を歩むとみられていた。社会民主党の指導者、クルト・シューマッハーは、ナチの強制収容所で十年間をすごし、うち八年間はダッハウですごしている。戦争が終わって、社会民主党はイギリス労働党とほぼ変わらぬ政策で、資本主義経済を国有化と中央計画の経済に移行させようとしていた。ドイツは間違いなくこの方向に進むとみられていた。中道右派のキリスト教民主同盟すら、一九四七年に採択した政策で、「資本主義の経済体制」は「ドイツの国と社会の利益」を損なったので、「今後かなりの長期にわたって」、管制高地を公共部門が掌握し、中央計画を「かなりの」程度取り入れるべきだと主張している。

しかし、それから一年もたたないうちに、ドイツ経済はこれとは大きく違う道を歩みだすことになる。そうなった理由はいくつかある。ソ連の拡張主義によって東西対立が激化し、ドイツが東西に分裂する情勢になり、左派が信頼されなくなった。マーシャル計画の援助によって、ヨーロッパ経済統合の基礎が築かれはじめた。それに、「鶏の餌」の問題が飛び出した。

ドイツの食糧事情は悲惨であった。国民一人当たりのカロリー摂取量は千三百カロリーになり、ときには八百カロリーまで低下した。これは戦前の水準の四分の一にすぎない。「ドイツ人が飢饉の淵にあることを知るのに、どうしてニューヨーク・タイムズ紙を読む必要があるのか、われわれには理解できない。危機はいまそこにある」と、アメリカのドイツ占領軍司令官のルーシャス・クレ

イ将軍が、ワシントンへの電報で怒りをぶちまけている。ドイツで食糧危機が深刻になったのは、世界的に食料不足が起こったからでもある。一九四七年、ヨーロッパの小麦生産量は三八年の半分にとどまった。この危機に対応して、アメリカ政府は大量の食糧をドイツに援助するようになった。四八年一月、ビゾニア（ドイツの英米共同統治地域が当時、こう呼ばれていた）の経済管理を担当していたヨハネス・ゼムラーが講演のなかで、アメリカから送られてくる穀物の多くが小麦ではなく、コーンだとこぼした。ドイツでは、コーンは人間が食べるものではなく鶏用の飼料だからと、自嘲気味に語った。この言葉が「鶏の餌（チキン・フィード）」と訳された。無償の食糧援助を「屑同然（チキン・フィード）」とくさされてはたまらない。クレイ将軍は激怒し、ゼムラーを解任した。後任に選ばれたのが、丸顔の経済学者で、戦争直後に数か月、バイエルン州の経済相をつとめたことがあるルードビッヒ・エアハルトであった。ヒトラーの時代、ナチへの入党を拒否したために大学での地位を得られず、ニュールンベルグで市場調査に従事して静かに時期を待っていた。このとき突然、予想もしていなかった地位につき、つい一年前に当然とされていたのとはまったく違った道に、ドイツ経済を導いていくことになる。(11)

新自由主義と社会的市場経済

ルードビッヒ・エアハルトは、新自由主義（オルドー派自由主義ともいう）を標榜する経済学派の一員であった。中心人物の何人かがフライブルク大学を中心に活動していたため、フライブルク

学派と呼ばれることもある。アルフレッド・ミューラー＝アルマック、ビルヘルム・レプケ、ワルター・オイケン、アレクサンダー・リュストーらがこの派に属している。自由市場を擁護する立場をとり、ナチズムの惨禍を招いたのは、カルテルが強大になり、国が経済を管理するようになったからだとみていた。また、「カント、ゲーテ、ベートーベンの国で、ナチの全体主義が力をもったのはなぜなのか」という苦痛に満ちた問いへの回答を見つけだせたとも考えていた。十九世紀後半の動きに原因があり、誕生したばかりのドイツ帝国のもとで、カルテルと独占がなんの制約も受けずに拡大し、経済力と政治力の集中が進んで、全体主義にまで至ったのだという回答である。新自由主義者は市場の力と競争に基づく経済を主張の柱にしていた。政府の責任は、競争を促し、カルテルを防ぐ枠組みを作り出し、維持することにある。民間の力であれ、政府の力であれ、力の集中を防ぐには競争が最善の方法であり、したがって、政治的な自由を保証するには、競争が最善の方法である。経済の仕組みとしても、競争が最善である。新自由主義者はそう主張していた。

しかし、新自由主義は自由放任に戻れと主張したわけではない。オルドー自由主義という言葉がそれを示している。「オルドー」とは秩序、「社会のある種の階層」、『自然な形態』を意味しており、中世の概念である自然律を連想させることを意図した言葉である。国が強い力をもち、社会の規範が強くなければならないと考えていたのだ。レプケはこう説明している。「自由競争の市場経済に制限を加えることは望まないし、価格が自由に変動する仕組みに制限を加えることも望まない。混合経済も望まない。……半面、競争に基づく純粋な市場経済を求めるにあたって、経済が社会、政治、倫理とは関係なく自由に活動できるとは考えていない。社会、政治、倫理の強固な枠組みのなかに、

経済を維持し、保護しなければならない。法律制度、国、伝統と倫理、しっかりした基準と価値観……がこの枠組みの一部である。また、枠組みの一部として経済政策、社会政策、財政政策があり、市場の外部で利害の調整、弱者の保護、極端な傾向の抑制、行き過ぎの是正、権力の制限、ルールの制定、違反の摘発を進めるべきである」

したがって、新自由主義者にとって、自由市場の擁護と社会的安全網の支持の間には、なんら矛盾はない。弱者や恵まれない人たちを保護するためには、補助や移転支払いの仕組みが必要なのだ。これらの主張は全体として、社会的市場経済と呼ばれている。この言葉はエアハルトの上級顧問の一人、ミューラー＝アルマックが考えだしたものであり、戦後の西ドイツの経済モデルを示す言葉として使われるようになった。新自由主義者の主張によれば、国の役割はきわめて大きくなりうる。しかし、価格や生産を管理して市場の力に干渉してはならない。また、新自由主義者もドイツ人の大多数と同様に、ドイツが不幸な道を歩むことになった主因のひとつは、第一次大戦後のハイパーインフレーションで中産階級が打撃を受け、事実上一掃されて、民主主義の基礎が掘り崩された点にあるとみていた。このため、通貨の安定に尽くすことになった。この点は後に、ドイツの中央銀行であるドイツ連邦銀行の存在理由になる[12]。

エアハルト――「無視してください」

新自由主義の原則がエアハルトにとって指針になった。英米共同統治地域の経済を担当するよう

になる少し前に、こう書いている。「社会的責任を認識しながら自由に経済活動を行なえる余地のある経済秩序を実現して、社会全体に嫌われている現在の官僚的形式主義を打破できれば、ドイツ国民は、ほんとうに幸福になれるだろう」。「鶏の餌」という不用意な発言によって、エアハルトはこの考え方にしたがって行動し、新自由主義を実践する立場にたつことになった。

国際情勢が有利にはたらいた。ソ連が対立姿勢を強め、勢力圏拡大に動いたため、西側は四大国の協力関係をあきらめ、ドイツ西部をひとつにまとめて西ヨーロッパとの結び付きを強める方針をとった。また、ヨーロッパの中央に位置するドイツが貧しいままでは、ヨーロッパ全体の経済復興も実現できないことが、おなじ時期に認識されるようになった。アメリカは一九四四年のモーゲンソー計画でドイツの「農村化」を主張していたが、その最後の痕跡もこのころに消されている。そして、工業の再活性化によってドイツ経済の復興をはかり、マーシャル計画によって近隣諸国の経済に統合していく方針がとられた。

一九四八年六月、きわめて重要な動きがあった。英米共同統治当局が大規模な通貨改革を実行し、無価値になっていたライヒス・マルクを一夜にして新ドイツ・マルクに切り換え、経済の健全な基盤を確立したのだ。西側の占領地域を政治的に統合するには、通貨改革が不可欠であった。エアハルトは蚊帳の外におかれていた。実行の数時間前にようやく、クレイ将軍から知らされた。怒ったエアハルトは、毎週出演していたラジオ番組でいち早く通貨改革を発表し、自分が中心になって準備を進めてきたかのようにふるまった。

通貨改革におとらず重要だったのは、その数日後、今度はエアハルトが自分の権限で実行した自

由主義経済秩序への一歩である。当時のドイツ経済は、ナチの時代から受け継いだ大規模な配給制度と価格統制によってしばられていた。エアハルトはこれに目をつけて、クレイ将軍に意趣返しをしようとした。価格管理の制度を改定する際には、占領当局の承認が必要だ。しかし、制度そのものを撤廃する際には、承認は必要とされていない。撤廃できるとは、だれも考えていないからである。エアハルトはまさに、だれも可能だとは考えていなかったことをやってのけた。クレイ将軍には事前に通知することなく、価格管理の大部分を一夜にして撤廃したのである。

これによって一気に、経済が機能するようになった。闇市場は姿を消した。店先に商品が並ぶようになった。今度はクレイ将軍が困った立場にたたされた。「とんでもない間違いだとわたしの顧問は言っている。この意見にどう反論するのか」とエアハルトに質問した。

「将軍、そんな意見は無視してください。わたしの顧問もおなじことを言ったのですから」

将軍はそれ以上反対しなかった。後に歴史家は、この話し合いを「戦後ドイツの歴史で『もっとも重大な』出来事だった」と評している。ドイツ経済の奇跡と社会的市場経済がこれではじまったのである。

数日後の六月二十三日、通貨改革を阻止し、西側三か国の占領地域を統合する動きを撤回させようと、ソ連がベルリン封鎖を実施した（ベルリンはソ連の占領地域に約百五十キロメートル入ったところにあるが、四か国が統治していた）。西側占領地域からの鉄道と道路の輸送路を遮断して、西ベルリンへの補給を止め、通貨改革と政治統合を撤回するよう西側に求めたのである。しかしソ連は、西側諸国が急遽、空路を使って大量の物資を補給することまでは予想していなかった。空輸を

阻止しようとすれば、第三次世界大戦の引き金を引くことになりかねない。ベルリン封鎖はまったくの逆効果になり、ソ連の立場がいっそう弱くなった。一九四九年四月、北大西洋条約機構（NATO）の設立をさだめた北大西洋条約が調印され、ベルリン封鎖によって、西側三か国の占領地域を民主国家として統一し、西側の一員にする動きが加速するだけになった。西側同盟国の強い支持のもと、基本法という名称で憲法が制定され、一九四九年五月八日、ドイツ連邦共和国（通称は西ドイツ）が発足した。ナチが降伏してから四年と一日後であった。ソ連は政策の失敗に気づき、ベルリン封鎖を解除した。[13]

ドイツ経済の奇跡

こうして、社会的市場経済を実現する政治的な条件が整う可能性が生まれた。しかし、条件はほんとうに整うのだろうか。この点は、新たにつくられた連邦議会の選挙結果しだいであり、戦後の初代首相にだれが選ばれるかによっていた。選挙で勝利するとみられていたのはクルト・シューマッハーが率いる社会民主党であり、同党は経済運営に関して、社会的市場経済とはまったく違う考え方を主張していた。シューマッハーに対抗したのは、キリスト教民主同盟のコンラート・アデナウアーである。アデナウアーは一九一七年からケルン市の市長をつとめ、三三年、ヒトラーが同市を訪問した際に市庁舎にナチ党旗を掲げるのを拒否して解任されている。ナチの時代、一時期はバラの手入れで、一時期は刑務所で、一時期は隠れ家でときをすごした。最後に投獄されたのは一九

四四年、国防軍将校によるヒトラー暗殺未遂事件の後であり、まずは強制収容所に、つぎにゲシュタポの刑務所に入れられた。「アメリカ軍が突然、近くまで進撃してこなければ、ゲシュタポの手で別の刑務所に移され、殺されていただろう」と、ヒトラーが自殺した翌日、アメリカの友人に出した手紙に書いている。戦後しばらく、ふたたびケルン市長をつとめた。ナチに反対してきた経歴には、疑いの余地はなかった。妻はゲシュタポの刑務所で身体をこわし、四八年に死亡している。

一九四九年九月の総選挙では、アデナウアーによれば、「計画経済」か「社会的市場経済」かが大きな焦点になった。選挙結果は微妙で、シューマッハーの社会民主党とアデナウアーのキリスト教民主同盟・キリスト教社会同盟が、それぞれ約三〇パーセントの票を獲得し、残りをその他多数の政党が分け合った。首相は連邦議会の投票で決まる。首相選挙の結果を左右するのは、純粋な市場経済を主張する唯一の政党、自由民主党の少数の票であった。同党はアデナウアーを支持した。アデナウアーはわずか一票で、自分自身の票で、首相に選任されている。「主治医には、首相の職を少なくとも一年、おそらくは二年つとめられるといわれている」と、七十三歳の新首相は語った。結局、その後十四年にわたって首相の座を維持することになる。この十四年間、エアハルトは経済相として、社会的市場経済の構築にあたった。それによってもたらされたのが、ドイツ経済の奇跡である。

社会的市場経済がさまざまな面で混合経済に似ているのはたしかだ。たとえば一九六九年の段階で、連邦政府が株式の二五パーセント以上を保有している企業が六百五十社にのぼった。州政府や地方自治体が保有する企業は、運輸、電話、電信、郵便、ラジオ・テレビ放送、電気・ガス・水道

など広範囲に及んでいる。石炭、鉄鋼、造船などの鉱工業でも、公共セクターが株式の一部を保有することが多かった。しかし、ドイツの産業政策の枠組みは、フランス、イギリスのモデルと決定的な点で違いがあった。フランスとイギリスでは、政府が管制高地を制圧し、国民全体に豊かさを提供できるようにした。ドイツでは、政府は管制高地の周囲にさまざまな組織のネットワークをつくり、限られた範囲内で管理することによって、市場が効率的に機能するようにした。政府、経営、労働の三者の協力体制で、経済を運営した。この協調主義制度の独特の性格を象徴するのが、三者の代表によって構成される経営協議会である。アデナウアー首相とエアハルト経済相の指導でつくられたドイツ独特の方式によって、ドイツ経済は一九四七年のどん底から抜け出し、十年もたたないうちにヨーロッパ経済の中心になり、ヨーロッパの経済成長を主導する機関車の立場を確保した。(14)

イタリア――国策企業

イタリアは戦後、混合経済体制を築き上げたわけではない。ムッソリーニのファシスト政権から混合経済を受け継いだのだ。一九三三年、世界恐慌のさなか、ファシスト政権は産業復興公社（IRI）を設立し、経営難の企業を救済するために信用を供与し、それら企業を買収していった。やがて、IRIが三大銀行や、製造業のかなりの部分を傘下に収めるようになった。「一九三六年には、欧米諸国でもっとも計画性がない産業国有化の第一段階」が終わっている。その後、ファシスト政権は計画を導入するようになり、自国の戦争遂行能力を高めるための国策会社として、IRIを使

うようになる。戦後、弱体な政権がつぎつぎに交代していったため、政府はＩＲＩに対する力を行使できず、ＩＲＩ傘下の各企業ではそれぞれの経営者に経営が任されていた。ＩＲＩは将来へのビジョンを実現するための手段というより、ぬるま湯のような過去を引きずったものという性格が強かった。中央の計画はなかったので、産業政策はＩＲＩ傘下の各企業の経営戦略を寄せ集めたものでしかなかった。

このようなＩＲＩの性格を打ち破ったのが、国有企業として新たに設立された石油会社、炭化水素公社（ＥＮＩ）である。一九二〇年代に国策会社としてつくられた国有石油精製会社のＡＧＩＰを中心に、戦後間もなく設立されている。このＥＮＩがイタリア経済の牽引役になったのは、もっぱらエンリコ・マッテーイの功績である。マッテーイは北イタリアで警官の息子として生まれ、子供のころは手に負えない乱暴者であった。十四歳で学校を中退し、若くして化学会社を経営するようになり、戦争中はパルチザンの指導者になった。戦後、組織力と政治力を買われてＡＧＩＰの経営者になった。この立場で取り組んだのが、新たな巨大企業を築き上げて国内市場を制覇し、世界の石油業界を支配する大企業（マッテーイはこれら企業を「七人の魔女（セブン・シスターズ）」と呼んだ）と競争できるようにすることであった。五〇年代後半には、ＥＮＩは三十六の子会社で広範囲な事業を展開するコングロマリットになっていた。その事業は、原油生産、ガソリン・スタンドからホテル、高速道路、石鹸にまで広がっている。

これらの子会社の社長はいずれも、おなじ人物であった。エンリコ・マッテーイがすべての子会社の社長を兼任していたのである。一九五四年、アメリカ大使館の報告書にこう書かれている。イ

タリアの国営企業のひとつが、「イタリア経済の歴史ではじめて、……財務が健全であり、経営がすぐれており、ひとりの指導者が経営の全責任を負っている点で、特異な立場に立つことになった」。この指導者は、「野心に際限がない」とも記している。マッテーイは、他人を引きつける力もきわめて強かった。「部下はだれでも、マッテーイ社長のためなら、火のなかにも飛び込んだはずだ。自分がなぜ飛び込むのか、だれも理由をうまく説明することはできないのだが」と、側近のひとりが後に書いている。

説明できる点もあった。国有企業のＥＮＩがどこまで強力なシンボルになったかである。ＥＮＩは、戦後の国有国策会社がきわめて大きな力をもっていた点を象徴しているのだ。マッテーイは戦後イタリアが進むべき道を指し示していた。ファシズムに反対するイタリア、復活と再建への道を歩むイタリアを象徴していた。そして、「新しい血」を象徴してもいた。ＩＲＩのエリート層の一員でもなければ、ファシストだった過去もなく、裸一貫でみずからの道を切り開いてきた男が活躍する時代がきたのだ。ＥＮＩはイタリアの復興に大きな役割を果たした。資源が乏しいイタリアのために、天然資源を確保する役割を担った。国の誇りを求める国民の気持ちに訴えてもいる。マッテーイは国民の想像力を刺激するのがうまかった。戦争が終わってわずか数年のうちに、ＥＮＩは全土の高速道路や一般道路に新しいガソリン・スタンドをつぎつぎに建設していった。外資企業のスタンドよりも大きく、魅力的で、広々としていた。レストランすら備えていたのだ。

イタリアの民間企業では、ＥＮＩに匹敵する成果をあげることはできなかっただろう。そしてＥＮＩも、経済の管制高地に対する政府の支配がしっかりしておらず、組織だっていないというイタ

リア特有の要因がなければ、ここまでの成果をあげることはできなかっただろう。ENIは国の資源を活用することができ、それを活用して、世界で第八位の石油会社になっていった。数十年にわたって人材を育ててきた点も重要であり、技術の教育を受け、事業経営に精通した若者に、世界に通用するオイルマンになる機会を与えた。イタリア経済の奇跡をエネルギー面で支えたうえ、奇跡の経済成長をもたらす原動力のひとつにもなった。象徴的な面では、ファシズムの時代と訣別し、戦後イタリアが歩むべき道を指し示す役割を果たしている。ENIは、国有企業にどこまでのことができるのかを示すモデルになった。そして、国が企業を所有する根拠を示すものになった。この根拠は、二つの言葉に要約できる。成長と進歩である。(15)

ジョン・メイナード・ケインズの「蚕食（さんしょく）」

戦後復興の時期が終わり、豊かさが復活する兆候があらわれはじめたころ、混合経済は、説得力のある新しい経済学を理論的な基礎にして管理されるようになる。この経済理論は、社会主義から生まれたものではなく、資本主義の改革を目指したジョン・メイナード・ケインズの研究から生まれたものだ。ケインズは、二十世紀の経済学者のなかで、影響力がもっとも大きい人物だ。ビクトリア女王時代（一八三七～一九〇一年）後半からエドワード七世国王時代（一九〇一～一〇年）にかけて、安定、繁栄、平和が当然とされた時代、イギリスが世界経済を支配した時代に育っている。この時代の自信と確信、そして楽観主義を、ケインズは失うことがなかった。しかし、学者として

の名声が高まり、大きな影響を与えたのは、第一次大戦にはじまり、大恐慌の時代まで続いた混乱と危機を理解しようとつとめたからである。

ケインズは、ウィリアム征服王の軍隊の一員として十一世紀にイギリスにわたってきた騎士にまでさかのぼる家系に生まれ、父親はケンブリッジ大学で経済学を教えていた。イートン校とケンブリッジで教育を受け、年少のころから幅広い分野で抜きんでた知性を示すとともに、傲慢さと、鼻持ちならないエリート主義ともされる態度を身につけていた。支配階級の習慣を身につけ（たとえば、通常ならシティの証券業界の大物しかかぶらないホンブルグ帽を愛用した）、本人がいう「教養あるブルジョワジー」の一員であることへの誇りをもつ一方で、社会と学界の常識への反逆を続け、けんか早く、ブルームズベリーの一員としてボヘミアンと耽美主義の生き方を好んだ。数学で抜群の能力を示す一方、経済学の微妙な問題であれ、異常なほど執着した政治家の手についてであれ、さまざまなテーマで文筆の才能を発揮してもいる。すぐれた経済学者の条件のひとつとして、現実の世界を「用心深く観察すること」をあげており、自身も統計を詳しく調べるのが大好きであった。最高のアイデアは、「統計数値をながめて時間をすごすうちに、その意味するところはこうに違いないと考えついて」生まれたと、何度も語っている。こうしたアイデアを果てしなくいじりまわすのが趣味であり、そのなかから、あらゆる現象を説明できる一般理論を導き出そうと懸命になった。

一九一九年のパリ講和会議に大蔵省の代表として参加し、連合国がドイツに課そうとしている厳しい講和条件では、ヨーロッパ経済の回復が遅れ、新たな危機がかならず起こると確信するようになった。失望したケインズは辞任し、イギリスの田舎に引き込み、数週間で怒りをこめた批判の書、

『平和の経済的帰結』を執筆した。この本で、ケインズは一躍有名になった。二〇年代には、金融の問題にほぼ焦点をあてて研究を続けた。ポンドが割高になる水準で金本位制に復帰する決定をウィンストン・チャーチル蔵相がくだしたとき、『チャーチル氏の経済的帰結』で痛罵している。

一九二〇年代から三〇年代にかけて、ケインズは週のうち何日かはケンブリッジのキングズ・カレッジで教授としてすごし、残りはロンドンで通貨、市況商品、株式の投機にかかわっている。いくつもの投資会社や保険会社の取締役になり、そのうち一社では会長にまでなった。相場と市場の心理をみごとに理解していた。大恐慌のこの時代に、キングズ・カレッジの財務担当理事として、基金を十倍に増やしている。自分の資金も運用して、ときには損失を被ることもあったが、巨額の富を築いた。リスクをとるのをいとわなかった。親友のひとりが書いている。「実業家をつきうごかしているのはなんなのか、ある時には投資案件で大きな賭にでるが、ある時には流動性と現金を選好するのはなぜなのか、経済学者は、ほんとうのところ理解できていない。メイナード〔ケインズ〕はこの点を理解していた。本人が相場をはっていたので、ときには賭をし、ときには流動性を好む実業家の気持ちがわかっていた」。ケインズが語ったように、「事業とは賭の連続」なのだ[16]。

イギリスで失業率が高止まりし、大恐慌の時代に入って急上昇したことから、ケインズは金融から失業に研究のテーマを変え、一九三六年に主著の『雇用、利子、貨幣の一般理論』を刊行した。この著作では、用心深い観察者、するどい数学者、自信にあふれる反逆者、一般化の天才の本領を発揮している。ケインズは自分を育ててきた古典派経済学の伝統に真っ向から攻撃を加えた。古典派経済学を生みだした環境は、第一次大戦で破壊されたのであり、それ以来の激動によって、古典

派の不適切さが示されてきたとケインズはみていた。新しい総合的理論が必要であり、ケインズがケンブリッジの弟子たちの「幼稚園」と協力して作り出そうとしたのは、そういう理論であった。

この著書で、古典派経済学は間違った想定のもとに組み立てられているとケインズは主張した。需要と供給の均衡によって完全雇用が実現すると想定している。これに対してケインズの見方では、経済はつねに不安定で変動しており、需要と供給が均衡しても完全雇用にならない場合がある。これは、投資が不足し、貯蓄が過剰になるからであり、どちらも不確実性の心理に起因しているという。

この問題を解決する方法は、みたところ、ごく単純である。民間の投資の不足を公共部門の投資で補い、意識的な財政赤字によってその資金をまかなえばいい。政府が資金を借り入れ、公共事業などに投資する。財政赤字による政府支出で雇用が創出され、購買力が高まる。不況の時期に財政均衡をはかれば、事態は悪くなるだけであり、良くはならない。この主張を裏付けるために、ケインズはさまざまな新しい手法を使った。標準化された国民経済計算（ここから国民総生産の基本概念がみちびきだされた）、総需要の概念、乗数の概念(政府が公共事業に支出した資金を受け取った人たちがそれを使い、さらに新しい職を生みだす）などである。ケインズの分析によって、マクロ経済学の基礎が築かれた。マクロ経済学では、経済を全体として扱い、政府支出、財政赤字、税金といった財政政策の役割に焦点を当てる。その手法を使えば、総需要を管理し、完全雇用を実現できる。その際の当然の前提として、景気が回復し、拡大する時期には、政府が支出を削減するとされていた。しかし、この点は忘れられたり、見落とされたりすることが多かった。

ケインズは、政府が経済に関して、それまでよりはるかに大きな役割を担うべきだと考えていた。資本主義の改革と管理を目指し、資本主義を社会主義から救うとともに、資本主義自体からも救うことを目的としていた。「投資をかなりの程度まで公共部門が担う」べきであり、国が「投資を直接に組織する点で役割を増大させていく」べきだと語った。賢明な政策担当者が財政政策を活用すれば、経済を直接に管理する手段に訴えなくても、経済を安定させることができる。この方法であれば、経済に関する決定の大部分は、中央の経済計画当局によってではなく、分散した市場によってくだされる。

『一般理論』に結実した研究は、猛烈なペースで進められた。世界恐慌に苦しんでいた当時、つぎの破局が迫っているとケインズは確信していたからだ。改革を行なわなければ、全体主義の道を歩むことになる。そして、ケインズの理論が熱意をもって受け入れられたのは、マクロ経済学という新しい分野が切り開かれたからだけではない。当時の危機的な状況も背景になった。当時の学生が説明している。「もうひとつ、ケインズがもたらしたものは、希望であった。強制収容所や処刑や野蛮な尋問に頼らなくても、豊かさを回復し、維持できるという希望である」

つぎの破局はすぐにやってきた。第二次世界大戦が勃発したのだ。これを機に、ケインズは、戦費調達と戦後の通貨制度の問題に関心を移していった。そして、ブレトン・ウッズ会議の主役のひとりになった。この会議で世界銀行と国際通貨基金（ＩＭＦ）が創設され、固定為替相場制度が確立している。また、第一次大戦以来、心を悩ませてきた問題にも取り組んだ。金融面でアメリカの力が圧倒的になるなかで、イギリスがどのように対応し、アメリカへの屈伏を最小限に抑えるのか

という問題である。ケインズが青年になったころ、イギリスは世界経済を支配していたのだから、自国の凋落は耐えがたかった。それでも、アメリカが強大になった現実にあわせて、自国の立場を調整しなければならない。ケインズが最後に取り組んだのは、一九四六年、数十億ドルの借款をアメリカに求める交渉であった。なんともやりきれない仕事だった。交渉のストレスで文字通り、ケインズは命を落とすことになる。

ケインズの理論は、政府が経済に果たす役割を拡大する際の具体的な根拠になり、もっと一般的に、介入と管理を効率的に進める能力が政府にあるとの自信をもたらすものになった。第二次大戦の後、その業績が「ケインズ主義理論」として普及していったとき、ケインズの原動力になっていた自信が、理論を支える基盤として受け継がれていった。ケインズ自身は不確実性に魅せられ、市場で投機の才能を発揮したが、ケインズ主義者は市場の知識より「政府の知識」の方がすぐれているとみていた。ケインズの伝記を書いたロバート・スキデルスキーによれば、この暗黙の考え方を極端な形で表現すれば、こうなる。「政府は賢明であり、市場は愚かである」

『一般理論』でもとくに有名な一節で、ケインズは「思想が少しずつ既成の考え方を蚕食していく力とくらべて、既得権益の力はきわめて過大に評価されている」と書いている。しかし、ケインズ主義の蚕食は、そして、経済理論の管制高地を制圧する動きは、「少しずつ」といえるようなものではなかった。ケインズが死んでわずか数年のうちに、イギリスでもアメリカでも、経済政策の立案の場で圧倒的な地位を占めるようになっていた。その影響がどれだけ大きかったかは、少なくとも、どこまで大きいと考えられていたかは、一九六〇年代半ばに刊行された経済思想史を読めばあきら

かである。「欧米のほとんどの国で、ケインズ理論が管理型の資本主義、あるいは福祉志向の資本主義の理論的な基礎になっている。ケインズ理論の幅広い普及が、第二次大戦の後、欧米の工業国のほとんどで雇用の水準が一般に高くなったこと、経済に果たす国の役割についての態度が大きく変わったことの主因だといえるほどである」。ケインズの自信は、その理論のなかに生き残っていったのだ(17)。

貿易と国の力

ケインズ理論をはじめとする混合経済の原則が共通して受け入れられるようになったことが一因になって、ヨーロッパ諸国はさまざまな違いがありながらも、戦後三十年間に結束を強めてきた。この結束を究極的な形であらわしているのが、今日の欧州連合(EU)である。

各国の相互依存関係を強化していけば、ヨーロッパの平和を確保できる可能性がある。この点に最初に気づいたのは、ジャン・モネであった。第二次大戦中にすでに、ロタリンギアの現代版の構想をあたためていた。九世紀、カール大帝の孫の時代にフランク王国が三分割されたとき、緩衝地帯としてつくられたのがロタリンギアである。とはいっても、モネは過去の夢を追っていたわけではない。きわめて現実的な問題への解決策を模索していたのだ。ドイツをどのように扱い、ヨーロッパ大戦の再燃をどのように防ぐのかという問題である。この問題を一挙に解決する方法はこうだ。復興を果たし、経済力を強めたドイツを統一ヨーロッパに統合する。ロタリンギアはこの方向に向

けた第一歩になる。フランスとドイツの国境にあるアルザス・ロレーヌ地方とルール地方は、石炭と鉄鋼の中心地であり、過去に繰り返し紛争のタネになってきたので、いわゆるシューマン計画のもとで国際共同管理されることになった。こう呼ばれているのは、フランスのロベール・シューマン外相が提唱したからだが、実際には大部分、モネの構想によるものである。当時の表現を使うなら、これによって「ヨーロッパが出発した」。もっとも、この出発を強力に後押しした要因にマーシャル計画がある。アメリカが援助受け入れのための共同計画を立案するよう、ヨーロッパ各国に求めたからである。また、援助の効率を高めるために、ヨーロッパ諸国間の貿易障壁を低めるよう求める「自由化綱領」もこの計画に盛り込まれていた。

つぎの一歩は一九五七年に起こった。モネの構想に刺激され、五六年秋の激動（スエズ動乱で欧米同盟国が対立し、ハンガリー動乱でソ連が民衆運動を圧殺した）に衝撃を受けて、ヨーロッパ六か国がローマ条約に調印し、「ヨーロッパが再出発した」。この条約で欧州共同市場（欧州経済共同体）が設立され、多様な経済が統合をはかる前例のない動きがはじまった。各国の結束をもたらした要因は三つあった。混合経済を目指す合意、ドイツ問題解決の目標、ソ連圏の脅威である。

こうして、西欧各国の政府は、経済に対してこれまでより大きな責任を果たそうとする一方で、ヨーロッパ統合への動きを開始して、逆の方向にも動きだした。つまり、貿易と投資の障壁を減らしていくことで、政府の権限を譲り渡す方向に第一歩を踏み出したのだ。これは、貿易障壁を低め、貿易を拡大させていく大きな流れの一部であり、この流れが政府の力に対抗するものになった。

第二次大戦中、アメリカ政府とイギリス政府は、貿易を円滑にし、促進するために、過去に例の

ない包括的な新制度の確立に向けた交渉で指導力を発揮した。交渉の目的ははっきりしている。数量規制、高率の関税、特恵待遇の協定、経済封鎖、管理貿易、近隣窮乏化政策などによって破壊された大戦前の貿易体制への逆戻りを防ぐことであった。戦前の悪性の保護貿易主義が世界恐慌、それに伴う政治問題、その後の戦争をもたらす大きな要因になったと、両国政府は確信していた。世界的に経済成長を刺激した十九世紀後半の開放的な貿易体制を復活させることが夢であった。この夢を実現する際の基礎として、典型的な十九世紀型の自由主義者、アメリカのコーデル・ハル国務長官が一九三〇年代に推進した二国間貿易協定があった。ただし、大戦中に交渉された新制度は、ハル国務長官のものとは違って、多国間のものであり、多数の国が同時に貿易障壁の削減に同意するものであった。この新制度の中心として国際貿易機関（ITO）を設立し、多国間貿易交渉の枠組みにするとともに、貿易の規則を制定し、管理する計画だった。世界銀行、国際通貨基金（IMF）と並んで、戦後の世界経済体制を支える三大国際機関のひとつになるはずであった。

一九四七年、ハバナで開かれた会議で、五十七か国がITOの設立を取り決めた憲章を採択した。しかし、ITOは各国の世論と議会の支持が得られず、強硬な反対を受けることになった。五〇年、朝鮮戦争が勃発して数か月たって、アメリカ国務省が簡単な声明で、ITO設立計画の棚上げを発表した。議会の保護貿易主義者は勝利したと考えた。ある上院議員は、「墓碑銘は国務省が書いたが、葬儀はわたしが取り仕切る」と歓呼の声をあげた。しかし、保護貿易主義者は間違っていた。トルーマン大統領が行政権限によって、ITO交渉で規定されていた暫定措置を実行していったからだ。これがGATT（関税および貿易に関する一般協定）である。GATTは年次総会などの会議で運

営され、貿易障壁軽減のための多国間交渉の枠組みとなり、貿易のルールを制定する機構になった。GATTは、ITOとは違って、組織がしっかりしておらず、権限もなかった。しかし、一九四八年に発足して以来、半世紀にわたって、財、サービス、金融の国際的な流れを阻害する障壁を徐々に低めていく枠組みになった。戦後の経済成長を支える重要な推進役になり、経済が国境を越えてグローバル化する一助になった。これによって、経済の管制高地が国際競争にさらされるようになり、国民国家の力が侵食されるようになった。(18)

「いまほど恵まれた時代はなかった」

しかし、そうなるのは、何年も後のことだ。当時、経済の回復をもたらす直接の要因があった。一九五〇年から五三年までの朝鮮戦争とそれに伴う軍備拡張が、先進工業国全体で経済成長を刺激する大きな要因になった。その後も、防衛支出は経済成長を支える要因として重要な位置を占めている。また、ソ連が経済開発に成功を収め、高度成長を達成しているとみられていた。このため、東西のどちらが経済競争に勝つのか、そして、第三世界（チャーチルがそう名付けた）でどちらの経済体制が支持されるのかが、西側諸国でつねに懸念されていた。五七年、ソ連が最初の人工衛星、スプートニクを打ち上げた。これは快挙というにとどまらず、ソ連型の指令経済の活力を証明するものだとみられた。

とはいえ、西ヨーロッパ諸国の経済も戦後、めざましい成果をあげている。混合経済によって、

戦争直後には予想できなかったほど、想像すらできなかったほど、生活水準が向上し、生活のスタイルが変わった。イギリスでは、一九五〇年代と六〇年代は福祉国家の黄金時代と呼ばれている。五七年にサッカー場で開かれた政治集会で、ハロルド・マクミラン首相がヤジをあびて、「国民のほとんどにとって、いまほど恵まれた時代はなかった」と反論した。そして、「いまほど恵まれた時代はなかった」がまさにぴったりの選挙スローガンになった。

西ヨーロッパ全体で、まさにそうなっていた。労働者がはじめて、自分が生産したものを買えるようになった。フランスでは、ストライキの頻発、共産革命の恐れが過去の物語になった。この時期はフランスで、「栄光の三十年間」と呼ばれている。ドイツは、社会的市場経済によって、エアハルトのいう「全国民が豊かになる社会」を実現する道を歩み、「経済の奇跡」の国になった。フランスもドイツも、五～六パーセントかそれ以上の率で経済が成長していた。一九五五年になると、西ヨーロッパのすべての国で生産が戦前の水準を上回った。先進工業国全体で戦前の秩序が信頼されなくなる原因になり、行動を促す最大の要因になった失業という悪は追放された。フランスでは、四五年から六九年までの平均失業率は一・三パーセントであった。ドイツでは、七〇年に失業者が事実上いなくなり、失業率がわずか〇・五パーセントまで低下している。

ヨーロッパの先進国でこのような成功を収めたことから、全国民が豊かになれるように、政府が経済を管理し、その方向を定めるために積極的な役割を果たすべきだとする考え方、そして、多くの場合、経済の一部を所有すべきだとする考え方の正しさが実証された形になった。未曾有の経済成長の力を生かして、混合経済が新しい既成秩序の地位を確立し、毎年、その範囲を拡大していっ

た。国は、経済の管制高地を支配するか、財政政策の操縦桿を操作した。政府は福祉国家を確立して責任を負うようになり、市場の「失敗」を是正することに全力をあげた。こうした政策が経済の成功をもたらす公式になり、大戦間の不幸な時代、第二次大戦の破壊の時代を葬り去ることができた。どのような基準でも、この時期は、経済という観点でみて、まさに栄光の時代であった。[19]

第2章

巨大さという問題

アメリカの規制型資本主義

chapter 2

THE CURSE OF BIGNESS:

America's Regulatory Capitalism

一九三八年、パリの地下鉄のプラットホームで、往年の大物が息絶えた。カネはほとんどもっておらず、アメリカの新聞は、極貧のなかで死んだと書き立てた。じつのところ、男は恥辱にまみれてはいたが、貧しかったわけではない。財布は警官が到着するまえに抜き取られていたのだろう。しかし、貧しさのなかで死んだ方が、話としては都合がよかった。実業家、サムエル・インサルの成功と転落の物語は、二〇年代の株式市場のバブルと三〇年代のその破裂の教訓としてうってつけだった。堕ちた偶像が死に、ポケットにわずか八セント分の硬貨しかなかった……。資本主義の崩壊を示すのに、これほどふさわしい物語はない。これこそ、悔恨と苦悩に満ちた時代に必要とされていた教訓である。

インサルが勇気と覇気と能力を象徴する経営者とされた二〇年代の好況の時代から、なんという変わりようだろう。一八五九年に生まれたインサルは、少年のころからロンドンで電話交換手として働いた後、トーマス・エジソンの会社のイギリス支社長付き速記係になった。後にエジソンの秘書となり、以後、順調に昇進していく。そして、エジソン社が分社化した際、シカゴ社の社長になり、同社を巨大な電力会社に育てあげた。アメリカのかなりの部分に電力を供給する巨大企業を築きあげ、それを統括する王となったのだ。真剣さと悪口雑言（インサルト）で有名だったが、なによりも一大帝国を築こうとする熱意で知られていた。電力事業の将来に、大きなビジョンをもっていたのだ。「家庭、工場、鉄道はすべて、一か所から電力供給を受けることになるだろう。理由は簡単で、もっとも安価に発電と送電ができるからだ」。このビジョンを実現するためにインサルが作り上げたのは、驚くほど複雑な企業群のピラミッドだ。発電と送電、料金徴収は事業会社が行なった。多数の事業会社

の株式を主な資産とする持ち株会社では、財務技術を駆使し、経理操作の余地がいくらでもあった。一体、だれがこの帝国の全貌を理解できただろう。インサルは一時、六十五社の会長、八十五社の取締役、十一社の社長をつとめていた。当時、「インサリズム」が、将来の企業経営モデルとしてもてはやされた。しかし、株式相場が暴落し大恐慌に突入すると、インサル帝国は崩壊した。持ち株会社の構造の頂点に位置するインサル・ユーティリティ・インベストメントの株価は、一九二九年には百ドルを超えていたが、三三年にはわずか一ドル強になった。インサルさえ帝国の全貌を理解していなかったといわれるようになった。とはいえ、投資家の怒りは理解しており、三十六人のボディガードを雇い二十四時間体制で身を守っていた。

損失を被った株主の怒りだけでは済まず、イリノイ州クック郡から窃盗と横領の罪で告発され、騒ぎが広がったため、慌ててヨーロッパに逃亡した。一九三三年に就任したフランクリン・ローズベルト大統領は選挙中にインサルの身柄確保を公約にしていたので、なんとしてでも連れ戻さねばならなかった。インサルがフランスに潜伏していることを知り、イタリアに入国したら拘束するよう、独裁者、ムッソリーニにも協力を要請したが、そのころすでに本人はギリシャに入国していた。逃亡中のインサルは事態の重大さを認識しておらず、「どうしてアメリカでわたしばかりが悪者にされるのか。銀行家や事業家はみな、おなじことをしていたではないか」と訴えた。しかし、ギリシャ政府はアメリカ政府の要請にこたえ、インサルを国外追放処分にした。行き場を失ったインサルは、貨物船を雇って地中海をさまよう流浪の民となったが、補給のために入港したトルコの港で身柄を拘束された。トルコとアメリカの間に犯罪人引渡条約は結ばれていなかったが、船で強制送還

された。そして、クック郡に戻され、詐欺罪で裁判にかけられた。インサルに対する非難はすさまじかったが、三四年に、意外なほどあっけなく釈放された。陪審員は、わずか五分で無罪の評決をくだしている。しかし、アメリカに嫌気がさしていたインサルは、人生の最後の四年をアメリカ国外ですごした。かつて数億ドルにのぼった財産も、ほとんどを失っていた。シャツの飾りボタンまで、訴訟の対象になっていたほどだ。節約するため、パリではよく地下鉄を利用した。地下鉄は心臓によくないと妻から注意されていたが、はからずもそのとおりになった。(1)

インサルは、死亡するかなり前から、アメリカで資本主義の行きすぎの象徴、大恐慌以前の時代の詐欺や貪欲の象徴になっていた。自由放任の市場がもたらしうるすべての悪の象徴になっていたのだ。ローズベルト大統領らのニューディール派が、インサルの名を引き合いに出し、激しく非難した。大恐慌による災厄のほとんどが、インサルら大物の策謀によるものとされた。インサリズムは、明るい未来を指し示すビジョンなどではなく、大恐慌を引き起こした主因のひとつだとみられるようになったのだ。経済の混乱を収拾し、将来インサルのような人物によって惨禍が繰り返されるのを防ぐために、ニューディールでは、政府の権限を経済活動のすみずみにまで徹底する壮大な実験が行なわれた。企業の国有も、選択肢のひとつとされた。たとえば、テネシー渓谷開発公社(TVA)は、企業の国有と経済開発の大規模な実験であり、きわめて貧しかったアメリカ中南部の電化を進めている。しかし、アメリカでは、政府が経済の主要な部分を管理しようとしてとった政策の大半は、企業の国有ではなく、この国独自の方法、経済的規制だった。規制を重視した点で、ヨーロッパや発展途上国の政策とは大きく違っていた。アメリカはこれらの国にくらべて、市場経済

志向が強かったのだ。それでも、政府は市場の相当部分を管理していた。一九三〇年代のアメリカでは、「規制」が市場の抱える問題の解決策となった。このような考え方は、新たな経済危機が起こり、批判的な学説が有力になって国民の合意が得られなくなるまで、何十年にもわたって主流になっていた。

規制の台頭

規制、すなわち政府によるルールの策定には言うまでもなく、さまざまな目的がある。国民の健康や安全の確保、環境保護、労働条件の改善、平等や公正の実現といった社会政策など、多岐にわたる。そのうち、経済的な目的を明確に掲げた規制に連邦政府がはじめて取り組んだのは、経済開発が進んだ十九世紀に、当時の新興大産業、鉄道業を規制するために州際商業委員会（ＩＣＣ）が設立されたときである。それ以前の連邦政府の活動は、きわめて限定されていた。軍人を除いた政府職員の数からもそれがうかがえる。一八七〇年代初め、五万一千二十人の文民職員がいたが、うち三万六千六百九十六人が郵便局員だった。ＩＣＣは、連邦政府が経済活動を監督しようとする最初の大きな試みだった。当時の鉄道業は、きわめて重要な産業だったうえ、各地域を結び付けて州の垣根を無意味なものにし、全米に影響を及ぼすようになっていた。そこで、料金体系が「公正で妥当」になるようにし、荷主と一般客がすべて平等に扱われるようにし、悪徳事業家によって市場が歪められるのを防ぐことを目的にＩＣＣが設立された。五人の委員が六年の任期を少しずつずら

して任命される方式は、これ以降の規制機関のモデルとなった。ＩＣＣの権限は、当初、司法によって大幅に縮小されたが、二十世紀に入り、リベラル派の前身にあたる革新主義が台頭して、ふたたび拡大することになる。

十九世紀後半には、アメリカは先進工業国への道を歩んでいた。都市には黒煙をあげる工場が乱立し、数百万人の移民が流入した。工業化の進展と生活環境の変化によって生まれたさまざまな病理は、マックレイカーと呼ばれる暴露物専門のジャーナリストの格好の攻撃の的になった。マックレイカーという言葉は、バニヤンが『天路歴程』で使った表現に基づいており、最初に使ったのは、多数の著書があるシオドア・ローズベルト大統領（任期一九〇一〜〇九年）である。ローズベルトは、この言葉を誉め言葉として使ったわけではない。否定的な記事ばかり書き、「劣悪」な面にばかり焦点をあて、革命の炎に油を注ぐだけだと思っていた。しかし、マックレイカーが新たな工業化社会の病理として、食料品の不潔さ、労働条件の劣悪さ、都市の汚染、企業の不正、汚いカネ、政治の腐敗を暴いていったため、二十世紀初めのアメリカの政治課題が決まった。ローズベルトらの革新主義の政治家が、こうした病理の解決策として掲げたのが「規制」だった。

経済的規制の焦点は、ほとんどひとつに絞られていた。企業の巨大化・独占にどう対処するかである。生産と価格を支配するための共謀は、もちろん、この時代にはじまったものではない。アダム・スミスも、これには大いに悩んでいる。一七七六年に出版された『国富論』には、つぎのような有名な一節がある。「同業者は、楽しみや気晴らしのために集まったとしても、いつも最後には、社会を欺く陰謀と、価格の引き上げを画策する話し合いになる」。この一節は産業革命のごく初期に

書かれたものだ。アダム・スミスは、百年後のアメリカで、技術革新や合併、買収、集中、当時の基準でみれば巨大な合同企業の出現によって、これほど大規模な価格支配が行なわれるようになるとは、夢想だにしなかっただろう。トラストと呼ばれたこれらの企業は、あからさまな独占企業であることが多く、小規模な家族経営の企業で構成された社会の根絶を目指しているようだった。アメリカを代表する暴露物雑誌が一八九九年、トラストは「目の前にある緊急課題」だと糾弾した。トラストはまさに、当時、アメリカにとって最大の問題になっていた。

なんらかの手を打たねばならなかった。しかし、なにをすべきか。シオドア・ローズベルト大統領は「トラスト・バスター」という異名をとっていたが、巨大さそのものに反対していたわけではない。トラストの解体は、春先にミシシッピ川の氾濫を止めるのとおなじくらい難しいと語っている。しかし、こう続けている。「堤防、すなわち規制と監視によって、トラストを規制し管理することはできる」。同大統領は、「良いトラスト」と「悪いトラスト」を区別し、「悪いトラスト」だけを解体すべきだと考えていた。(2)

国民の法律家

巨大さそのものを敵視し、トラストを解体しようとする動きもあった。この動きの急先鋒は「革新主義時代の国民の法律家」、ルイス・ブランダイスである。その目は「巨大さという問題」ただ一点に注がれていた。ブランダイスは、傑出した頭脳の持ち主だった。十八歳でハーバード大学ロー・

スクールに入学すると、開校以来の優秀な成績をおさめた。友人のひとりはこう書いている。「あらゆる知識が、すべて頭のなかに入っているようだ。意見を述べると、教授が最大限の敬意を払って聞き入ったが、たいていの場合、正しい意見だった。博学ぶりが学校中に知れわたっている」。その後の経歴も、当時の評判にたがわぬものになっている。敏腕の弁護士となり、なによりもトラスト解体訴訟で力を発揮した。法廷でトラストを徹底的に攻撃し、その仕方もマックレイカーに劣らず巧みだった。有名な著書のタイトル、『他人のカネ――銀行はそれをいかに使うか』がすべてを物語っている。ブランダイスは、シオドア・ローズベルト大統領も容赦なく批判した。大統領は「規制のもとでの独占」を好んでいると切り捨て、自分は「規制のもとでの競争」を提唱すると語った。また、国民が「トラストの頭目に敬意を抱き続けている」ことを懸念していた。

巨大企業とトラストの問題は、政治の場でも法廷でも、徹底的に議論された。シオドア・ローズベルト政権は、「良い」トラストと「悪い」トラストを区別したものの、四十五もの反トラスト訴訟を起こし、その多くが長期戦となった。とりわけ有名なのが、ジョン・D・ロックフェラーのスタンダード・オイル・トラストに対する裁判だ。この裁判は、一九一一年、最高裁がトラスト解体を命じる判決を下して、劇的な終幕となった。

翌一九一二年、ウッドロー・ウィルソンが大統領に選出され、ブランダイスは主任経済顧問に任命された。以後、連邦準備制度や連邦取引委員会の創設に中心的な役割を果たした。新しい規制機関の連邦取引委員会は、巨大企業を監督し、競争の阻害を制限し、「不公正」な取引慣行を防止することを目的としていた。しかし、国民の法律家を自任するブランダイスは、ウィルソン大統領の姿

勢にも満足しなかった。「本当に問題なのは、独占ではない。巨大さだ。ところが、ウィルソン大統領（そして抜け目のない政治家）は、独占ばかりを攻撃している。国民が独占を嫌うが、巨大さを好むからだ」と語っている。一六年、ウィルソン大統領はブランダイスを最高裁判事に指名した。ユダヤ人であることを理由に激しい反対運動が起こったが、最終的に承認され、その後二十三年間、判事をつとめている。ブランダイスは傑出した裁判官で、司法による企業活動の制限に力を注いだ。[3]

「妙案」でなく常態へ

その後何年か、規制の動きは止まった。好況を謳歌した一九二〇年代、海軍のティーポット・ドーム油田の利権をめぐる贈収賄事件などの一部の例外を除き、産業界は不正とは無縁だと思われていた。ブランダイスが嫌った資本主義の頭目が英雄になり、政府の介入は少ないほど良いとされた。一九二〇年の大統領選挙では、共和党のウォーレン・ハーディング候補が、「勇猛でなく癒しに、妙案でなく常態」に戻る必要があると訴えて当選した。ハーディング政権の司法長官は、連邦取引委員会を「社会主義の主張をばらまく広報担当」にすぎないと非難した。当時重視された合理化の一環として、産業内の「連合」や「協調」が奨励された。トラストに批判的な人びとまでも、これに同調した。マックレイカーのなかでも名を馳せたリンカーン・ステフェンズは、こう宣言している。「社会主義者は国民すべてに食料、住居、衣服を提供することを目標としているが、アメリカの大企業はこれを実現している」。[*]すべてが順調にみえた。二八年の十二月、カルビン・クーリッジ大統領

は、こう述べている。「議会を招集するにあたって、見通しがこれほど明るかったことはかつてない」

しかし、この見通しは長くは続かなかった。十か月後の一九二九年十月二十四日、暗黒の木曜日、株式相場が暴落した。アメリカでも世界各国でも、銀行、株式証拠金口座、戦後補償金、一次産品生産国への融資などの信用秩序がことごとく崩壊した。ドイツや日本では、芽生えはじめたばかりの民主主義が独裁政権に屈服した。アメリカでも、失業率が二五パーセントに達し、GNPが半分になるなかで、民主的な資本主義が生き残る保証はどこにもなかった。[4]

＊――この数年前の一九一九年、ステフェンズは、「未来がそこにあった。そして、みごとに機能していた」という名言で、新生ソビエトを理想郷として称賛する西側知識人の一部の見方を要約した。実際には、ソ連に向かう列車のなかで、まだ見もしない国を表現する言葉として、「わたしは未来の国に行ってきた。それはみごとに機能していた」など、いくつもの案を考えていた。

ニューディール――「これほど確信したことはない」

一九三三年三月、フランクリン・ローズベルトが大統領に就任した。早急になんらかの対策を講じることが課題であった。妻のエレノアによると、就任式当日は「たいへん厳か(おごそ)かで、すこし恐ろしい雰囲気に包まれていた」。ローズベルト大統領は脅える国民に対し、恐れるべきは恐怖そのものだけだと訴えた。信認を取り戻そうと、演説を行ない、緊急の大型経済対策を矢継ぎ早に打ち出した。

対策の柱のひとつは、銀行の休業、救援、福祉、食糧配給などの緊急措置だ。もうひとつの柱は、産業界との「協調」と国家による経済計画である。三三年五月の二回目の炉辺談話で、大統領は、「経済計画を立てるにあたり、政府と産業界が協調する」よう呼びかけた。「業界の大多数の企業の協力のもとに、政府が不正行為を防止し、政府の権限を行使して、この合意を履行させる」という内容だ。

ローズベルト大統領が談話の原稿を書いている最中、側近のひとり、レイモンド・モーレイが忠告した。「平等主義や自由放任主義から、大きく逸脱することになります」

大統領はしばしの沈黙の後、真剣な顔でこう答えた。「その考え方が破綻していなければ、フーバーが大統領を続けていただろう。これまでの人生で、この一節ほど確信したものはない」

ローズベルト大統領の考え方を具体化する政策を代表するのが、産業再建局（ＮＲＡ）の設立だ。ＮＲＡは、ほぼすべてのものが生産過剰、供給過多になっていることが問題の核心だとする見方に基づいていた。そこで、労働者、産業界、政府が協調し、生産量を削減し、価格を維持して、所得を押し上げることを目指した。アメリカは「経済の成熟段階」に達しているので、こうした協調が不可欠だと考えられた。大恐慌によって、もはや右肩上がりの経済成長で国民の生活が向上していくとは期待できないことがあきらかになった。国民は、ＮＲＡによる前例のない政府の介入を受け入れるように思えた。これまでの反トラスト的な考えをひとまず棚上げして、政府と産業界の協調を掲げるＮＲＡに期待しているように思えた。ＮＲＡは当初、熱狂的な歓迎を受けた。青い鷲の紋章がアメリカ中に貼られ、三三年九月に計画推進を祈念して行なわれたパレードでは、ニューヨー

ク五番街の沿道を支持者が埋め尽くし、紙テープが舞った。しかし、計画通りにはいかなかった。国民は、企業集中やカルテルに対する根深い不信を拭い去れず、公共の利益のためならこうした危険な力を利用するという実業家や政府高官の率直な態度にも、信頼をおかなかった。政府と産業界が協調を目指すのは、革新主義の伝統の基本を踏み外すものだ。アメリカ国民の良心からすれば、このような逸脱には耐えられない。NRA長官のヒュー・ジョンソン将軍は、実現不可能な課題に取り組むうち、熱心な改革派から涙もろいアル中患者に変わってしまった。二年もたたないうちに、NRAは最高裁で違憲と判断されて解体された。

このため、ニューディールは、新たな方向に進むことになる。国有化ではなく規制、集中と合理化でなく反トラスト、計画経済ではなく権限分散が採用された。こうして、市場を規制し、円滑に機能させ、ひいては資本主義を自滅から救うための制度が整備された。規制機関は多岐にわたり、その目的も多様だったが、共通するテーマがふたつあった。「市場の失敗」と「独占による弊害」である。

なかでも注目を集め、きわめて重要な規制機関が、証券取引委員会（SEC）である。その目的は、崩壊した株式市場の機能を回復し、いっそうの情報開示を義務づけ、内部者が不当に有利にならないように透明で公平な市場を実現して、市場に対する信頼を取り戻すことにあった。なにより巧みだったのは、初代委員長に投機家のジョセフ・P・ケネディ（ジョン・F・ケネディ大統領の父）を指名したことだ。この指名に反対する人びとが、ケネディ自身やり手の投機家だったではないかと非難すると、大統領はこう言って一蹴した。証券取引のカラクリを熟知しているから好都合

だ。

ニューヨーク証券取引所の理事長として名を馳せ、SEC反対派の急先鋒だったリチャード・ホイットニーが、損失穴埋めのため、当時としては巨額の三千万ドルを横領したことが発覚して、SECは勢いづいた。ローズベルト大統領は、ホイットニーとおなじグロトン校とハーバード大学の出身だったので、この不祥事の報告を受けたとき、「ディック・ホイットニーがまさか」と絶句した。しかし、ホイットニーすら不正をはたらいていたのだ。SECは、この種の不正の再発を防ぐために、さまざまな報告を義務づけた。投資家が投資対象を理解できるようにすることが目的である。情報開示と公平な市場が基本原則だった。「買い手は注意せよ」という言葉があるが、売り手も注意すべきだと大統領は語っている。とりわけ、真実を語るよう注意しなければならない。ブランダイスの著書『他人のカネ』にしたがって、ローズベルト大統領は、「他人のカネを扱うものは、他人のためにつくす受託者であるべき」だという原則を打ち立てた。(5)

「規制の預言者」

SEC設立の陣頭指揮をとったのは、ジェイムズ・ランディスである。アメリカ人宣教師の子供として東京で生まれ育ったランディスは、ブランダイスと同様に、優秀な法律家だった。二十代でハーバード大学で教職につき、三十代で学部長に就任し、その間、若手の星としてニューディールに参加している。歴史家、トーマス・マクロウの言葉を借りれば、ブランダイスとともに、「規制の

預言者」となった。一時期、最高裁でブランダイスの助手をつとめたこともあり、ブランダイスの後を継いで、理論と政策を結び付け、次世代の政府と市場の関係を規定するようになるとみられていた。ブランダイスと同様に、アメリカを代表する法律家として、華々しい道を歩むことになると思われた。

一九三三年四月のある金曜日、ランディスは、ハーバード大学の恩師で、大統領の親友でもあるフェリックス・フランクファーターに急遽呼び出され、列車でワシントンに向かった。週末だけ滞在して、月曜には大学に戻るつもりだったが、実際には四年もとどまることになる。ニューディールに欠かせない人物になり、来る日も来る日も夜中まで働き、オフィスのソファで数時間だけ仮眠することも少なくなかった。経済危機の間中、昼夜を問わず法律の草案を練り、ホワイトハウスとの間を頻繁に行き来して、直接、大統領と協議した。フランクファーターに「馬車馬のように働きつづけることはできない」と忠告されたが、ペースを緩めなかった。日常のささいなことには気もとめず、だらしなかった。国家の緊急事態を前に、私生活は二の次だったのだ。夫妻でパーティーに招待されたとき、妻は「夫ってだれのことかしら」と言ったという。

ランディスは当初、連邦取引委員会の委員になり、その後、みずからが設立に貢献したSECの委員をつとめた。新たな制度に、すべての利害関係者を取り込もうとした。なかでも抜け目なかったのは、SEC設立の過程で、産業界をパートナーとして巻き込んだことだ。たとえば、上場企業には第三者による監査を義務づけた。会計士が独立した職業になったのは、この努力による部分が大きい。

もうひとつの功績は、一九三五年公益事業持ち株会社法である。この法律でできあがった電力業界の枠組みは、九〇年代半ばまで続いている。電力問題は、ローズベルト大統領の個人的な思い入れが強かった。電力事業を経済開発と資源保護の有力な手段とみていたので、激しい反対をおしきって、開発の遅れた地域の電化とTVA計画を推し進めた。TVAは、前例のない大規模な国有企業だ。その事業は、ダム建設、大量の電力発電、肥料の生産、洪水の防止、森林の保全、土地の改良にわたり、すべてが経済開発を目的としている。大統領にとって、TVAは大きな誇りであった。

しかし電力産業の大部分は、民間企業が担っている。ローズベルト大統領は、持ち株会社、なかでも電力業界の持ち株会社が、諸悪の根源のひとつであり、大恐慌の主因だとみていた。「インサルのような連中」を永遠に葬り去らなければならない。持ち株会社は、「経済力を集中」して、私企業による社会主義を実現していると語り、「政府による社会主義と同様、私企業による社会主義にも絶対反対だ。どちらも危険きわまりない。政府による社会主義を回避するためにも、私企業の社会主義を破壊することが必要だ」と訴えた。

その結果考え出されたのが、公益事業持ち株会社法だ。同法は、持ち株会社が事業会社を「搾取」するのを防ぐため、持ち株会社構造の大部分を解体し、残った部分にも厳しい制約を課した。同時に、技術面の効率化を進めるため、SECに電力会社の合併を促す権限をもたせた。この法律は、産業界から激しい反対にあった。ジョン・フォスター・ダレス、ディーン・アチソンをはじめとする法曹界の著名人、一九二四年の大統領選の民主党候補、ジョン・W・デービスらが反対運動に名を連ねていた。法律が最終的に受け入れられるまでには、まる十年にわたる法廷闘争が続いた。

ランディスは、ただ行動するだけではなかった。理論家でもあり、経済的規制の原則づくりに、だれよりも熱心に取り組んだ。若き法学部教授として、法制の過程と法の施行に関する研究の先駆者となった。一九三八年、SECを辞したランディスは、みずからの考えを『行政管理手続き』にまとめた。これは規制に関する古典的な名著となった。ランディスによれば、市場は内部に大きな問題を抱えている。問題が大きくなりすぎ、権限が弱く一貫した政策と専門性のない政府には、手に負えなくなっている。「政治理論からみると、行政管理手続きが生まれたのは、単純な三権分立型の政府が、新しい問題を解決する能力を欠いているためである」。法制化は、終わりではなく始まりである。第四の政府機関として、「準立法、準行政、準司法」の役割を果たし、法律を確実に執行する独立した「行政管理機関」が必要になっている。ランディスはこう論じ、政府活動が拡大する結果になることに脅えないよう政策立案者を諭した。「産業界の隅々にまで政府の権限が拡大する結果、専門性が必要となるので、行政管理機関を設立しなければならなくなる。政府による規制を効率よく実施するには、機関を減らすのではなく、増やすべきだ。そして、なにより必要なのは効率化なのだ」。行政機関の委員は、政治家や素人ではなく、ひとつの問題に「年に五十二週間」取り組む専門家をあてるべきだという。ニューディールの緊迫した時期のランディス自身について語っているかのようだ[6]。

ランディスのこの本は、規制の全盛期に書かれたものだ。ニューディール政策で、行政上の規制権限がかつてないほど拡大し、ランディスの考えが浸透した時期である。ニューディールでは、州際商業委員会や連邦取引委員会が強化されたのに加え、電力と天然ガスの価格管理に権限をもつ連

邦電力委員会が新設された。また、SEC以外に、連邦通信委員会、民間航空局、全国労働関係局が設立された。一九三〇年代後半、深まる不況の原因は、産業界が投資を怠っていることにある（「資本のストライキ」にある）とリベラル派が非難し、産業界に対する攻撃が強まった。大統領は、「経済の守旧派」が、ニューディールを失敗させるために、わざと不況を引き起こしていると非難した。当初、急場しのぎにつくられたニューディールが、三〇年代が終わるころになって、ようやく完成した。政府と産業界との関係は、初期のニューディールが目指した協調に代わって、ランディス流の複雑で緊張したものになった。

アメリカでのケインズの橋頭堡

しかし、その後にまたしても起こった経済の緊急事態によって、規制の真価は問われないままになった。一九三〇年代後半、国民は不況の深刻化に注意を奪われ、規制への熱意を失った。政府が不況対策として選択したのは、このころに登場した新たな経済戦略、ケインズ主義である。ニューディールの初期に、ケインズはローズベルト大統領にいくつか書簡を出しており、三四年には、フェリックス・フランクファーターのはからいで、ホワイトハウスを訪問している。大統領はフランクファーターに「会談は有意義で、ケインズの人柄に強くひかれた」と語った。もっとも、他の人たちに語った内容から判断すると、ケインズの尊大な態度にいらだったようだ。一方、ケインズは、会談は「魅力的で有意義だった」と語ったが、ローズベルトの手には失望したようだった。「がっか

りした。堅くて力強いが、賢明さも繊細さも示していない」。当時、ケインズは『一般理論』を執筆中だったが、大統領を説得してニューディール政策の方向を変えようとした形跡はない。じつのところ、ローズベルトは赤字財政という考え方には疑問をもっていた。ケインズの議論を先取りした本の余白に「労せずしてなにかを手に入れようとするのは、話がうますぎる」と書いている。

『一般理論』は一九三六年に出版され、ケインズ理論は、驚くべき速さで大西洋を渡った。もっとも強力な橋頭堡になったのは、アルビン・ハンセン教授が率いるハーバード大学経済学部である。教授から学部学生にいたるまで、多数の人たちがケインズ主義に転向するか、それを学んだ。記録的な短期間で理論を吸収し、消化し、国内に伝えた。ハーバード大学経済学部の影響は大きかった。ハンセン教授が主宰する財政政策セミナーは、学者と政府高官が集まり、最新の研究成果が発表される場になった。ワシントンでも、ケインズ主義はまたたく間に支持者を獲得した。その大きな理由は、「経済への介入を主張する理論のなかで、国家統制主義の危険な傾向をもたず」、経済の基本的な質問に答えられるように思えたことにある。三〇年代後半にハーバードの大学院に学び、後にノーベル賞を受賞したポール・サムエルソンは、こう分析している。「人気取り政策にすぎなかったローズベルト政権の第一次ニューディール政策を、……一貫性があり洗練されたマクロ政策を追求する混合経済政策に変えたのは、ハンセン教授の影響だといえるだろう」。アメリカでは三八年から四〇年にかけて、ケインズ理論に基づいた財政政策が採用されるようになった。ケインズ政策が登場し、不況と国際的情勢の緊迫化に関心が集まったため、規制による政策は注目されなくなった。[7]

完全雇用に向けて

第二次世界大戦中の経済統制は、規制による政府の介入への悪評をもたらすものになった。第一次大戦中には、戦時産業局による経済統制が大成功だと称賛され、バーナード・バルーク長官は英雄になった。しかし、経済の規模でも戦争の規模でも第一次大戦をはるかにしのぐ第二次大戦では、事情がまったく違った。ローズベルトの戦時政権は、ウィルソン大統領やバルーク長官とはくらべものにならないほど、複雑な課題に取り組まなければならなかった。政府の記録を見れば、その複雑さがわかる。第二次大戦中に経済統制を担当した二つの規制機関、物価統制局と戦時生産局が問題にぶつかったことから、戦後、政府による経済への介入を拡大する計画が妨げられた。歴史家、アラン・ブランクリーはこう評価する。「物価統制局はアメリカの歴史上、もっとも介入力の強い行政機関だともいえるものであり、第二次ニューディールとはまったく逆の例を示した。……国民は、政府の力が経済活動を促進するとは限らず、妨害しかねないことを痛感した」。戦時生産局に対しても、同様の批判が巻き起こった。戦時下の経済統制機関は、第一次ニューディールの産業再建局とともに、政府の介入に対する警戒を呼び起こすものになった。「設立から四年たった四五年、戦時統制機関が受けた評価や権威は、一九一八年末、第一次大戦の終結時に戦時機関が受けたものにはほど遠かった。なんらかの意味でモデルになるとすれば、国家による経済統制の危険を示すモデルであり、成功を示すモデルではなかった」。戦後、リベラル派でさえ、「政府が経済活動を担う個々の

企業や機関を直接に管理することなく、経済全体を管理する方法を探ろうとした[8]」

さらに、第二次大戦後のアメリカでは、ヨーロッパほど資本主義が不人気ではなかった。産業界による動員体制が成功をおさめていたからだ。一九三〇年代後半には、ローズベルト大統領に「経済の守旧派」と攻撃された実業家が、四〇年代には戦争に進んで協力し、大いに貢献した。英雄、愛国者であり、実行力があり、献身的だと称賛された。そして、アメリカ経済は戦争直後、心配された不況に逆戻りするのではなく、大好況に入った。

しかし、戦争の余波のなかで、西側主要国はすべて、さまざまな種類の混合経済政策を実験するようになった。戦争中、政府の介入で苦い経験をし、戦後、資本家と資本主義の地位が急速に向上したアメリカも、例外ではなかった。完全雇用法案をめぐる議会での論争をみれば、戦後のアメリカ経済が目指すべき方向に関する議論がどのようなものであったかがわかる。当初の法案には、「はたらく能力と意欲があるすべてのアメリカ人」の「権利」として「有用で報酬を伴う職」を保障するという一文があった。この背景の少なくともひとつには、イギリスで福祉国家の誕生をもたらした考え方がアメリカにも影響を与えた事実がある。一九四二年、全国資源計画局が発行した報告書、「安全、雇用、救済政策」は、アメリカ版ベバリッジ報告と呼ばれた。多大な影響力を持ち、イギリスが福祉国家への道を歩むきっかけとなった四二年のベバリッジ報告と、内容や結論が似通っていたからだ。アメリカでも同盟国のイギリスにならい、混合経済体制を構築しようという主張がかなり強かったのはたしかだ。

しかし、国民すべてに雇用を保障するには、政府の直接介入を拡大するしかなく、結局のところ、

アメリカの政治的伝統と戦時統制の失敗によって、この動きに歯止めがかかった。完全雇用法案は最終的に、単なる雇用法案に修正され、四六年に議会を通過した。この法律には、限定的でもってまわった条件がついており、政府は「必要性と義務、他の政策に反しないあらゆる手段で、……はたらく能力と意欲があり、職を探している国民に、有用な雇用が提供されるような状況を……育成、促進する」ことになった。

アメリカは他の西側諸国にくらべて市場の力を重視したが、ニューディールの規制の枠組みは変わらなかった。しかし、トルーマン大統領とアイゼンハワー大統領の時代、規制をめぐる衝突はほとんど起こっていない。アメリカ経済もヨーロッパ経済と同様に栄光の三十年間のただなかにあり、国民が豊かになっていくとともに、ニューディール型の規制への熱意が薄れていった。経済の拡大こそが最大の関心事で、市場の発展を妨げる考え方は、国民の支持を得られなかったのだ。ハーバード大学のジョン・ケネス・ガルブレイス教授は、当時をこう評している。「聖ペテロが死者に向かって『GNPを増やすために、どんな貢献をしたか』とだけ質問し、答えによって、天国行きか地獄行きかを決めるかのようだ[9]」

規制と改革

このように戦後数年は、規制の面では大きな動きがない時代だった。一九三八年にジェイムズ・ランディスが掲げた行動主義と熱意は、経済状況の変化によって再び停滞することになった。しか

し、規制の現状に、全員が満足していたわけではない。四六年には早くも、行政措置の公平さと手続きの適正さを確保するために、行政手続き法の形で新たなルールを設ける必要があるとの調査報告が出された。しかし、さらに厄介だったのは、連邦政府から独立し、手に負えなくなってきた「行政管理機関」を、政府がいかに監督すべきか、だれにもわかっていなかったことだ。この問題を検討するため、四九年、トルーマン大統領は、フーバー元大統領を責任者とする委員会を設けた。フーバー委員会は、行政機関を機能別に再編成するよう提言したが、規制機関の取り扱いについてはどうすべきかわからなかった。

アイゼンハワー大統領も、おなじように悩んだ。一九五二年、「二十年にわたり『リベラル派』によって誤った方向に進んできた政府の舵取り役として、決意を固め、意気揚々と改革を掲げる『新しい』共和党政権」が誕生した。しかし、アイゼンハワーも徐々に、大統領には行政機関に対する監督権さえないことがわかってきた。ニューディールでは、権限の「委譲」によって、新たな独立行政機関をつくり、政府の責務を拡大して、逆戻りができないようにしていた。アイゼンハワー政権時代には、規制は、とくに活気があったわけでも目立っていたわけでもない。産業界と友好的な関係にあり、安定した仕事だった。

ジョン・ケネディ大統領は、規制に新たな命を吹き込もうとした。規制機関の長に力のある人材を指名し、たとえば連邦通信委員会の委員長にニュートン・ミノーを任命した。ミノーは「テレビ番組は荒廃しきっている」と発言して、マスコミを賑わせた。しかし、規制機関は既得権益化し、非効率になり、能力をこえる業務を抱え、その処理にあたっても、ニューディールの立案者が思い

描いたような活気はみられなかった。こうした規制制度を真の意味で見直したのは、機関設立に功績のあったジェイムズ・ランディスだ。

ランディスは、ニューディールの時代の後、成功を収めていない。ブランダイスと違い、当初に期待された道を歩むことができなかった。ハーバード大学の法学部長として不遇の時代を過ごしたあと、トルーマン政権で民間航空委員会の委員長をつとめたが解任され、SECで上司だったジョセフ・ケネディの下ではたらくことになった。ランディスは、そのときどきで、さまざまなはんぱ仕事をこなした。ジョン・ケネディがピュリッツァー賞を獲得した『勇気ある人々』の下調べをしたこともある。一九六〇年の選挙で、ケネディが大統領に就任すると、規制機関について詳しく分析するよう求められた。昔の情熱にふたたび火がつき、三八年にみずからが楽観的な見通しで枠組みをつくって以降、満足のいく発展をしなかった規制機関を容赦なく攻撃した。三〇年代には規制のアイデアを効率化の手段として称賛したが、いまや規制機関の硬直性と能力欠如を非難するようになった。調査報告書には「連邦政府による規制では、処理の遅滞が日常化している」と記し、その主な原因として、規制全般を統括する政策がないことと、職員の質が低下していることをあげている。そして「行政手続きが機能しない顕著な例」として、連邦電力委員会を取り上げている。ランディスによると、その時点で未処理になっている天然ガス価格の案件処理に十三年かかり、その間に、新たに持ち込まれると予想される案件を処理するには、職員を三倍に増やしても、二〇四三年までかかるという[10]。

ケネディ大統領はランディスを特別補佐官にし、規制を改革し、職員と業務の内容を時代にあっ

たものにするよう命じた。当初は華々しかったランディスだが、威光を取り戻すことはなかった。それはまったく個人的な理由によるものだ。不可解な理由から、何年にもわたって税金を滞納していたことが判明したのだ。ランディスは辞職し、法の裁きを受けた。三十日間収監されたあと、一年間の執行猶予処分となり、その間、弁護士としての活動も禁止された。規制の提唱者としての輝かしい名声は汚された。数年後、自宅のプールで死んでいるのが発見された。未払いの税金があったため、自宅は政府に差し押さえられている。

規制される側にとって、規制は依然として重要だったが、経済が好調なこともあり、国民にとって、とくに関心のある問題ではなくなっていた。しかし、その焦点は、市場の規制から、ケインズの財政政策を通じた経済の規制へと移っていた。ケインズ政策は、市場の個々の活動ではなく、経済活動全体を管理する。当時は、経済がめざましく成長し、数千万のアメリカ国民が、過密した都市から緑豊かな郊外に転居した時代でもあった。自動車とともに、車庫に置かれた芝刈り機が繁栄の象徴になった。ケインズ主義は、成長と完全雇用という公約を実現しているかにみえた。ケネディ、ジョンソン両政権を通じ、経済が順調に拡大を続けたため（ベトナム戦争の影響で中断するまで）、マクロ経済管理と、税制、政府支出という財政政策によって、景気を微調整できることが示された形になり、ケインズ主義の権威が高まった。イェール大学から名誉博士号を授与されたときのケネディ大統領の演説に、ケインズ主義に対する当時の見方が要約されている。演説の冒頭で「ハーバードの教育と、イェールの博士号」という世界で最高の栄誉を手にしたと語り、最後にこう締めくくった。「現在問われているのは、全国民を巻き込んだイデオロギーの激突ではなく、現代経済

の実務的な管理である」

この時代は、アメリカで政府の知識に対する信頼が最高潮に達した時期だった。ケンブリッジ大学キングズ・カレッジでケインズが「悪文」を書いてから、政府の政策として一般化するまで、三十年を要した。一九六五年、死後十九年目にしてケインズがタイム誌の表紙を飾ったことでも、その影響力の大きさが示された。故人でタイムの表紙を飾ったのは、ケインズが二人目だった（一人目はジグムント・フロイトである）。

最後のリベラル政権

市場そのものを管理しようという大規模な試みは、その後の政権が担った。政府が徹底的な管理を目指したのは賃金だった。なんとも不思議なのは、この政策をとったのが、左派寄りのリベラル政権ではなく、経済活動への政府介入に批判的な共和党穏健保守派のリチャード・ニクソン大統領だったことだ。第二次大戦中、海軍入隊前に、物価統制局のタイヤ供給部で若手弁護士として働いた経験から、ニクソンは物価統制を嫌っていた。

では、なぜ、市場のもっとも基礎的な要素を政府が管理しようと考えるようになったのだろうか。ニクソンが熱心に取り組んだのが経済問題ではないのはあきらかだ。情熱は外交問題へと向けられていた。対外経済政策にすら関心がなかった。国際的な通貨危機の最中に、リラに対してとるべき措置をあからさまに語ったこともある。国内経済については、毎週土曜日の昼にラジオで話すこと

を好んだ。この時間なら、聴取者の大半はトラクターに乗った農民で、いずれにしても支持者である可能性が高いとみられるからだ。

考えられる理由のひとつとして、一九六〇年代には、ベトナム戦争の影響で国論が分裂していたものの、政府の政策運営に対する信認が高まり、経済を管理できるし、「貧困との戦い」などの政策によって大きな社会問題を解決できると考えられるようになっていたことがあげられる。ニクソンも少なくともある程度まで、そう信じているフシがあった。七一年一月、ニクソン大統領は、「わたしはいまやケインジアンである」と宣言した。ホワイトハウスには保守派の支持者から抗議文が殺到して、補佐官が返信案を書くはめになった。ケインズ流の「完全雇用」予算という考え方を取り入れ、失業率を低下させるために赤字予算を組んだ。イリノイ州選出の共和党のある議員は、大統領の予算案には賛成せざるをえないが、「赤字予算を批判した過去の大量の演説を抹消しなければならない」と訴えた。「それは、わたしもおなじだ」と大統領は答えている。

ニクソン大統領は理念のうえでは、経済への介入に反対だったのかもしれないが、理念よりも政治が優先された。一九六〇年の大統領選で、ニクソンはケネディ候補に僅差で敗れた。一般投票の得票率は、四九・七パーセント対四九・五パーセントだった。イリノイ州のデタラメのためだと何度か口にしている。イリノイ州の選挙人の投票で勝敗が決まったが、シカゴの民主党集票マシンは、死者の票まで掘り起こすことで有名だったからだ。ケネディ候補は、イリノイ州をわずか八千八百五十八票差で制している。しかし、ニクソンは、もうひとつの敗因が、経済政策の失敗にあるのは間違いないと考えていた。ニクソンの顧問で経済学者のハーバート・スタインはこう書いている。

「六〇年の敗北は大部分、その年の景気後退のためだとニクソンは考えていた。少なくとも景気後退があれほど深刻化し、長期化したのは、経済政策を担った『銀行家タイプ』が、失業率の改善よりもインフレ率の低下に重点を置いたからだと考えた」。七二年の選挙戦を控え、このような事態をふたたび起こさないと決意を固めた。そのためには、経済の動向に注意を払わなければならなかった。政府の経済政策に対する信頼は厚かったが、経済状況は悪化しはじめていた。六〇年代初めに一・五パーセントだったインフレ率が、五パーセントに上昇していた。失業率も、六〇年代後半の三・五パーセントから五パーセントに上昇していた。

経済政策の中心課題は、インフレと失業率というトレード・オフの関係を、政治的に破綻をきたすことなく、どう管理するかになった。言い換えれば、経済が失速して失業率が上昇する事態を招くことなく、いかにインフレ率を引き下げるかである。その方法のひとつ、所得政策が、処方箋として注目されるようになった。政府が勧告や法律によって賃金を設定、管理する政策だ。こうした政策は、西ヨーロッパ諸国で一般的になっていた。七〇年代、民主党が多数を占めていた議会で法案が成立し、大統領が所得政策遂行のために行政命令をだせるようになった。

政府は依然として市場経済を建前としていた。しかし政権内には、「市場」は過去ののどかな時代の産物で、現代の経済の動きを正確に示すものではないと信じる者もいた。経済とは、レーニンが言うところの「だれがだれに対してなにができるか」だと見ていたのである。経済は、「力関係、地位、競争、追随によって動く」ものなのだ。大企業と大労組の綱引きによって、賃金と物価の悪循環に陥るのを止めるには、政府の介入が必要だと考えられた。

所得政策を強力に推し進めたのは、ニクソン大統領がFRB議長に任命したアーサー・バーンズだ。バーンズは保守派で知られるエコノミストである。ニクソンがバーンズにとくに注目したのは、一九六〇年の選挙戦のとき、FRBの金融引き締めで景気が悪化するため、ニクソンがケネディに敗れる可能性があることを指摘し、実際にそのとおりになったからだ。十年後の七〇年五月、バーンズは、マクロ政策に対する考えを変えたと宣言した。企業と労働組合の力がかつてないほど強まって、賃金と物価を押し上げており、経済がこれまでとは違う動きをするようになった。当時、常識になっていた財政・金融政策では、これに対応できない。バーンズはそう考え、別の解決策を示した。識者で賃金・価格評議会を構成し、主要な賃金と価格の上昇を判定するというものだ。バーンズによれば、評議会の権限は、勧告などの緩やかなものに限られる。

賃金・物価統制を求める圧力をさらに高めた要因に、テキサス州の前知事で民主党のジョン・コナリーが財務長官に就任したことがあげられる。仕事師のコナリー長官は、政府による経済統制に、原則面での抵抗がなかった。そもそも、経済政策について、原則と呼べるものをもっていたわけではないようだ。「指示さえだしてくれれば、直球でも変化球でも投げられる」というのが口癖だった。そして、劇的な役割と大仕事を好んだ。インフレの首根っこをつかまえ、経済システムから追い出すのは、まさに大仕事だ。

別の問題も浮上していた。ドルである。ローズベルト政権以来、金一オンスの価格は三十五ドルに固定されていた。しかし、アメリカの国際収支の赤字が拡大の一途をたどり、諸外国を合計すると、アメリカ政府の金準備をはるかに超える巨額のドルを保有するようになった。外国の政府か中

央銀行は、いつでもアメリカ財務省の「金窓口」をおとずれ、ドルを金に交換するよう要請できるが、そうなれば取り付けが起こる。これはもはや、理論上の問題ではなくなっていた。七一年八月の第二週、イギリス大使が財務省をおとずれ、三十億ドルを金に交換したいと申し入れた[11]。

インフレ率が上昇するにつれ、政界やマスコミのあいだに、対策を講じるべきだとの声が高まった。一九七一年七月末、ニクソン大統領は、経済顧問にこう語った。「賃金・物価評議会はつくらない。説得につとめる」。しかし、所得政策に対する抵抗は、月を追うごとに弱まった。同年八月十三日から十五日にかけてがクライマックスになった。キャンプ・デービッドにある大統領山荘に、大統領と十五人の顧問が集まった。長時間の秘密会議で「新経済政策」がかたまり、インフレを抑制するために九十日間、賃金と物価を凍結することが決まった。これでインフレと失業率のジレンマが解決できると考えられた。インフレを煽る心配なく、景気刺激型の財政政策をとることができ、七二年の大統領選までに雇用を拡大できるからだ。金とドルの交換は停止されることになった。アーサー・バーンズは「ソ連のプラウダ紙が資本主義崩壊の兆候だと書きたてる」と警告し、激しく反対したが、押し切られた。金窓口は閉鎖される。しかしこれで、インフレ対策がますます必要になった。金の交換停止で、ドルが他通貨に対して下落し、輸入物価が上昇して、インフレ圧力が高まるからだ。金交換の停止と固定相場の放棄は、国際経済の歴史のなかで重要な転換点となった。

キャンプ・デービッド会議の参加者のほとんどは、自分たちの大決断に興奮していた。会議のもっぱらの関心は、新政策をどのように発表するか、とくにテレビでどう発表するかに集中していた。ニクソン大統領は、日曜日のゴールデン・アワーに発表すると、大人気のテレビ・ドラマ「ボナン

ザ」の放送が延期され、ポンデロサ牧場のカートライト・ファミリーの冒険をこよなく愛する国民が怒るのではないかと心配した。しかし、顧問団は、月曜の朝、市場が開く前に発表すべきだと説得した。それには、この時間しかない。何人かの出席者は、経済政策がどのような効果をあげるかよりも、演説をいつにすべきかの議論に多くの時間が割かれたと回想している。九十日間の凍結措置の解除後の問題や、新制度を廃止する手続きについては、ほとんど議論されなかった。

大統領の首席補佐官、H・R・ハルドマンは、演説の前夜、キャンプ・デービッドに大統領を訪ねた。ハルドマンは日記にこう書き記している。「大統領は暑いのに書斎の暖炉に火を焚き、部屋の明かりを消していた。ある種の神秘的なムードをただよわせていた。そしてこう言った。ここが正念場だ。……いまの問題は、ローズベルトのときとおなじだ。国民の士気を高揚する必要がある。そのための演説だ。……ムードを変えなくてはならない。ムードが変われば、経済は一気に好転するだろう」。大統領は、原稿を検討しているとき、新聞の見出しが「ニクソンの大胆な政策転換」になるか「ニクソンの心変わり」になるかを心配した。後年、ニクソンはこう書いている。「直前まで賃金・物価統制の悪を訴えていたので、自説を曲げたとか、ほんとうの狙いを隠していると非難されるのはわかっていた」。ニクソンはなによりも現実主義の政治家であることを、政策転換をたくみに説明した演説であきらかにした。「理念としては、いまでも賃金物価統制政策に反対だ。ただ経済の客観的な状況から、そうせざるをえない」

ニクソンの演説は、「ボナンザ」を延期して放送されたが、大反響を巻き起こした。価格吊り上げをはかる連中の退治に政府が乗り出したと受け取られた。国際的な投機家は、手痛い打撃を受けた。

翌日夜のニュースは、九割がニクソンの新経済政策にあてられ、好意的な内容だった。ダウ工業株平均株価は、一日の上げ幅としてはそれまでで最高の三十二・九ドル上昇した。

物価統制を担当したのは、生計費会議だった。当初の九十日がすぎた後、統制は次第に緩められ、制度は円滑に機能しているようにみえた。しかし、失業率は低下せず、政府はさらに景気刺激的な財政政策をとることにした。一九七二年の選挙戦で、ニクソンは再選を果たした。この数か月後に、インフレ率がふたたび上昇に転じた。国内の賃金物価上昇圧力、世界同時好況、ソ連での農作物の不作、原油価格の上昇（アラブ諸国が原油輸出を禁止する以前のことだ）などのさまざまな要因が重なった結果である。ウォーターゲート事件の捜査で政治的な重圧が高まるなか、ニクソン大統領は、七三年六月、やむをえず物価統制を再開した。政府が物価と賃金を設定するようになった。しかし、今度ばかりは、うまくいかなかった。牧場主は牛を市場に出荷するのをやめ、農家は鶏を処分し、消費者の買いあさりでスーパーから品物が消えた。ニクソンは、当時の行政管理予算局長、ジョージ・シュルツの指摘に、いくらか慰められた。同局長はニクソンにこう語った。「少なくとも、賃金統制は正しい解決策にならないというわれわれの当初の立場は、国民の理解を得られた」。七四年四月には、制度のほとんどが廃止された。ニクソンがジョージ・マクガバン候補を破って再選されてから十七か月後、大統領を辞任する四か月前である。

振り返ってみれば、ニクソン政権は「最後のリベラル政権」だったとされることがある。経済統制を推し進めた点だけが理由ではない。同政権下で、政府の規制の対象が著しく拡大したからだ。差別撤廃措置がはじまり、環境保護庁、職業安全健康局、雇用機会均等委員会が創設された。「ニュ

ーディール政策以来、どの政権よりも数多くの規制がニクソン政権下で導入された」とハーバート・スタインは、悔恨をこめて回想している。[12]

賃金・物価統制制度のなかで唯一、原油と天然ガスの価格統制だけは残された。エネルギー業界は独占状態で、価格を吊り上げるためカルテルが結ばれているのではないかとの疑惑が根強かったこともあって、価格統制がその後も数年間続いた。しかし、この制度は、政府が市場を支配したとき、思いもかけない事態になるとの教訓をのちのちまで残している。天然ガスは炭素一つと水素四つからなる分子で構成され、ごく標準的な一次産品だが、これに三十二を超える価格がついたのだ。原油価格統制制度では、原油価格を何段階かに分類した。国内原油の価格を低く抑えたため、国内生産者が事実上、輸入原油に補助金を支給することになり、原油輸入をいっそう奨励する結果になった。こうして、価格を統制し、利権を獲得し、資源配分を行なう複雑な仕組みができあがった。連邦エネルギー局に提出する標準的な報告義務を満たすだけで、業界全体で二十万人が関与し、年間五百万時間が必要だったと推定されている。

不安とインフレ

一九七〇年代は全般に、経済不振が慢性化した時代だったといえる。七三年の第三次中東戦争に伴う原油の禁輸で、経済は大打撃を受けた。七四年には、インフレ率が第一次世界大戦以来の高水準に達した。数か月のうちに失業率が九・二パーセントに達した。戦後それまでの最高より二パー

セントも高い水準だ。インフレとインフレ期待が家計を破壊し、社会秩序や国の安定を揺るがすのではないかとの不安が高まった。フォード政権の高官が、インフレ阻止を訴えるため、ＷＩＮ（インフレをうちのめそう）と書いたバッジをつけたこともあったが、評判が悪く、すぐひっこめている。七六年の大統領選では、経済的苦境の打破をうたい、アウトサイダーの立場で戦ったジミー・カーター候補がフォード大統領を破って当選した。それから間もなく、カーター政権の経済関係の高官は、国民を鼓舞しようと、インフレを「バナナ」にたとえた。しかし、バナナ業界からの反発を受け「キンカン」にかえたが、どちらにしても効果はなかった。

一九七〇年代終わり、イランのパーレビ国王が追放され、第二次石油ショックが起こった。原油価格は、一バレル十三ドルから三十四ドルに急騰した。全米のガソリン・スタンドは行列で大混乱し、国民の怒りが爆発した。インフレ率は一三・二パーセントに急上昇し、カーター政権は存亡の危機に瀕した。「さまざまな面で最悪の状態だ」と首席補佐官が大統領にメモを送っている。大統領は、キャンプ・デービッドに引きこもり、対応策を考えた。そのころ、アメリカの問題の核心は「ナルシシズム」にあると書かれた本を大統領は愛読していた。五人の閣僚を更迭し、アメリカの自信の喪失（「アメリカの病」といわれるようになった）がアメリカ人の心を蝕んでいると訴えた。その数か月後、テヘランのアメリカ大使館で起きたイラン人学生による人質事件で、多少なりとも残っていたアメリカ人の自信は自虐へと変わった。

一九七〇年代後半のアメリカの病は、中東情勢やイスラム原理主義の影響、労働市場の硬直性など、さまざまな要因が重なった結果である。二度の石油ショックは、世界経済に大きな衝撃を与え

た。ベトナム戦争の後遺症で、国民に苦悩が残り、政府に対する不信を招き、政府と距離をおく姿勢が強まった。それでも、アメリカの病のかなりの部分は、それまでに数十年にわたって確立され、次第に政府寄りになってきた政府と市場の関係の結果だともいえる。インフレ率と失業率が同時に高水準になるのはかつてない事態であり、この点だけでも、事態を再検討しなおさなければならなかった。国が計画と管理を強化すべきだと主張する者もいたが、潮流は変わっていた。ハーバート・スタインはこう書いている。「この二十年間、政府支出、政府がとりたてる税金、政府の財政赤字、政府による規制、政府が管理する通貨供給量はすべて、増加の一途をたどってきた。そして現在、インフレ率は高く、経済成長率は低く、『自然』失業率は……これまででもっとも高い。だとすれば、その原因は政府が拡大を続けたことにあり、問題の解決のためには、政府の拡大を逆転させるか、少なくとも止めるべきだと考えるのがきわめて自然である」

政府の知識に対する信認は、いまや冷笑へと変わった。ケインズ理論は、以前にそうみえたほど有効ではなかった。財政政策を操作して経済を管理するのは、そう簡単ではない。それに、政策が効果をあらわすまでの遅れがあり、不透明要因があるので、経済を管理できているかどうかも定かではない。ケインズ政策そのものが、インフレを誘発する性質をもっていると批判する者もいた。一九三〇年代にケインズが提唱したのは、政府支出で民間企業の投資不足を埋め合わせることであったが、いまや逆に、民間の投資が閉め出されているように思えた。大規模な介入政策によって、政府が主要な社会問題を解決できるとする見方も弱まっていた。国民のためをうたい、理想的な目標を掲げていても、費用便益分析という新手法を適用してみると、そして、一般市民の目で眺めて

みると、政策が税金に見合った成果をあげているかどうか、疑問だとされるようになったのだ。インフレ率が低く、経済が拡大を続けている間は、国民は税負担を受け入れた。しかし、景気が後退し、低成長が続き、インフレによって税率の高い所得区分に移行してしまうなかでは、税負担が怒りの的となる。保守派は以前から、勤労者層に高率の税金を適用し、非勤労者層へ所得移転を行なえば、経済の衰退につながると主張してきたが、保守派の「空想」にすぎないとして相手にされなかった。しかしいまや、この主張は無視できなくなった。学問的研究の新たな潮流によって、この主張が裏付けられるようになったからだ[13]。

さらに、ニューディール政策以来の規制型資本主義に対して、根本的な疑問がだされるようになった。一九五〇年代から、知識人の間で静かに行なわれていた議論が、七〇年代の経済的苦境で一気に前面にでてきた。規制制度は、硬直化し迅速な変化ができず、歪みがでて、行き詰まっているようだ。事態を悪化させかねなかった。技術や経営の革新の足枷となっていた。もっとも重要なのは、市場ではなく制度が決定をくだすようにして、市場での競争がもつ健全な効果を否定した点にある。関係を固定化し、価格を吊り上げ、なによりも重要な点として、インフレを根づかせてしまった。

こうした状況では変化が必要であり、国民は新たな方向に進む準備ができていた。新しい考え方はすでにあった。市場の失敗の忌まわしい記憶が、四十年間、政府の経済政策を形作ってきた。しかし、七〇年代には、政府も失敗しうることが示された。市場は、それほど愚かではないといえるのではないだろうか。

第3章

運命の誓い

第三世界の台頭

chapter 3

TRYST WITH DESTINY:

The Rise of the Third World

その夜、ニューデリー市街は市民で埋め尽くされた。植民地時代が終わろうとしていた。夜のとばりが降りると、あちこちでトーチに火が灯り、短いスローガンが繰り返し暗闇にこだました。真夜中までの数時間、占星術師を不安がらせないように選ばれたこの時間に、ほら貝の音が響きわたった。もともとは、ヒンドゥー教寺院で神に加護を祈るための音だ。ジャワーハルラール・ネルーは、トレード・マークの上着に身を包み、高ぶる感情を抑えながら、インド制憲議会の壇上に上がった。わずか三年前、ネルーはイギリス当局の手で、九度目の刑に服していた。一九四七年八月、あとわずかで十五日になる夜、そのネルーがイギリスの支配を終わらせ、独立インドの初代首相の任につこうとしていた。

ネルーはこう語った。「何十年も前に、われわれは運命の誓いを立てた。インドの独立を勝ち取ると。その誓いを果たすときが来たのだ」。まさに、ネルーらの独立派は、困難な誓いを果たしたのだ。世界でもっとも大きい植民地であり、大英帝国がもっとも重視する領土、帝国主義政策の存立基盤、帝国主義の象徴そのものであるインドが、独立国家になろうとしていた。世界でもっとも大きな民主主義国となるのである。その深夜が、ヨーロッパ帝国主義すべての崩壊の始まりになった。全世界の帝国主義の陽がほんとうに沈むまでには多くの血が流れ、沈んだ後、さらに多くの血が流れることになるのだが。

しかし八月十五日は、ネルーの完全な勝利ではなかった。誓いがすべて果たされたわけではないからだ。無数の国や藩に分裂する事態は回避されたが、イギリス領インドは、ヒンドゥー教徒が支配するインドと、イスラム教徒のパキスタンのふたつの国に分割された。* インドが完全に「崩壊」

し、内戦と無政府状態に陥るのではないかと恐れられていたが、イギリスの緊急措置でその事態は避けられた。しかし、独立に伴って起きた動乱はすさまじいものだった。ヒンドゥー教徒とイスラム教徒の合計一千五百万人の難民が、設けられたばかりのインド・パキスタン国境を、インドからパキスタンへ、パキスタンからインドへ渡った。それまでの生活を乱され、恐怖と怒りで混乱した難民は、まもなく残酷な暴力の犠牲となる。難民を乗せた列車が国境の手前で待ち伏せされ、目的地に到着してドアが開いたときにあらわれたのは死体だけだということもあった。都市部では、長期間、平和に暮らしてきた隣人が反目しあうようになった。インドの独立に伴って起きたヒンドゥー教徒とイスラム教徒の抗争で、少なくとも百万人が死亡したと推定されている。

マハトマ・ガンディーは、独立運動の精神的指導者として、ヒンドゥー教徒とイスラム教徒の団結を訴えてきたので、独立を勝ち取った喜びは、苦い敗北の痛みに消されてしまった。独立の日、ネルーが権力の座につく準備をしていたころ、ガンディーはカルカッタで静かな祈りのなかにあった。市内の宗教抗争の沈静化を願って断食したが、その願いは虚しかった。[1]

＊――一九四七年の独立当時、インド亜大陸の人口は三億人で、うちイスラム教徒は九千五百万人だった。現在の人口は、インド九億三千五百万人、パキスタン一億二千万人、バングラデシュ一億二千五百万人で、インド亜大陸合計で十一億八千万人である。

国家建設

イギリスの統治は終わった。ネルー首相ら国民会議派に課せられた使命は、植民地を国家に作り変えることである。イギリスから議会制を受け継いで、インドを連邦制の議会制民主主義国家として安定させることを目指した。しかし「国家建設」は、政治制度の整備にとどまらないはるかに難しい事業である。現代的な経済を発展させなければならない。資源と技術が絶望的に不足している国で、この目標を達成するには、国家が経済の管制高地を握り、支配する必要があると、ネルーは繰り返し語っている。そして、この後四十年間、インドはネルーのビジョンにしたがい、現代的な工業化を目指し、社会主義型計画経済政策をとることになる。ネルーは、国際的に経験豊富で名声のある優秀な経済学者の助言を受けていたので、西側経済モデルとソ連型経済モデルの長所だけを取り入れていると確信していた。そして、議会で国民会議派が多数を占めたため、この計画を進めるうえでの障害はほとんどないと感じていた。こうして世界でもっとも徹底し、複雑で、やがては重荷になる国家経済計画と行政機構ができあがった。民間企業も活躍できたが、インド経済の中枢部分、すなわち管制高地は、きわめて多数の国有企業に委ねられた。

インド型計画経済の全体構想の中核には、公共部門が据えられた。このモデルは、広く支持を集めるようになる。インドがこのような経済政策を採用した背景には、合理主義、予想能力、数量化、計画への厚い信頼があった。当時、主流となっていた経済学を取り入れたものでもある。経済学者

や国際機関が、誠心誠意、世界に広めていた経済学である。形の違いはあれ、当時の常識の中心になっていた点はただひとつ、政府が開発を行なうべきで、他に選択肢はないというものだった。この考え方は、開発途上国の全体に、長期間にわたって広範囲に影響を及ぼした。それが最高潮に達したのは一九七〇年代であり、第三世界が先進国と対峙し、勝利への道を歩んでいるかにみえたときだった。大いなる幻想であることがわかるのは後のことである。

ネルーの発見

ネルーが採用した経済政策は、現代世界に対するネルーの見方、技術信仰と、インド社会の現実、ネルー自身の言葉を借りるなら「インドの発見」との対峙のなかから生まれたものだ。

「インドの発見」は、第二次大戦中、ネルーが遠く離れたアーメドナガルの駐屯地に二十か月間、幽閉されていた間に書いた本の題名である。自伝を書きはじめたのは、これより前に投獄されたときだが、一九四一年の十二月初めには釈放されたため、書き終えることができなかった。しかし、その後まもなく、ふたたび拘束されている。今度は第二次大戦でイギリスがとくに苦境にあった時期に、反イギリス運動を指導した罪にとわれた。刑務所では、手荒な扱いは受けなかった。イギリスのパブリック・スクールの名門、ハロー校の出身だったことで、特別に考慮されたようだ。アーメドナガルでは、毎日何時間かを刑務所内の石の混じった土を掘り返して、花壇をつくって過ごした。それだけではなく、千ページを超える原稿を書いて、未来への期待を詳細に記し、インドの「発

見」とそれがどのように自分の人生を変えたかを綴った。

ネルーは、インド北部の中心地、ガンジス川のほとりにあるアラハバードの特権的な環境のなかで育った。父、モティラールは、インドの著名な弁護士として成功を収め、富を築いていた。インドの経済エリートの初期の指導者のひとりで、国民会議派の再建に加わり、インド独立を求めた。しかし同時に、大英帝国の一員としての成功を誇りにもしていた。ジャワーハルラールが幼いころ、家には五十人以上の使用人がいて、プールがあり、最新のヨーロッパ車があった。父は、ひとりっ子のジャワーハルラールを溺愛し、すべてを与えようとした。とくに、大英帝国ではインド人としてもっとも権威があるインド文官職につかせたいと考えて、ハロー校に進学させた（ここで、ジョーという愛称がつけられた）。その後、ネルーは、ケンブリッジ大学トリニティ・カレッジで自然科学を専攻するが、ほとんど興味がもてず、バックスと呼ばれるカム川の岸で、もっぱら社交生活を楽しんだ。さらにロンドンで弁護士を目指して勉強したが、その間、豪勢なヨーロッパめぐりをしている。各都市で観た芝居の俳優について、父に手紙を書き送っている。技術には強い関心を抱いており、航空学の発展を興味深く見守っていた。そして、苦もなく空を飛ぶ夢を繰り返しみていた。

一九一二年、ネルーは故郷のアラハバードに帰った。そこで八年間、弁護士として働いたが、熱意をもっていたわけではない。生活ぶりは贅沢に近く、弁護士としてはたらくかたわら、パーティーに出席し、日曜日にはパンチ誌を読むのが習慣だった。しかし、なにか他のことがしたいと苛立ちを感じていた。ネルーは、幼いころ、一八五七年から五八年にかけてインドで起こったセポイの乱の物語に、心を揺さぶられたことがあった。また、イタリアのジュゼッペ・ガリバルディなどの

愛国者の伝記をむさぼるように読み、「偉大さ」に憧れた。さらに、ネルーはこう書いている。「わたしも、父とおなじようにギャンブラーの気質があった。最初はカネを賭けたが、その後、人生のもっと大きな問題に、大きな賭けを挑んだ」。このころ、マハトマ・ガンディーが、長期にわたる旅路についていた。裸足で村々を訪ね歩き、支持者を集め、国民会議派の独立運動に新しい風を送り込んでいった。ネルーは、ガンディーに惹かれ、矢も楯もたまらず、独立運動に身を投じることになる。特権的な生活を享受しながらも、大英帝国の支配は屈辱的だと感じていたからだ。イギリス人の高官はネルーの家に訪ねてきて、父とよくシャンペンを飲むことはあっても、父を夕食に招待することはなかった。

一九一九年、アムリッツァルで、反イギリス運動を起こした住民をイギリス軍が虐殺する事件が起こった。これに怒ったネルーは、無気力から目覚め、行動を開始した。国民会議派が組織した独立調査委員会に加わったのである。そして、決定的な出来事が、翌二〇年に起こった。家族が、アラハバードの蒸せかえる暑さから逃れようと、ムスーリーの丘に立つ瀟洒なサボイ・ホテルに出かけていた。ネルーは後から加わることになっていた。ホテルには、アフガニスタンのイスラム教徒の代表団も滞在していた。イギリス当局は、ヒンドゥー教徒とイスラム教徒が団結するのを恐れて、ネルーがイスラム教の一行に会うことを禁じた。ネルーはイギリス当局に命令されるのを好まず、アラハバードの家に残ることにした。そのころ、内陸部、ラエ・バレリ地方の農民の一団が、ガンディーに会おうと、アラハバードに到着した。農民は、途方もない重税と大規模な立ち退きに怒っていた。しかし、ガンディーはいなかった。そこでネルーの邸宅にやって来て、ガンディーに代わ

って調査するよう要請した。やるべき仕事がほとんどなかったネルーは、この要請を引き受けた。

その後に起こった出来事に、ネルーは圧倒された。農民は一夜にして道をつくり、ネルーの車がインド奥地の農村まで入れるようにしたのだ。タイヤがぬかるみにはまりこむと、そのたびに力を合わせ車を持ち上げてくれた。目の前にあるのは、これまで見たこともない極貧状態である。伝記作家のM・J・アクバルはこう書いている。「当時のネルーはまだ、シルクハットをかぶり、シルクの下着を身につけており、インド人の顔をもつイギリス人だったのだ」。しかし、焼け付くような白日のもとで、ネルーは変わった。後年、つぎのように書き記している。「わたしは恥ずかしさと悲嘆に暮れた。安閑として何不自由ない自分自身の生活を恥じ、裸同然の大多数の民を無視してきた都市の三流政治を恥じ、インドの荒廃と極貧を思うと深い悲しみを覚えた」。ネルーはなすべきことを見つけ、政治家を目指した。父への手紙に、自分の気持ちを率直に吐露している。「わたしには偉大さが求められている」。ネルーは独立運動の先頭に立ち、ガンディーの後継者となった。こうして、パブリック・スクールでジョーと呼ばれた少年、ジャワーハルラール・ネルーが、パンディット（師）となり、ガンディーとともに国民会議派の指導者になった。(2)

「トラクターと大型機械」

独立が政治の中心課題であったとすれば、貧困との戦いが経済の中心課題であった。一九四七年八月に独立が実現し、貧困こそが問題となった。ガンディーとネルーは政治目標では一致していた

が、経済については意見が分かれていた。ガンディーはスワデーシ（独立独行）を理想とした。基本的な財を自家生産し、村単位で自給自足し、各戸が糸車をまわすことを目指した。植民地時代のインドは、木綿をマンチェスターに輸出して、高価な洋服のかたちで再輸入していた。なぜそうしなければならないのか、インド人自身が服をつくればいいと考えたのである。ガンディーは、社会主義や階級闘争にほとんど関心を示さなかった。独立後、共産主義者グループにこう説いている。「みなさんがソ連を精神的故郷だと感じているのをみると悲しくなる。インド文化を蔑み、ソ連型システムをインドに移植しようと夢見ている」。ネルーの考えは、根本的にガンディーと異なっていた。違うタイプの自給自足経済、工業化と製鉄所による経済を目指した。第一の目標は、「国民が極度な貧困から抜け出せるようにする」ことだった。ネルーは、技術、進歩、機械化、工業化を信奉している。「わたしは、トラクターや大型機械を全面的に支持する」と語り、目標を達成するために、二十世紀の文明の利器を利用しようと考えた。

レーニンはかつて、こう語った。「共産主義とは、ソビエトの権力と全国の電化である」。ネルーはこの言葉をもじって、「重機械工業、科学研究機関、電力」がインドの開発をもたらすと語った。ネルーの考え方には、アトリー合意の影響が見受けられる。管制高地、混合経済、計画の必要性を何度も説いた点をみれば、イギリス労働党の方針や考え方を採用したのはあきらかだ。しかし、ソ連型モデルにも感銘を受け、五か年計画と中央計画を称賛した。共産主義による自由の抑圧に悩みながらも、ネルーは最後の服役期間に、こう書いている。「ソビエト革命によって、人類社会が大きく進歩し、消すことのできない明るい火がともった。そして、新たな文明の礎がつくられた。世界

はこの文明に向かって進歩できる」。私有財産は認めるが、インド経済を建設するにあたっては、国家が優先された。

ガンディーとネルーでは経済の理想像があまりにかけ離れていたため、両者の対立が深まった。一九四五年、ガンディーは、自分の経済政策であるスワデーシと、村民が協力しあう村がインドの基礎になるという考え方に、後継者のネルーが忠実でないと非難した。「村がなぜ真実や非暴力を体現するといえるのか、わたしには理解できない」とネルーは応酬した。「一般に、村は、知識・文化面で遅れている。遅れた環境からは進歩は生まれない。偏狭な人間は、不誠実で暴力的になる傾向がある」。ガンディーの理想は、「まったく非現実的」だとネルーは語っている。

一九四八年一月三十日、ガンディーはヒンドゥー教徒過激派によって暗殺された。インド全土に衝撃が走り、深い悲しみに包まれた。ネルーは精神的な父を失ったが、これで自分の経済政策を止めるものはなにもなくなった。ネルーは六四年に死ぬまで、首相としてみずからの経済政策を推進した。インドはネルー政権下で社会主義への道を歩み出すが、その基礎はネルーが委員長をつとめた一九三〇年代後半の国民会議派の国民計画委員会にあった。当時、ネルーは、世界がふたつのグループからなると考えていた。「ひとつは、世界を進歩させ、帝国主義、資本主義の軛(くびき)から人類を解き放とうとする人びとであり、もうひとつは、現状から利益を得ようとする少数の人びとである」。インドは、「独立と社会主義」の道を歩むべきだと、ネルーは結論づけた。これこそ「きわめて貧しく、失業が蔓延する国」に必要な政策だと語っている(3)。

「計画のアイデア」

一九四八年から五二年にかけて実施された一連の政策で、国家経済計画を策定する手法が確立され、それを遂行する体制と機関が整備された。第一次五か年計画が策定された。混合経済を目指したが、国家にはるかに重点がおかれていた。そして、五〇年に設立された計画委員会は、またたく間にきわめて重要な存在になった。ネルー首相を委員長とする同委員会は、第二の政府ともいえるほどの機関になり、経済管理の実権を握るようになったのである。

以後、数年間でインドが政府主導型の経済路線を歩む方針が固まった。一九五四年、国民会議派と議会は、「社会主義型社会」の実現を決議した。しかし、実際にインドが目指したのは、ヨーロッパ型モデルとソ連型モデルを取り入れた混合経済だった。フランスと同様に、経済制度は三つのセクターに分けられた。国が管理する国有セクター(重工業からなる)、国が規制するセクター、民間セクターである。しかし、インド型モデルはフランス型にくらべ、政府の役割にはるかに重点がおかれていた。政府は圧倒的な力をもち、重工業化を推進して、経済を開発と成長の軌道に乗せる「強力なひと押し」をもたらす。国家が英知と公明正大さを保証し、エリートが開発の過程を管理して、「利益集団」のニーズではなく「国」のニーズが確実に満たされるようにする。

この目的を達成するために、インドは、ヨーロッパのどの国よりも複雑な計画システムを作り上げた。経済活動を「投入」と「産出」に細かく分類した表が作成され、経済はあたかも、物理実験

のような正確さで計測でき、合理的に管理できるように思えた。ネルーは計画全体を称賛し、こう語っている。「計画のアイデアと計画的な社会は、程度の違いはあれ、すべての人たちに受け入れられている」

インドの「計画・管理システム」が、極端に合理的な科学主義に基づいているのは、この制度が、優秀な科学者で、後に経済学者となったP・C・マハラノビスによってつくられたからである。マハラノビスは、当時、インドの著名な経済学者で、同時代の人びとに影響を与えた。ネルーとおなじようにケンブリッジ大学で自然科学を学んだが、ネルーと違って成績は優秀で、物理学で一等をとっている。統計学者となり、後に経済学者に転身した。そして、転身後も合理性を重視する科学者の姿勢をもち続け、複雑な数学マトリックスを使った計量的計画を熱心に推し進めた。マトリックスは、経済の「科学的」な分析に基づき、産業と企業の連関に注目してつくられていた。ジャン・モネがフランスで確立した誘導的計画とは、性格がまったく違っている。部下のひとりによれば、マハラノビスは、イギリスの物理学者、ウィリアム・ケルビンの格言、「質的な推論は、『貧弱な数量的推論』にすぎない」に心から同意していた。この考え方を、数億人の人口を擁する一国の経済に応用しようとしたのである。

公共部門の拡大が、きわめて熱心に進められた。いくつかの産業は国が独占的に管理し、民間企業に事業の継続を許可した産業でも、新しい事業はすべて国が責任を負った。一部の例外を除いて、既存の企業は国有化せず、商業と小規模な経済活動は民間に委ねた。ターター財閥やビルラー財閥など、民間の大規模な企業帝国には手をつけなかった(ターター・エアは例外で、国有化され、エ

ア・インディアになった）。国は、新規の大型事業すべてに責任を負った。国有銀行にはじまって、発電所、化学プラント、自動車組立工場からホテル・チェーンにいたるまで、さまざまな事業を担う多数の国有企業が設立された。

これらのさまざまな企業は、国策企業として、インドの独立を経済面で体現したものである。インドの技術と能力を国内外に示し、新国家を団結させる力となることを目指していた。国の団結は、インドにとってなににもまして重要である。多数の州と藩に分かれ、それぞれの支配者がイギリスと直接交渉する状態から脱しようとしていたからである。そして、国有企業は、国の誇りの源泉でもあった。従業員の募集要項や、企業のレターヘッドには、社名の下に誇らしげにこう書かれていた。「インド国有企業[4]」

許認可による支配

インド型制度の影響は、国境をはるかに越えて伝播した。インドは、戦後の植民地独立の動きを代表する国である。ネルーは清廉の士であり、武器を使うことなく大英帝国を倒して多くの人びとの尊敬を集め、第三世界の指導者になった。インドの経済学者の多くは最新の手法を学び、経済モデルに応用した。その発言にはすばらしい説得力があった。インド型モデルが、経済開発の最前線に躍り出たかに思えた。そして、多大な影響力をもつようになった。

しかし、問題がひとつあった。インド経済が、モデルで予想されたようには成長しなかったので

ある。経済政策の立案者は、きわめて優れた合理的な方法（これ以外にないほど合理的な方法）を使って、貧困が蔓延するこの国で、工業開発によって社会の向上をもたらすという難問を解決しているのだと考えていた。しかし、結果は違った。インド経済が、物理学のような法則ではとらえきれないことがあきらかになった。また、中央の計画によっては、経済をそれなりに効率よく管理することはできず、市場の節度と試練にさらされない国有企業が多数あっても、経済を成長軌道に乗せる「ひと押し」として十分なものにはならないことがわかった。インドが作り上げたのは、「強力なひと押し」の完璧な仕組みではなく、きわめて複雑で、厄介な制度だったのである。この制度は、量的規制、割当制、関税、果てしない許認可、ライセンスなどのさまざまな規制でつくられた複雑怪奇な迷路によって運用された。この迷路をたどるうちに、インセンティブ、事業意欲、事業計画、起業家精神は、失われるか絶望的なほど歪められてしまう。こうして、インド経済は次第に非効率になっていった。官僚制度が市場の機能にとって代わった。イギリス人という支配者がいなくなったと思ったら、許認可という名の支配者があらわれたといわれるようになった。

政府の規制によって、経済は停滞した。国民会議派と独立を熱狂的に支持していた実業家の不満が鬱積した。同時に、じつに皮肉な現象も生まれた。インドは、世界に通用するきわめて優秀な科学者や技術者を輩出した。しかし、自給自足と国有企業を重視したため、世界的な技術の変化から取り残され、遅れることになったのである。ネルーは『インドの発見』で、科学技術がインド経済の牽引役となり、経済開発をもたらすと主張していた。しかし、独立後二十年が経過してみると、自分たちが作り上げた制度によって、経済成長と技術進歩が妨げられていたのである。その象徴が、

インドの街角を走る国産自動車のアンバサダー、通称「アンビイ」だ。一九六〇年代のイギリスのオースチン社製自動車をモデルにしてつくられたこの車が、まるでタイム・スリップでもしたかのように、九〇年代後半になっても生産されている。

経済制度は政治に翻弄されるようにもなった。ネルーが老いるにつれて、議会で国民会議派の勢力が弱まった。国民会議派は他党に追い上げられて、ばらまき政治に頼るようになり、ときには不正を行なうようになる。国有企業は、有権者の政治的主張と利益集団の要求の間で身動きがとれなくなった。インドの民主主義が活発になり、にぎやかになってくると、エリートの知識人が科学と合理性に基づくものとして構想したインドの経済制度は、大衆の「低俗な」政治を下にみて超然としているわけにはいかなくなった。

しかし、他に選択肢があったのだろうか。ネルーをはじめとする政治家や官僚、経済学者には、違う道が簡単にみつかるとは思えなかった。独立直後のインドは、あまりに大きな政治・経済問題を抱え、極端に貧しかった。資本市場はないに等しく、中産階級もそれほどいない。ネルーが言うように、過去は神秘主義の泥沼であり、未来は合理性のうえに築かねばならなかったのである。「開発」とは、科学技術を育成することだった。百年も待つわけにはいかない。民間の資本家は、もちろん信用できない。自己の利益を追求するだけで、モラルや倫理を説くことなどできないのだから。では、他にどのようなモデルがあるのか。その答えとしてでてきたのが、西欧型混合経済とソ連型の指令統制型モデルの組み合わせであり、五か年計画と工業化の「強力なひと押し」だったのである。このモデルは、ガンディーの自給自足経済の理想を一部引き継ぎ、ガンディーが戦った大英帝

国の官僚制度とムガール帝国にまで遡る強い国家の伝統を融合してできたものだ。そして、全体の制度の根幹には、現実を考えれば経済の将来を国家に委ねるしかないとする有力な考え方があったのである。

「世界をより良くするための政策」——開発経済学

インドは世界から隔絶していたわけではない。それどころか、壮大な実験場として開発の中心となった点でも、多数の国の模範となった点でも、きわめて大きな影響を世界に与えた。第二次大戦後に独立した国のなかで、インドは最大の国だが、ごく初期の国でもある。ヨーロッパ列強の植民地帝国の崩壊とともに、雪崩をうったように植民地解放が進み、一九四七年には五十七だった独立国は、八〇年代末（共産主義帝国が崩壊する直前）には百五十を超えるまでに膨れ上がった。ほとんどが貧しい国であり、絶望的に貧しい国も多い。第二次大戦のはるか以前に独立を達成していた国、たとえば中南米の諸国でも、貧困がはびこっていた。

貧困の妖怪との闘いが、力を結集する大きな原動力となった。第二次大戦中、アメリカのフランクリン・ローズベルト大統領は、四つの自由を唱えたが、そのひとつに貧困からの自由をあげ、世界に貧困撲滅を呼びかけた。イギリスではベバリッジ報告で、貧困の撲滅と福祉国家の建設がうたわれた。これらが刺激となって、かつては後進国、低開発国といわれ、戦後すぐに第三世界、もっと楽観的には開発途上国といわれるようになった地域の生活を改善しようとする大きな運動が起こ

った。

理想主義や博愛主義だけが、原動力となっていたのではない。冷戦の対立のなかで、開発が西側各国政府の最大の関心事になった。ソ連は開発モデルと対外援助を利用して、開発途上国を共産主義陣営に取り込もうとした。アメリカをはじめとする西側政府は、共産主義に対抗するため、経済の安定につながるような非共産主義的な開発手法を信奉したのである。そして、マーシャル計画と戦後復興の成功から得られた経験によって、開発への熱意が強まるとともに、開発は成功するとの自信が生まれた。戦後復興に成功した以上、つぎは開発途上国を貧困と絶望から解放する聖戦に取り組むのが当然だと思われていた。経済学者のアルバート・O・ハーシュマンはこう語る。「マーシャル計画が成功を収めた後、アジア、アフリカ、中南米の低開発国が、『世界をより良くするための政策』で未解決の主要な経済問題として浮上してきた」

しかし、どうすれば経済開発が進むのか。その答えは、聖戦に加わった経済学者のグループからでてきた。新たな独立国の貧困問題を解決するために、経済学という陰鬱な科学の一部門として開発経済学を興し、貧困撲滅への道筋を示す戦略家になったのである。開発経済学者は、なにが経済成長を牽引するのか、どうすれば成長が促進できるのかという基本的な問いに答えようとした。これらの問いはある意味で、アダム・スミスが『国富論』で追求した中心的な問題であり、スミスは「富裕になる自然な進路」という概念で説明している。しかし、一九四〇年代後半から六〇年代にかけては、「自然」は受け入れられなかった。開発経済学者にとっては、開発のペースを加速することが緊急の課題であった。百年のサイクルで起こると考えられていたものを待つのではなく、十年で

実現できる成果を求めた。たったいま、なにかを起こすにはどうすべきかを問うたのである。そしてその功績によって、「学者の悪文」が及ぼす影響についてケインズが述べた点が証明されることになった。開発経済学の考え方は、半世紀近くにわたって何十もの国の経済システムの形成に、大きな影響を与え続けているのである。開発経済学が有力になったのは、開発経済学者が理論をうちたてただけでなく、計画の立案や遂行などの「実践」に関わったからである。

開発経済学者は、政府主導の成長政策、マクロ経済学の分析手法、ケインズ派の根底にある自信といった点で、少なくともある程度まで、ケインズ主義の流れをくんでいる。また、ベバリッジ報告の福祉政策やインドの開発からも大きな影響を受けている。初期の開発経済学者として著名なハンス・シンガーはこう書いている。「ケインズとベバリッジは共に、国家の積極的な介入に賛成していた。こうした背景があって、わたしは終戦直後、流行っていた開発計画に直接関心を抱くようになった。とくに興味をもったのがインドだ。マハラノビスが開発経済学の唱道者、指導者であり、カルカッタが聖地だった」

理想主義、モラル、正義、共感、貧困の現実の衝撃、世界をより良くする理想が、経済開発という聖戦への参加を促す要因になった。「開発の先駆者」の泰斗、アルバート・ハーシュマンは、当時の状況をこうまとめている。「第二次大戦後、狭い専門にとらわれず、世界をより良くする理想に駆り立てられた学者が開発経済学を興した。ほとんどの学者が、リベラル派とおなじように、『良いことはすべて同時に起こる』と考え、ある国の国民所得を増加できさえすれば、社会、政治、文化面すべてに好影響が及ぶと考えた」。そこで、「すべての面での後進性からの解放」を目指すことにな

った。[5]

開発経済学者の経歴をみていけば、世界をより良くする政策を推し進めた動機を理解する手だてとなる。ハーシュマンの経歴は、「歴史の悲惨な脱線」そのものだと本人は語っている。ベルリンに生まれ、トリエステ大学で博士号を取得した後、第二次大戦中、五年間従軍し（フランス軍とアメリカ軍に加わった）、戦後はアメリカの連邦準備制度理事会（ＦＲＢ）で働き、マーシャル計画にも参画した。さらに、コロンビアで四年間、経済顧問をつとめている。ポール・ローゼンスタイン－ローダンは、ポーランドのクラクフで生まれ育ったが、その後、当時の社会と文化はナチに完全に抹殺されている。第二次大戦中、ロンドンの王立国際問題研究所で、戦後の後進国問題に関する研究グループを組織した。「われわれが生き延びることができれば、以前の状態に戻るのではなく……より良い世界を築くべきだ」と、考えた。戦後の課題は、「国内の福祉から国際的な福祉」の実現に移行することだとみていた。「世界を改善するための資源が十分あるときに、機会の不平等や貧困を是正しないのは、まさに精神の腐敗である」と書いている。

ノーベル経済学賞を受賞することになるヤン・ティンバーゲンは、第二次大戦後、オランダの中央計画局の長官として、復興に取り組んだ後、マハラノビスの招きでインドに渡った。貧困は戦争直後のオランダでも経験していたが、「オランダと比較にならないほどの貧困が日常的に蔓延するインドで、考え方や活動の柱が変わった」。アーサー・ルイスはイギリス領西インド諸島、セント・ルシアで育った。十四歳で学校を辞めるが、数年後、ロンドン大学経済学政治学部の奨学生となり、以後、経済で優れた実績をおさめ、ティンバーゲンと同様にノーベル賞を受賞した。貧困の撲滅が

最大の関心事で、貧困は撲滅すべき問題であるだけでなく、撲滅しうると考えていた。「わたしは母から、白人にできることは自分にもできる、と言われて育った」と回想する。ウォルト・ロストーは、自分の名前の由来でもあるウォルト・ホイットマンの詩を引用して、使命感を語っている。「地球上の全人類は、おなじ船で共に漕ぎだし、おなじ目的地を目指している」

開発経済学者は、歴史に指針を求めた。一九五一年に刊行されたアレクサンダー・ガーシェンクロンの主著『経済的後進性の歴史的視点』が与えた影響はきわめて大きい。ガーシェンクロンは、ドイツ、フランス、ロシアなどの工業の「後発国」が、どのようにイギリスに「追いついた」かを分析して、工業化にはさまざまな経路があることを示した。後発国は、アダム・スミスが唱える経路を通って工業化したわけではない。スミスの説の二倍から三倍のペースで、政府が投資を指導したり、金融界、産業界と密接に協力するなど、国が積極的に関与して工業化を進めてきたようだ。ガーシェンクロンの研究によって、制度が整備されていなくても資本を動員する方法が示され、政府が「富裕になる進路」を促進する政策をとり、先進国に追いつけることが証明された。この考え方は、「さらに遅れた後発国」の遅れを取り戻そうとする開発経済学者の琴線にふれるものだった。

開発経済学は、以下のような考え方のうえに成り立っている。第三世界では、土地、労働、天然資源はふんだんにあるが、資本が決定的に不足している。資本がないので市場は機能しないか存在さえせず、市場が発する信号は信頼できない。開発途上国では、現代経済の基盤として、道路、鉄道、電力などの社会資本の整備が必要だが、不完全な状態の市場では、大規模な投資案件に必要な巨額の資金を調達できない。そこで、政府がその役割を担わなくてはならない。短期間で資本を回

収するよう株主に求められる民間企業と異なり、政府は、投資の回収までに数十年かかる投資案件のリスクと責任をとることができるからだ。

開発経済学者は、市場の活力には疑問を抱いていた。このため、途上国の民間セクターを信頼しなかった。民間セクターは絶望的なほど小さくみえたからだ。アフリカの植民地では、民間セクターの役割は基本的な財の取引に限定されており、もちろん工業化の基礎になりえない。アフリカにくらべて民間セクターが大きい地域もあるが、とくに中南米では、民間セクターはごく少数のきわめて裕福な一族で占められ、「搾取」といわれる状態に満足しており、変化を受け入れるのを極端に嫌がった。ネルーが主張したように、民間セクターは、「公共の利益」ではなく「利益集団の狭い利益」を追求するか、開発を実行する能力、活力、「熱意」が欠如しているかのどちらかだった。しかし、開発経済学者は市場に抜きがたい不信感をもつ一方で、政府の能力についてはきわめて積極的に評価していた。その結果、「後進地域で工業化を進めるには、綿密で徹底した誘導計画が必要だと考えられた」。ソビエトの五か年計画のような「突撃運動」によるのではなく、努力と資本を集中することが求められた。この誘導計画には「強力なひと押し」「離陸」「大躍進」などさまざまな名がつけられた。中立的な響きをもつ用語としては「後方および前方連関効果」があり、これによって、開発途上国は停滞を脱して、経済開発のつぎの段階に進めると考えられていた。

市場、価格、貿易の有効性と積極的な活用を説く開発経済学者もいなかったわけではない。P・T・バウワーは、マレー半島のゴム栽培と西アフリカの交易を調査して、第三世界にも起業家精神はあり、起業家の力を結集したほうが、政府主導の開発よりはるかに効率的だと説いた。しかし、

バウワーのように開発経済学の主流に批判的な学者は、風変わりで的外れだと考えられた。一九三〇年代の混乱によって資本主義が信頼を失ったように、市場に重点を置いた経済学も顧みられなくなっていた。経済学者は、市場の機能ではなく、市場の不完全性と市場の失敗を重視したのである。開発経済学の有力な考え方は、政府の役割を重んじ、中核にすえた理論である。不完全を克服するには、強力な国が関与するのが当然の方法だと思えた。(6)

「銀行」

植民地の独立が相次ぎ、多額の対外援助が注ぎ込まれ、冷戦下で新生独立国を自陣営に取り込む必要があったことから、経済開発を担う大規模な組織が生まれた。財政、産業、開発を担当する各国の省庁、政府援助機関、民間基金、国際開発銀行、大学、研究機関などである。その中心に位置するのが国際復興開発銀行、いわゆる世界銀行である。世界銀行を中心に政治的駆け引きと資金の分配が行なわれ、議論が戦わされた。

世界銀行は、ヨーロッパの戦後経済の復興という難事業を調整する機関として、一九四四年のブレトン・ウッズ会議で設立されることが決まった。しかし、その任務は、ケインズらの創立者の意向に沿って、ほどなく開発途上国のインフラストラクチャー向け融資に拡大された。途上国向けの最初の融資は、四八年にチリの発電所建設と農業用機械向けに実施された一千六百万ドルの案件である。アジアでは、日本向けの復興融資を除くと、四九年にインドの水力発電所建設向けに最初の

融資が行なわれ、アフリカでは五〇年にエチオピアの通信設備向けに最初の融資が行なわれた。五〇年代初めには、目的がヨーロッパの「復興」から第三世界の「開発」に完全に変わっていた。基本的な役割は、先進国の資本市場から国際資金を調達し、途上国の公共部門に有利な（優遇した）条件で長期融資を提供することである。融資を受けた開発途上国の政府が債務の支払いを保証するので、世界銀行は先進国、途上国の国境をまたいで資本を移動させることができる。この枠組みは、ほとんど無に等しい状態から出発せざるをえなかった。「大恐慌と第二次大戦によって、それ以前の国際投資の流れがほぼ完全に止まっていた」からだ。

世界銀行の役割は、市場を発達させる条件を整えることだった。融資によって、市場の失敗、あるいは市場の不在とさえいわれる状況を是正するのである。市場経済を発達させるにはインフラストラクチャーが必要だが、途上国にはないに等しいか不足しているのが実状だ。そこでインフラ整備の資金を供給する必要がある。このため、融資のほとんどが、交通基盤（港湾、道路、鉄道）や通信設備、そしてとくに発電所（大型の水力発電である場合が多かった）に向けられた。これらのインフラは、「経済成長を持続させるために不可欠な条件」だと世界銀行は書いている。世界銀行の歴史を研究した学者によれば、融資がインフラに向けられたのは、「緊急性にしたがった結果である」。アジア、中南米では電力不足が慢性化していた。アフリカには、インフラがほとんどなかった。ブラジルのリオ・デ・ジャネイロでは、じゃがいもを国内の何百キロも離れた産地から運ぶより、オランダから輸入する方が簡単だった。インドの鉄道輸送は何週間も遅れた。このような障害と不確実性、無秩序のなかで、民間の企業家がリスクをとって投資するはずがない。

開発途上国が国内の貯蓄を動員しても、このような大型のインフラ整備を行なうことはできないため、世界銀行がその役割を担った。外人投資家が案件に魅力を感じるほどの高い利益率は望めなかったし、もとより「国家建設」の時代に外資は歓迎されていなかった。きわめて重要なインフラ整備に民間資本が参加していたとすれば、外資が主導権を握り、独占した利益を本国に送還するか、すでに裕福な少数の財閥企業が、さらに豊かになり権力をもつだけになる。

世界銀行がこの任務を担っていくとき、モデルになるものがひとつあるとすれば、アメリカのテネシー渓谷開発公社（TVA）である。TVAはきわめて必要性の高い事業を行なう国有企業であり、強い使命感をもち、効果を発揮するのに十分な規模を備え、政治や腐敗とは無縁で、専門知識を生みだし集積して、長期的な展望をもっていた。そして、アメリカ中南部で大きな成功を収めていた。初代理事長、デービッド・リリエンソールは、献身的で、公平無私で、有能な公僕の見本であり、公と私の利害を効率よく見事に調整した。アメリカのTVAやヨーロッパの国有企業がそうであるように、開発途上国でも国有企業が開発や現代化の手段になると期待された。

TVAのイメージは、世界銀行憲章にぴったり合っている。世界銀行は、公的機関にしか融資ができない。政府直轄の省庁よりも半ば独立した国有企業の方が、知識や資本を動員して重要な国家目標を達成するのにふさわしいと考える。さらに、規模と効率性を追求するよう促したいと考えており、TVAはまさにこれを達成している。世界銀行は、年数がたつにつれ、社会資本以外の産業や金融などの分野でも、国有企業に協力するようになった。一九五六年、世界銀行の姉妹機関として民間企業への融資を行なう国際金融公社が設立されたが、長年、目立った活躍はしていない。(7)

国有企業の台頭

開発経済学の考え方を体現するもののなかで、とくに目立っていたのが国有企業である。国有企業は、国が経済の管制高地を支配する手段となる。民間企業が開発に必要な資金を調達できるとは考えにくいので、政府が国有企業を通じて資源を調達し、開発に振り向ける。こうして国有企業は、現代化の原動力、経済成長の牽引役、開発の主導者、より良い未来を実現するための仕組みとなる。商人や産業家、さまざまな種類の途方もなく裕福な一族など、ごく一部の階層の利益ではなく、公共の利益、つまり国益を追い求める。その職員は、ひいきや縁故ではなく実力本位で採用する。市場の失敗を是正し、規模の経済を追求する。以上のような考え方と方法によって、国有企業は、国としての基盤を整えようとしていた各国で、国の主権と尊厳を示し、求心力をつけるものになると された。要するに、国有企業は、開発のためにも国家の建設のためにも、必要不可欠だと考えられていたのである。

開発経済学者は、国有企業の効率性について楽観的にみていた。ヤン・ティンバーゲンによれば、「所有の形態」は問題ではなかった。効率性は「管理の質」の問題であり、所有の形態とは無関係である。このため、「一国の開発を促進する手段として国有企業が選択されるのであれば、かならずしも効率の問題が障害になるわけではない」。国有化することで、各省庁、計画立案者、経営者の調整過程が省かれ、かえって好都合だと考えられた。

開発途上国が懸案の産業構造の転換を実現するには、慎重な調整が必要になった。低コストの輸入品が浸透しているなかで、新たな産業は不利な立場に立たされる。そこで、政府は関税障壁をもうけ、「幼稚産業」を保護する。開発途上国は、この方法をとらなければ、輸入品を漸次、国産品に切り換える「輸入代替」を促進することができない。当初は、繊維製品などの軽工業からはじめ、最終的には重機械などの工業製品の国産化を目指す。この政策が軌道に乗れば、貿易障壁を引き下げ、国際貿易に復帰できるようになる。開発途上国のほとんどは、ある程度までこの経路をたどっている。しかし、適切な時期に「幼稚産業」からの脱皮に成功したのは、ごく一部の国（とくにアジア諸国）にすぎない。産業保護と国有化が広がっていった国がきわめて多い。民間セクターの台頭を促進するどころか、民間企業を抑圧し、締め出すまでになった。国有企業（「準国家機関」と呼ばれるようになった）の数は急増し、事業の範囲もインフラストラクチャーだけでなく、産業、金融、サービスにまで及んだ。アルゼンチンでは、サーカスさえ政府が所有するほどだった。

国有事業にはさまざまな形態があった。まず、政府機関、省庁や国の機関が個別の業務やサービスを担う方式がある。これらの機関には、自主財源や決定権がなく、省庁の管轄下におかれる（イギリス労働党が、郵便局方式として排除したものである）。つぎに、一般企業のように法人格をもつ公社形式がある。自主財源をもつが、省庁の監督をうける。さらに半官半民方式のものもあった。政府が株式の過半数を所有するが、基本的には取締役会が経営を行ない、国の直接の支配は受けない方式である。これらの企業には、完全な独占企業もあるが、国策企業と呼ばれ、国内外の競合企業にくらべて優遇された立場で競争する企業もあった。国有企業は城下町をつくり、従業員とその

家族に、住宅、奨学金、医療施設を提供するなど、福祉の役割を果たすことが多かった。国内での「人的資本」(この言葉は、一九五〇年代にふたたび脚光を浴びるようになった)の育成をうたったが、これがもっとも重要な役割だったといえるだろう。しかし、同時にえこひいきや縁故の温床にもなった。あきらかに省庁に従属している場合もあれば、「国家のなかの国家」として力をもつ場合もあった。(8)

「変化の風」

開発経済学と開発機関は顧客を必要としていたが、すぐに多くの国が顧客になった。インドの独立が世界各地でナショナリズムの運動を刺激し、植民地解放のモデルとなって、独立の波が起こっている。あらゆる面で、植民地時代の古い秩序は力を失い、歴史的必然性を失ったように思えた。二度の世界大戦で、ヨーロッパ列強が「文明化の役割」を果たすという大義名分はまったく信頼されなくなった。ヨーロッパ本国でも、植民地支配を支持する声は弱まり、統治の負担が便益を上回っているという見方が強まった。植民地では、新たなエリートが台頭していた。欧米で教育を受ける機会に恵まれ、技術者、法律家、会計士として専門知識を身につけて帰国したごく少数の人たちだ。この新知識層は、欧米の政治的な価値観も吸収し、この価値観に基づいて植民地支配に異議を唱えることができるようになった。政党を結成して(ネルーとガンディーの国民会議派に勇気づけられたケースが多かった)、自治の拡大を要求した。そして、平和的に権力を引き継ぐにふさわしい

勢力になった。イギリスとフランスの二大列強では、一九五〇年代に、植民地解放もやむなしという考えが次第に優勢になった。イギリスのハロルド・マクミラン首相は、これを「変化の風」と名づけている。もちろん例外もあった。フランスはベトナムとアルジェリアというふたつの植民地で、独立運動をあくまで武力で押さえ込もうとしたが、多数の人命を失って敗北している。ポルトガルはアンゴラとモザンビークに固執し、一九七五年に、ポルトガル本国が独裁制から民主制に移行するまで、その支配が続いた。

もっとも目立った変化が起きたのはアフリカである。フランスは、一九六〇年の一年間で、アフリカのほとんどすべての植民地の独立を承認した。イギリスは五七年から六五年にかけて、徐々に独立を認めていった。ほとんどすべての植民地で、独立への第一歩として、宗主国が通貨、防衛、外交に最終的な権限を保持しながら、暫定的な自治政府を樹立する方法がとられた。自治政府の勢いが増すにつれ、権限の範囲を拡大した。総督府で宗主国の旗を降ろす感激的な式典が行なわれ、選挙によって選ばれた現地の指導者が正式に権力を受け継ぐころには、平和的な独立が完了していた。その陰で、経済的な結び付きは維持されるのが普通だった。

新指導者はきわめて難しい課題に直面している。植民地時代のインフラストラクチャーは不足しており、あったとしても一次産品を迅速に運び出すためのもので、現地の交易や住民生活を向上させるためのものではない。鉄道は鉱山と港を結び、道路はプランテーションを通っていた。鉄道や道路の沿線の村が交易の中継地となる一方で、昔ながらの交易路沿いの中心地はさびれていた。都市でも、公共サービスは最低限のものしかなかった。独立前のアフリカにあった電力設備といえば、

たいていの場合、不安定なディーゼル発電機で、植民地政府の役所と官舎に電力を供給しているだけであった。工場や富裕な商人は、自家発電設備を備えた。水道や電話も不足していた。初等教育や国民医療はないに等しかった。独立によって、都市や地方の住民は一様に、これらの公共サービスの分野でも急速な進歩を望むようになった。新指導者は、変化のペースの速さと技術者の不足に苦しみながら、この希望を実現する役割を担った。

「まず、政治王国を」

植民地解放の時代に、アフリカの旗手となったのが、一九五七年に最初に独立を達成したガーナである。そして、もっとも影響力をもった人物が、当時の首相で、後に大統領となったクワメ・エンクルマだ。エンクルマが生まれた一九一〇年、ガーナはまだイギリス領ゴールド・コーストと呼ばれ、プランテーションと世界最大のココアの産地として知られていた。境界線は、イギリス、フランス、ドイツ列強が協定によって定めたもので、植民地化される以前の王国、とくにかつて権勢をふるったアシャンティ王国の国境とは無関係だった。質素で伝統的な家庭に生まれたエンクルマは、カトリックの宣教師から最初の教育を受けている。師範学校に学んだ後、海岸沿いのいくつかの町で数年間、小学校教師をつとめた。人気とカリスマ性があり、人並みの生活を送っていた。しかし、政治に関わるようになって、何人かの有力者から影響を受けると、アメリカで学びたいという願望に火がついた。一九三五年、エンクルマはアメリカの大学に入学を申請し、親戚からカネを

集めて、蒸気船に乗り込んだ。ニューヨークに着いたときには無一文も同然で、ハーレムにある西アフリカ出身の同胞の家に身を寄せた。その後、ペンシルバニア州のリンカーン大学に入学するが、わずかばかりの奨学金と大学内のアルバイトで、なんとかやりくりする毎日だった。

エンクルマはアメリカで、イギリス流とは違う政府を目の当たりにした。人種間の政治の現実を鋭く意識するようにもなった。ヨーロッパ人の教師に倣おうとするアフリカの新指導者が多いなかで、エンクルマはアメリカの黒人社会に深く根を下ろした。南北戦争より前に創立されたリンカーン大学は、アメリカでもっとも歴史のある黒人のための大学であり、その独特の雰囲気はエンクルマにとって刺激的で心地よいものだった。夏になると、港や建設現場、船などで肉体労働をこなした。哲学と神学を学び、ニューヨークやフィラデルフィアの黒人教会に足繁く通い、ときには説教するよう頼まれた。アメリカの黒人知識層との絆も徐々に築いていている。政治の変動期にあった当時、黒人知識層はアフリカに強い興味をもっていた。第二次大戦後、ロンドンに渡ったエンクルマは、パン・アフリカ会議を組織し、アフリカ植民地で台頭した知識人グループと先進国の活動家、作家、芸術家、有志を結び付けた。知的な熱意と興奮、楽観主義におおわれた時代だった。一九四七年にインドが独立を達成すると、他の植民地でも、自由への夢がかき立てられた。エンクルマはこう宣言している。「われわれが独自の政府を樹立できれば、ゴールド・コーストを十年以内に楽園に変えることができるだろう」

一九四九年、エンクルマはゴールド・コーストに戻った。インドの独立を契機に、イギリスは他の植民地でも、権力の委譲を徐々に進めていた。独立の条件や時期はきわめて流動的で、衝突や暴

動が起こっていたが、自治の原則については合意が形成されるようになっていた。エンクルマは、既存のナショナリズム組織が保守的で、植民地の利権に深く結び付いていることに不満を感じた。そこで、数人の仲間とともに、新たに会議人民党（CPP）を設立した。この過程で、エンクルマは卓越した組織力を発揮している。二年もたたないうちに、CPPは限定的な自治議会の選挙で勝利を収め、エンクルマは、国内の自治と政策に責任をもつ「政府事務首席」、事実上の首相となった。エンクルマは目標を独立にしぼった。どのような自治でも自主権でも、真の独立国家の政府と国民のエネルギー、熱意、目標には達しないとエンクルマは語った。独立が成長のための前提なのだ。エンクルマはこの考え方を短いスローガンにしており、これがアフリカ全土に広く知られ、影響力をもつようになった。「まず、政治の王国を築こう。ほかのものはすべて、後からついてくるだろう」

この目標を達成するため、エンクルマはイギリスの植民地政府とも密接に協力するようになり、国内の反対派とも妥協した。独立への移行は加速度的に平和裡に進められ、一九五七年三月六日、新しい国旗がたなびいた。国名はガーナと決められた。この名は歴史にちなんだものだが、故意に事実を無視してつけたものだ。ガーナ古王国は中世のアフリカで栄えた国だが、ゴールド・コーストではなく、かなり内陸部、現在のマリ共和国に位置していた。しかし、過去のアフリカの栄光を受け継ぐという考え方が重要だった。エンクルマらは、その意味をもっともよく伝えるガーナという国名を選んだ。だれも抗議しなかった。

ガーナの独立への道のりは、他のアフリカ諸国のモデルになった。一九六〇年代半ばには、三十を超える国が独立していた。ケニアのジョモ・ケニヤッタ、タンザニアのジュリアス・ニエレレ、

ザンビアのケネス・カウンダらのカリスマ的な指導者に率いられた国が多かった。各国指導者の経済に対する見方は、たぶんに時代を反映していて、開発経済学の主流の考え方に沿ったものだった。やはり、資金を動員し、経済変革の調整を行なうことができるのは国だけだと考えられていた。指導者が生きている間に、ましてや政権の座にある間に経済開発を実現するには、これ以外に方法はないとみられていた。アフリカでは世界のどの地域よりも、市場を悲観的にみる見方が強かったといえる。ヨーロッパの列強はアフリカの植民地政策で、現地の教育、健康、インフラストラクチャーにはほとんど配慮しなかった。人種差別と侮辱がこの政策の背景になっていた。その結果、国民には市場に参加する備えができていなかった。少なくともそう思えた。そこで、新指導者は、現代的な経済成長と伝統的価値を結び付けることができる「アフリカ型社会主義」の枠組みを考え出した。「資本主義は独立したばかりの国にとって、あまりに複雑なシステムだ。だから社会主義的な社会が必要になる」とエンクルマは語っている。異議を唱える者はいなかった。社会主義は、当時の常識になっていたからだ[9]。

流通公社——管理の手段

皮肉なことに、アフリカの新指導者が信頼した経済政策手段は、植民地時代の産物だった。農民から作物を買い上げて輸出する政府機関、いわゆる流通公社である。無味乾燥で退屈な名称だが、じつのところ、新政府が経済を管理するきわめて強力な手段となった。流通公社は、世界の一次産

品価格が大恐慌で暴落し、第二次大戦中に暴騰するなかで必要に迫られて創設されたものだ。アフリカの農民はわずかな現金収入で暮らしており、世界市場の激しい価格変動の影響を直接に受ける。価格が高いときには作付けが過剰になり、価格が下がると作物を廃棄する傾向があり、政府は税収を失い、将来の計画が立てられなかった。流通公社は、こうした状況を是正するために創設されたものだ。作物を一定の価格で買い入れ、世界市場の価格がこれを上回った場合には余剰金を蓄積し、下回った場合には余剰金で国内価格を支えるのである。この仕組みによって、農民は、みずから管理することができない市場の価格変動から守られる。世界市場とは異なる価格で作物を農民から買い上げることになるので、この仕組みは競争市場では機能しない。したがって、流通公社には独占権が与えられた。作物の輸出は事実上すべて、流通公社を経由することになった。アフリカ諸国が独立した当時、ほとんどの国でこの制度が普及していた。国ごとに異なっていたのは、作物の価格と種類だけである。

エンクルマらの新指導者にとって、植民地時代からの流通公社を維持し続けることは、得策で理にかなっているように思えた。農業から生じる「余剰金」を吸い上げ、歳入を確保する仕組みになっているからだ。こうして調達した資源に、投資と外国からの援助が加われば、工業開発が一気に進み、農業経済から工業化への「大躍進」が可能になると考えられた。たしかに問題もいくつかあった。流通公社が国際価格を下回る価格を農民に押しつければ、作物は間違いなく闇市場に流れ、近隣諸国に密輸される。国境は人工的に定められたもので、行き来が可能であり、なによりもアフリカには長距離交易の長い歴史がある。さらに、流通公社に余剰金が蓄積された場合、だれがそれ

を正しく管理し、投資に回すのかも問題だった。

しかし、独立の熱狂と市場の失敗に対する懸念のなかで、こうした問題はとるに足らないものだと思われた。政府は既存の流通公社を拡大し、それまで規制されていなかった商品を管理する公社の新設に精力を傾けた。経済運営は、流通公社を通じて行なわれた。ガーナでは、カカオの流通公社の規模が拡大し、人員が増え、権限が強化された。短期間のうちに錫やダイヤモンドの流通公社も創設された。さらに輸出向けにとどまらず、食品、魚、日常品などの国内取引を管理する政府の機関も多数つくられた。ガーナは、政府がこのように自信に満ち、ときには押しつけがましいといわれるほど、あらゆる投資や経営に積極的に関与していたため、「開発経済学の実践」の典型例だといわれた。

ボルタ・ダム——アフリカ社会主義の高まり

この自信は、開発のもうひとつの側面、工業化にもあらわれた。エンクルマは、工業化には「強力なひと押し」が必要であり、早期に実現できると固く信じていた。そしてこの夢を実現する手段として、ボルタ計画と呼ばれる大規模な多目的事業に期待をかけた。ガーナには、ボーキサイトが豊富にあり、アルミニウムの輸出大国になる可能性を秘めていた。しかし、それには、精錬所と、精錬所に電力を供給する大型ダムと発電所の建設が必要だ。発電所が建設されれば、国内の電力供給体制が整い、安価で豊富な電力によって、一気に全国を工業化できると考えられた。開発経済学

の理論とぴったり一致する壮大なビジョンである。ダム建設によって、経済学者が主張する「前方後方連関効果」が生まれ、ガーナは経済的に独立できるはずだ。一方で、世界最大の人工湖が生まれ、何万人もの住民が移住を余儀なくされる。

ボルタ計画は、当時、もっとも野心的で複雑な計画であり、とりわけ有名な計画でもあった。ガーナ政府と、計画を後押しする世界銀行、イギリス、アメリカ両政府、アルミ・メーカーのカイザー社とレイノルズ社の間で、厳しい交渉が長期間続けられた結果、製錬所建設で合意した。長年の息詰まる交渉の成果は多数の契約書にまとめられたが、ある関係者によれば、「マリー王妃がルーマニアの債券を売ったとき以来」の世界でもっとも複雑な契約だった。

しかし、これで終わりではなかった。交渉が長引く間に、賭け金がつり上がっていった。エンクルマは、次第に「科学的社会主義」と管理への関心を強め、強硬な姿勢をとるようになっていった。一九六〇年、共和国に移行し、大統領に就任している。翌六一年四月には「早暁の演説」を行ない、「利己主義」と「出世第一主義」を激しく非難した。そして、それを口実にライバルを辞任に追い込み、政治犯をつぎつぎに逮捕した。また、将兵の訓練にあたっていたイギリス軍事顧問団を追放した。

こうした事態が起きたのは、一九六一年十一月、イギリスのエリザベス女王が、アフリカの独立を祝ってガーナを公式訪問する直前のことだった。首都のアゴラで爆破事件が相次いだため、イギリス下院では、ガーナ訪問は危険であり延期すべきとの意見が大勢を占めた。しかし、マクミラン首相は、訪問を延期すれば、エンクルマが英連邦から離脱し、ソ連陣営に加わるのではないかと懸

念していた。こうした事態を回避するために、アメリカのケネディ大統領にボルタ計画を後押しするよう要請した。エリザベス女王の出発の前夜、イギリス下院で訪問延期が決議される形勢になったとき、マクミラン首相は決議案が可決されれば、その夜のうちに辞任すると語った。首相が辞任すれば、新首相の任命のために、就寝中の女王を起こさなければならなくなる。決議は実現せず、女王は出発した。

訪問は大成功だった。ガーナの新聞は、エリザベス女王を「世界でもっとも偉大な社会主義的な君主」と書き立て、歓迎した。女王が無事に帰国すると、マクミラン首相はすぐさまケネディ大統領に電話をかけてこう言った。「わたしは女王の命をかけた。大統領はカネをかけるべきだ」。ケネディ大統領は、女王の「勇敢な貢献」に見合うはたらきをすると、慇懃に答えた。アメリカは、ボルタ川開発に合意したのである。

おなじ年、ソ連を訪問したエンクルマ大統領は、工業化の急速な進展に感心して帰国した。そして、厳密な七か年計画を策定した。「われわれは、多数の工場を猛スピードで建設しなければならない」と訴えた。あらゆる分野で、国有企業と公的機関が雨後のたけのこのようにつくられた。乱脈経営や汚職も横行した。そのツケでとくに大きな打撃を受けたのは農民であった。流通公社が管理するカカオの収入で、増え続ける国有企業の赤字を穴埋めしようとしたからだ。農民には実勢とはかけ離れた低価格を押しつけ、流通公社が肥大化したため、カカオ産業は壊滅的な打撃を被った。カカオ栽培をあきらめ、他の作物に切り換える農家が少なくなかった。カカオを近隣諸国に密輸し、高い価格で売る者もあった。この結果、ガーナは、世界最大のカカオ産出国の地位から転落した。

外貨は底をつき、バーター貿易とソ連圏からの融資に頼るしかなくなった。

エンクルマ大統領は次第に孤立し、国内の統治より、アフリカ統一という遠大な目標を好むようになった。一九六四年には、一党独裁制に移行し、露骨な個人崇拝に活路を求めて、「救世主」を意味するオサギエフォを名乗るようになった。しかし、独裁政治への反感が高まるまでに時間はかからなかった。何度か暗殺されかけたが、巧みに逃げ延びている。六六年一月二十二日、ボルタ・ダムの完成式典が行なわれた。エンクルマ大統領は、ガーナ国内に電力を供給する送電ボタンを誇らしげに押したが、ボルタ川開発計画が中途半端に終わることに気づいていなかった。ガーナのボーキサイト鉱山は開発されなかった。ジャマイカからボーキサイトを輸入して加工した方が経済的であることがわかったからだ。ダムの完成式が最後の栄光の瞬間になったともいえる。二月二十四日、軍将校がクーデターを起こし、全権を掌握した。このとき、エンクルマ大統領はベトナム和平を目指す世界歴訪の旅に出ており、最初の目的地、中国に向かう途中、ビルマに滞在していた。「クワメ・エンクルマの神話は崩れさった」と陸軍大佐がラジオで宣言したが、本人は中国に着くまで、クーデターの勃発を知らなかった。周恩来首相はどうすべきか迷ったが、公式の晩餐会でもてなした。エンクルマは、「アフリカの社会主義」のもうひとつの実験が行なわれていたギニアに亡命した。ギニアのセク・トゥーレ大統領も専制的になっていたが、エンクルマに共同大統領の称号を与えた。エンクルマは短波放送で定期的にガーナ向けの演説を行ない、思想的な論文を発表して、権力の座に返り咲くことを夢見たが、病に冒され、七二年に客死している。「政治王国」は、建設されたときとおなじ速さであっけなく崩れさった。一度は、アフリカ大陸全体を鼓舞した「救世主」の栄光は、

地に堕ちた。[10]

「第三世界主義」

ガーナは決して特殊な例ではない。一九六〇年代、開発途上国の大部分で、独立への強い期待は裏切られ、クーデターが頻発し、政治の混乱が常態化した。この過程で、考え方が大きく変化した。独立の時代の楽観主義が影をひそめ、南と北、すなわち途上国と先進工業国は永遠に対立すると考えられるようになったのだ。独立を求める政治的戦いは、「経済的帝国主義」や「新帝国主義」などさまざまに名づけられたものとの戦い、とくに多国籍企業との戦いへと変わった。「搾取」が先進国と途上国の関係を読み解く流行語となったほどである。カール・マルクス自身は途上国についてあまり多くを語っておらず、その中身もきわめてあいまいである。「アジア的生産様式」から資本主義への移行は不可欠だとみていた。イギリス帝国主義が、インドのような「後進」地域の近代化に貢献したのはまちがいないと考えていたのである。にもかかわらず、マルクス理論や従属理論の支持者の大半とリベラル派の多くは、先進国が国際的な貿易と投資の力学によって、途上国を搾取しているという主張を展開した。開発途上国をこうした力から守るために、政府が経済を強力に管理する必要があり、外国人によって支配されていた管制高地を国有企業が占有するべきだとされた。

政府が管理するかどうかは、一次産品（コーヒー、天然ゴム、パイナップルなどの農産物か、銅やボーキサイトなどの鉱物資源かにかかわらず）の輸出に依存する大多数の国にとって、きわめて

切実な問題だった。外資系多国籍企業がこれらの産品の「超過利潤（レント）」をすべて独占するのか、国有企業が介入するのか、選択の余地はふたつにひとつしかないように思えた。多国籍企業が、加工工場に投資するより原材料を輸出した方が低コストで済むと判断した場合、開発途上国はプランテーションを現代的なアグリ・ビジネスに変えていこうという望みをもつことができるであろうか。また、多国籍企業が経済成長をもたらさず、経済の歪みをもたらすだけであるのなら、外国人管理者が新車を乗り回し、「僻地手当」で潤う姿を目の当たりにしたときの屈辱を、これ以上我慢できるであろうか。国有企業、国策企業の方が、国の将来を託すのにふさわしいのではないだろうか。

開発途上国で混合経済と政府による支配がピークを迎えるのは、一九六〇年代後半から七〇年代、ベトナム戦争によってリベラル派が第三世界全体に罪の意識をもつようになった時期である。反戦と反米ムードが高まるなかで、アメリカと一体とみえる経済システムに対しても異議が唱えられるようになった。市場と資本主義は正統性を失ったように思えた。ベトナム戦争の原因のひとつだともされた。民族解放運動は、西側寄りの政府を倒すだけでなく、市場を倒し、「人民」の名のもとに国有化することを目指していた。社会主義とマルクス主義が復興を謳歌する一方、資本主義は信認を失い、若者から攻撃された。正義は第三世界にあり、第一世界に対する団結にあると考えられた。これらの考え方からあいまいではあるが「第三世界主義」の思想が形成され、当時、先進国で流行している。しかし、第三世界主義は、開発途上国内部からも出てきた。独立国が多くなるとともに、同盟や国際機関を結成したり、国連でまとまって議決権を行使するようになった。一九五五年には早くも、インドネシアのバンドンで首脳会議が開かれ、インドのネルー首相、インドネシアのスカ

ルノ大統領、エジプトのナセル大統領、ユーゴのチトー大統領らが、冷戦とは距離をおく「非同盟運動」を呼びかけた。内部に対立があり、西側諸国も懐疑的であったが、一九六〇年代を通じて運動は広がり、経済についての考え方も交換していった。六〇年代末には、国のアイデンティティと価値を世界の舞台で示す準備が整ったと感じていた。

さよならコカ・コーラ

第三世界主義がいくつかの点で頂点に達したのは、一九七三年十月六日、エジプトとシリアがイスラエルに大規模な攻撃をしかけ、第四次中東戦争が勃発したときである。当初の何日間か、イスラエルの存亡が危ぶまれるほどになったが、最終的には形勢が逆転した。しかし、戦争のさなか、アラブ産油国は、「原油を武器に」、輸出を停止し、アメリカをはじめとするイスラエル支持の西側諸国に制裁を科した。この第一次石油ショックが終息するまでに、原油価格は四倍に暴騰している。

石油ショックは、劇的な出来事だった。これによって、一九七三年以前にはじまっていた原油採掘権の国有化に拍車がかかった。七五年から七六年にかけて、サウジアラビア、クウェート、ベネズエラの大規模油田はすべて国有化され、新たに設立された国有企業によって管理されるようになった。国有企業が世界の石油業界を支配するようになると考えられた。国有企業の設立には、原油採掘権だけでなく、それに伴う屈辱に終止符を打ち、産油国が原油収入の大半を確保する狙いがあった。

しかし、石油危機はそれ以上の意味、つまり国際政治の舞台での力学の劇的な変化を意味すると考えられた。ある著名な外交専門家によれば、第三世界が第一世界を倒したのは、一九〇五年、日本軍が日本海海戦でバルチック艦隊を撃滅して、日露戦争に終止符をうって以来のことだ。これによって国際経済の面でも、先進国から開発途上国への劇的な所得移転が起こり、「搾取」されてきた第三世界にとって不正をただすことができるとの期待が高まった。銅、ボーキサイトなどの一次産品についても、カルテルを結ぶ計画がいくつも持ち上がった（結局、どれも失敗に終わっている）。国有化は当然の政策になり、条件だけが問題になった。世界の二大銅産出国が、自国内にある外資系企業の鉱山を国有化している。ザンビアのケネス・カウンダ大統領は、イギリスの鉱山会社に補償金を支払い、平和的に国有化したが、チリのサルバドル・アジェンデ大統領は強引に国有化し、それによって流血の政変が早まった。インドでは一九七七年から八〇年にかけて政権の座についたジャナタ党が、国策企業への技術供与を拒否した外国企業を追放した。ＩＢＭは撤退し、コカ・コーラも神聖な企業秘密として必死になって守ってきた原液調合法の公開を拒否し、撤退した。世界各国で政府が経済に対する責任を拡大する一方、多国籍企業や外国人による投資は、排除すべき悪だと非難された。まさに政府の絶頂期であった。

石油危機でとくに打撃を受けた国のなかに、開発途上国が多いことがあきらかになった。原油価格が四倍に高騰した後、世界同時不況が起こり、途上国の産品に対する需要が減少し、価格が低下したからだ。しかし、第三世界主義が高揚し、南が結束して北に対抗し、「新国際経済秩序」をめぐる世界的な階級闘争を繰り広げているとみられていたため、この現実は隠されてしまった。途上国

は国連で七十七か国のグループを結成している。一次産品の輸出国として先進工業国に買いたたかれて搾取されてきたと主張し、ソ連がこの考えを支持した。そして、先進国は価格上昇を受け入れるだけでなく、補償金を支払うべきだと主張した。一九七七年、南北間の対立を緩和するためにパリで南北会議が開催された。その目的は、所得を再分配し、一次産品価格を守り、「管理」を保証し、技術移転を促進することにあった。緊張をやわらげることも目的であった。しかし二年にわたる裏取引でも目立った成果はあげられず、最後に共同宣言の合意をとりつけることさえできなかった。

ひとつの考え方の死

開発途上国は団結を訴える掛け声の裏で、苦悩をもたらす不愉快な事実に気づきはじめていた。世界市場での価格の乱高下が、途上国の経済計画の障害となっていたのは事実だが、問題が国内にもあることはあきらかだった。中南米、アフリカ、南アジア諸国の多くで、一般国民の生活は向上していない。政府主導の開発は、目標にまったく届いていない。汚職が横行し、目的が不明確な投資から生まれる無駄が目立つようになった。そして不思議なことに、天然資源がきわめて乏しく、原油を輸入に頼るアジアのいくつかの国が、困難を切り抜け、めざましい経済成長軌道に乗っているようだった。これらのことは、一次産品価格と世界市場は問題の一部にすぎず、問題の根源は国内にあることを示していた。

開発途上国の大部分では、政治面でも後退していた。アジア、アメリカ、アフリカ大陸では、選

挙で選ばれた政権が独裁政権に倒される例があまりに多かった。一九七〇年代後半には、南米諸国の大半が軍事政権になっている。悪名高い独裁者が、あくどいやり方で、国の資源を次第に私物化するようになった。フィリピンでは、フェルディナンド・マルコス大統領が、国の富を私物化し、親族や取り巻きの贅沢三昧のために使った。ウガンダのアミン大統領は、経済の国有化を口実に、国内経済の担い手であるインド商人を国外追放した。コンゴのモブツ・セセ・セコ大統領は、国名をザイールに変え、外国からの援助を着服し、通貨を増発して贅沢な出費を賄ったが、貨幣の価値がなくなり、闇経済が発達するしかなくなった。

もっとも被害を被ったのは一般国民である。拡大する公共セクターから利益を得る立場にない庶民は、インフラストラクチャーの不足と老朽化、官僚の横暴、腐敗に苦しめられ、約束された生活の向上はいつまで待っても実現しない。政策の破綻をとくにはっきりと示したのは、農業国のなかに、食糧が自給できなくなる国がでてきたことだ。一九七〇年代後半には、政府による経済の管理、腐敗、貧困、政治の後退の根拠や理由として、世界市場の問題をもちだすのは難しくなった。しかし、ひとつだけたしかなことがあった。第二次大戦の悲劇と途上国の貧困から生まれた開発経済学者の「良いことがすべて同時に起こる」という希望は実現しなかったのだ。開発経済学の考え方の死を宣告するしかなくなっていた。

著名な開発経済学者のアーサー・ルイスは、進歩に対して抱いた期待を振り返って、開発経済学の根本的な過ちはなんであったかを自問自答している。そしてふたつの基本的な過ちを見出したが、どちらも代償は大きかった。ひとつは、貿易が経済成長を促進する力を過小評価していた点である。

もうひとつは、「市場価格が、官僚の演説よりはるかに効果的なインセンティブである」ことを認識するのが遅すぎた点である。[11]

第4章

神がかりの修道士

イギリスの市場革命

chapter 4

THE MAD MONK:

Britain's Market Revolution

移住の歴史のなかでも、これほど短期間のものはめずらしい。デビッド・ヤングは独力ではいあがってきた実業家であり、事業は好調だったが、一九七二年、ロンドンの不動産価格急落で倒産寸前まで追い込まれた。七五年には不良資産の瓦礫のなかからようやく抜け出せた。しかし、イギリスでの生活に不満が嵩じるようになっていた。実業家という立場を必死になって隠さなければならない。これだけが不満のタネであったわけではないが、この点が問題であったのも事実だ。「自分で事業を営んでいると、社会に受け入れられなかった。大企業につとめていなければ、まともな人間とはみられなかった」と、後に語っている。

イギリスでの生活に絶望するようになったのは、なによりも、イギリスという国自体の状態が悪かったからだ。イギリスは低落と衰弱から抜け出せないように思えた。崩壊しつつあるとすら思えたほどだ。インフレ率は二四パーセントになっていた。労働組合が力をもち、保守党のヒース政権を倒したところだ。ストライキが頻発して経済が窒息し、国全体が身動きのとれない状態になっていた。所得税の最高税率は九八パーセントにも及び、勤労意欲が破壊されていた。イギリスは東ドイツの西欧版になるのではないか、協調組合主義の国、灰色の凡庸におおいつくされた国、どのようなものであれ意欲をもつのは病的だとされ、根絶される国になるのではないかと恐れられていた。もう我慢できない、イギリスを捨てようと妻に言った。移住しよう。移住先は、アメリカにしよう。

ある土曜日、ヤング夫妻はボストンに着き、リッツ・カールトン・ホテルに落ちついた。部屋の窓からは、パブリック・ガーデンが見下ろせる。日曜日の朝、サイレンの音で目が覚めた。しばらくたって、二人はボストン・コモンに沿って散歩した。涙が流れてきた。国を捨て、生活を捨てた

悲しさからではない。催涙ガスのためだった。裁判所の命令で強制バス通学がはじまり、それに反対する暴動が起こって、警官隊が催涙弾を撃っていたのだ。ハンカチで目を押さえながら、妻が言った。「移住だなんて、正気とは思えない。こんなことのためにわたしが家族と別れて暮らすなんて、まさか考えていないでしょうね」

その夜、二人はロンドンに帰る飛行機に乗った。機内で、ヤングは考えた。絶望して逃げだすのではなく、なにかできることがあるはずだ。政治を変えるためになにかが。以前は労働党に投票していたが、一九六四年に政権を握ったウィルソン首相に失望して、支持を取り下げていた。マーガレット・サッチャーが保守党の党首に選ばれたばかりであり、イギリス経済の低迷を打破するための新しい考え方をもっているように思えた。しかし、女性が首相になれるだろうか。疑問だとする人が多く、ヤングも例外ではなかった。

それから数週間、ヤングは保守党の政治家、キース・ジョゼフの講演記録を読むようになった。後に「神がかりの修道士」と呼ばれるようになる政治家である。本人が自分を評した言葉もそれほど違わない。「都合よく神がかりになった人間」というものだ。講演では、事業経営、創業、起業家の必要といった点を取り上げた。事業を興すのは悪いことではない。それどころか、社会の富を創造しているのは起業家なのだとジョゼフは言う。こうした発言は、当時の常識からはまったくはずれていたが、ヤングにとっては琴線に触れるものであった。ヤングは感激した。チャリティ・ランチの場で、ヤングはジョゼフに自己紹介し、支援を申しでた。「しかし、ほんとうのところは信じていないのだろう」と、ジョゼフは言った。この言葉を挑戦ととらえたヤングは、ジョゼフの運動に

飛び込み、イギリスの経済思想と政治思想の変革を目指すグループの一員になった。ジョゼフがその中心であった。ヤングは後に述べている。「キース・ジョゼフが、すべての動きの設計者だった」(1)

「もっとも親しい同志」

ヤングの言う「すべての動き」は、やがて、イギリス国内にとどまらず、世界各国にまで広がった。そしてジョゼフは、政府と市場に関する論争の方向を変え、さまざまな考え方を提示して混合経済に対する強力な批判としてまとめあげ、それに基づく政策を作り上げる点で、世界のだれよりも重要な役割を果たしたといえる。この政策を国民に伝え、実行に移したのが、ジョゼフにとってもっとも重要な弟子、マーガレット・サッチャー首相である。サッチャー首相の活躍で、考え方が「現実」になった。しかし、政策を作り上げたのはジョゼフである。一九七〇年代後半の五年間、混合経済の前提がほとんど疑われることがなく、にもかかわらず、混合経済そのものは厳しい問題にぶつかり、機能しなくなっていた時期に、ジョゼフは政策立案のために苦闘した。四〇年代のアトリー合意がその後三十年間にわたって世界各国の政府と政治家の「教科書」になったように、七〇年代に政策研究所のセミナーではじまった考え方が、八〇年代にサッチャー首相の政策として結実し、九〇年代には世界各国の政策に大きな影響を与えることになった。キース・ジョゼフの名前は、サッチャー元首相の名前と比較すれば、ほとんど知られていない。しかし、サッチャーはジョゼフこそが立役者だったと述べている。「キース〔ジョゼフ〕がいなければ、わたしは野党の党首になる

ことはできなかっただろうし、首相としてなし遂げたことも、実行できなかっただろう」。さらに、こうも語っている。ジョゼフは、「わたしにとって、もっとも親しい同志である」

現時点から振り返ってみれば、インフレ率が高く、経済成長率が低く、労働争議が頻発し、社会の不満が高まっていた一九七〇年代には、なんらかの基本的な変化が起こっても不思議ではなかったと思える。七〇年代半ば、ディズレーリの伝記、保守党の歴史などの著書があるブレイク卿が、こう書いている。「百年に一度か二度といえるほどめずらしい根本的な変化が、政治思想の世界で起こる兆候がでている。……イギリスでも世界の民主主義国の大部分でも、風向きが変わってきている。新しい風は、左からではなく、右から吹いている」。当時としては、なんとも大胆な予想であったが、この予想は正しかった。

しかし、さまざまな考え方の力関係は、自然に変わっていくわけではない。大きな出来事、危機、失敗。こうしたことにぶつかってはじめて変化が起こり、磐石と思えた前提を見直す動きがでてくる。一九七〇年代はそういう時代だった。「ある種の沈滞しきった社会主義が、イギリスで常識になっていた。労働党政権のもとで、経済危機、財政危機、産業の危機があいついだことから、当時の常識からはずれる考え方や……合意された方針から逸脱する政策を検討するよう、たえず促されるようになった」とサッチャーが書いている。しかし、そういう時期には、見直しを推し進める意志と力がある人が登場しなければならない。キース・ジョゼフはまさに、そういう人物であった。(2)

「思想担当相」

ジョゼフが新しい潮流の主唱者になれたのはおそらく、政治家でもあり、知識人でもあり、思想の開拓者でもあったからだろう。思想を熱狂的に信じるタイプなのだ。ジョゼフはきわめて恵まれた環境に育った。父親のサー・サムエル・ジョゼフは準男爵であり、イギリスの建設業界大手で同族企業のボビスを経営していた。ロンドン市長を一期つとめてもいる。キース・ジョゼフは、第二次大戦がはじまる直前にオックスフォード大学を卒業した。同級生の多くとは違って、学生時代に熱中していたのは学業でも政治でもなく、クリケットであった。戦争が終わったとき、六年間にわたった軍隊生活での遅れを取り戻そうと考えていた。戦争中に父親が死んだため、サー・キース・ジョゼフになってもいた。クリケットに熱中していたわりに、学生時代の成績が優秀だったため、オックスフォード大学から法律学の教職を提示されたが、ジョゼフは断っている。それでも研究生活に惹かれていたので、イギリスでもとくに有名なオックスフォード大学オール・ソールズ・カレッジの研究員の地位を確保した。しかし、事業にも惹かれていた。オール・ソールズで研究論文(テーマは「忍耐」であった)を書き上げるために毎晩苦労していた間にも、昼間は一族の建設会社の現場ではたらいている。やがて、研究も事業もあきらめて、政治の世界に入った。まずは、父親の地位を引き継いで、ロンドンのシティの参事会員になった。クレメント・アトリーと同様に、イースト・エンドの貧困と窮状に衝撃を受け、深く同情し、社会の改善と改革に強い意欲をもつように

なった。幅広い慈善事業にかかわるようにもなった。とくに力をいれたのは、病弱の両親の世話をしてきたために婚期をのがした中年の独身女性を支援する活動である。この活動を通じて、ジョゼフは結婚相談所を熱心に擁護するようになる。

一九五六年、三十八歳のときに保守党下院議員になった。下院でのはじめての演説には、二十年後に広めようと努力することになる考え方の萌芽がみえる。インフレの病を直すには、需要の管理ではなく、「供給の増加」を考えるべきだ。企業経営者は「適正な報酬」を受けるべきだ。一九三〇年代が将来の指針になるとはかぎらない。失業の「悪夢」は「まったく根拠のない懸念」だ。「現代は経済が拡大する時代だ」からだ。ジョゼフはそう主張している。マクミラン首相のもとで閣外相になったが、議会での議論で受ける打撃には、いつまでたっても慣れなかった。議会の最前列席で行なったはじめての演説の後、マクミラン首相は見事だったと誉めたが、こう付け加えた。「これで安心していたら、今後は悪くなるからな」

ジョゼフには、果てしないと思えるほど苦悩し、自己批判を行なう傾向がある。世間に疎い面もある。自宅にはテレビを置こうとしない。テレビの生番組でインタビューを受け、内容に満足できず、やり直してほしいと求めたことがある。「お気づきだと思いますが、生番組でしたので」とプロデューサーが言った。「それはわかっている。だからこそ、やり直してほしいんだ」。めずらしいほど考え方や思想にこだわることに、議員仲間はすぐに気づいた。やがて、ジョゼフにふわさしいポストは「思想担当相」だといわれるようになった。[3]

Uターン

もちろん、現実にはそんなポストはない。一九七〇年の総選挙の後、エドワード・ヒース党首が首相に就任したとき、ジョゼフは社会保障相に選ばれている。保守党が大差をつけて勝利したのは、労働党政権のもとで経済が極端に低迷したためだ。混合経済の混乱が深刻になっていた。経済を高度に管理するのは、政府にそれだけの知恵と知識があるとみられていたからだが、現実には政府がそれほど賢明ではないことが実証されていた。インフレ率が七パーセントにもなり、金利も高い。失業率も高く、さらに上昇している。福祉国家と赤字の国有産業が、納税者の資金を際限なく飲み込んでいる。国民健康保険の支出が急増している。医療では「需要が無限にある」とも思えたし、コストを抑える仕組みがなかったからである。労使関係は最悪になり、交戦状態が続いて社会と経済がつねに混乱している。国際収支の危機がいつまでも続き、ポンドにつねに売り圧力がかかっている。産業は国際競争力を失っている。国全体が税負担の重さに苛立っており、勤労意欲が失われ、起業家精神のある人たちは重税から逃れるために移住していく。税率の高さは所得がそれほど多くない人たちにとっても打撃になっている。労働党政権の閣僚のひとりによれば、それまで増税と歳出増の政策を支持してきた労働組合幹部ですら、給与から差し引かれる税金が多すぎるとこぼすようになった。「自分のポケットに大きな硬貨がたくさん入っている方がいいと思うようになった」と言う。

ヒース首相はこうした状況を変えると公約した。しかし、公約通りにはならなかった。首相は保守党に多い長老型の政治家ではない。出身階層は高くはなく、小さな工務店を経営する父親のもとで育っている。現代化と競争を公約したが、国の力を信じており、国には大きな責任があり、経済に介入して重要な役割を果たすべきだと考えていた。それまでの制度を変えようとしたのではなく、もっとうまく管理しようとしたのだ。ヒース政権はさまざまな意味で、おなじ時代のニクソン政権に似ている。どちらも保守的な政権であり、国の介入を減らすことを意図していた。どちらも、国の介入を逆に増やしている。ヒース政権の場合、有名な「Uターン」によって政策を転換した。ニクソン政権と同様に、ケインズ主義を採用し、計画と社会工学を取り入れた。ニクソン政権が賃金と物価を統制したように、ヒース政権はイギリスでも過去に例がなかったほど厳しく、包括的に賃金と配当を統制しようとした。極端なケースでは、産業と消費者問題を担当する閣僚がケンブリッジに近いトランピントンの牧師に電話をかけ、物価所得法を根拠に、埋葬手数料を引き上げないよう要請するはめになったほどである。ヒース政権のもとで公共部門は膨れ上がり、「経済成長への突進」のために金融政策が緩和された。ところが突進の大部分は経済成長にではなく、インフレに向けられた。経済に占める政府の比率は、逆に上昇した。ヒース政権のもとで民営化に向けた動きがはじまったのは、イングランド北部のいくつかのパブと旅行代理店一社だけであった(4)。

一九七三年と七四年には、事態がいっそう悪化した。七三年の石油ショックでイギリスは大きな打撃を受け、その直後に起こった石炭労働者のストライキが政府と労働組合の激突になり、混乱がさらに深まった。石炭と電力の供給が大幅に減少したため、イギリスの産業は週三日操業に追い込

まれた。海外旅行から帰国した人たちは、停電のために国中が暗闇になっていることに仰天した。夕食をとるにも、寝室に行くにも、蠟燭に頼るしかない。英国放送協会（ＢＢＣ）のラジオ・フォーでは、エネルギーを節約するために風呂の湯を家族全員で使うようにすべきかどうか、聖職者が議論している。ある閣僚はテレビに出演して、暗闇で髭を剃る方法を語っている。ヒース首相は非常事態を宣言した。インフレ率は一五パーセントに達した。最後の手段として国民の信を問おうと、首相は議会を解散した。しかし、保守党は敗北した。石炭労働者が政権を崩壊させたのだ。どの党も過半数を獲得できなかったので、労働党の少数内閣になり、ハロルド・ウィルソン前首相が返り咲いた。

キース・ジョゼフの「改宗」

この陰鬱な時期、キース・ジョゼフは危機に直面し、自党と自分自身に腹を立て、イギリスが破壊的な悪循環に陥っていると確信したことが契機になって、本人の表現を使うなら、保守主義に「改宗」した。「自分は保守主義者だと考えてきたが、いまになってみれば、保守主義者でもなんでもなかった」と言う。このときに達した結論はこうだ。問題は、政府のやることがうまくいっていない点にあるのではない。政府がやろうとすることが大きすぎる点にあるのだ。問題の根源は戦後の合意にあり、経済への介入を促す考え方にある。「国家統制主義」こそが敵なのだ。変えなければならないのは国の政治文化であり、そのためには思想面のゲリラ戦が必要である。

保守党が野党に転落したので、ジョゼフはヒース政権の政策でどの点に問題があったのか、保守党指導部で検討するよう迫った。しかし、ヒース党首はにべもなかった。影の内閣の会議で、党首はこう語った。「要するに、政策は正しかったが、それをもっと粘り強く推し進めなかった点に問題があった」。ジョゼフの顔色が変わった。ヒース政権で教育相をつとめていたマーガレット・サッチャーは、表情を変えなかった。

「わたしは懸念を深めていた。要するに、自分たちがなかなか前進できないことにいらだち、近隣諸国の成功をうらやんでいた。アメリカと比較することはなかった。われわれとは文化が違うし、とても追いつけないと思っていたからだ。注目していたのは近隣の国だ。近隣諸国の方がはるかに成功しているのはなぜなのか。戦争直後には、うちひしがれ、病人のようになっていたではないか」とジョゼフは後に語っている。

ジョゼフはまず、中道右派のシンク・タンク、経済問題研究所（IEA）に出向いた。IEAはケインズ主義が圧倒的な力をもっていたイギリスで、自由主義の経済学を掲げる孤島のような存在になっていた。「とんでもない厄介物」と呼ばれたこともあり、大規模な養鶏で財をなした農民が資金を提供して設立された研究所だが、イギリスの伝統であった自由主義の考え方を復活させる役割を果たした。所長はラルフ・ハリスであり、ロンドンの労働者階級の出身である。セント・アンドルーズ大学で経済学を教えた後、グラスゴー・ヘラルド紙の論説委員をへて、「反フェビアン協会」を運営してほしいといわれて、IEAの所長になった。ハリスにとって、願ってもない仕事であった。マクミラン政権を回顧し、「ケインズ主義と集産主義の鋳型」にしばられて身動きがとれなくな

ったと批判した。当時の政策に失望して、「過激な反動派」の道を歩むようになり、ＩＥＡを「立ち上げた」と、ハリスは語ったことがある。研究所の設立にあたってハリスに協力したのはアーサー・セルドンであり、やはり労働者階級出身で、ロンドン大学経済学政治学部で自由主義の経済学を学んだ経済学者である。セルドンが研究計画を組み立てていった。この二人が一九八〇年代半ばまで、ＩＥＡを共同で運営していくことになる。

設立当初、ＩＥＡは統制主義の誘導的計画に攻撃を仕掛けた（誘導的計画はフランスで成功を収めたため、一九五〇年代後半におおいにもてはやされていた）。やがて、野放しの福祉国家や労働組合から、ケインズ主義の需要管理、国有化産業、国の役割の拡大にいたる当時の常識のすべてを分析対象とするようになる。これらによって「脚注の塹壕戦」を遂行し、混合経済に対して徹底した厳しい批判を行なっていった。たとえば、イギリスとアメリカの電話制度を詳細に比較し、郵便事業の一部局が電話網を運営するより、民間の電話会社に任せる方が、イギリスにとって有利になるとすら示唆している。さまざまな研究課題はすべて、ひとつの主張で支えられていた。経済学者も政治家も政策立案者も、大きな約束をしすぎてきたという主張、自分たちが実際に管理でき、実現できる範囲をはるかに超える約束をしてきたという主張である。経済学者のアラン・ウォルターズが語ったように、「反革命の最大の眼目」は、「物価と雇用、輸出と輸入、生産と生産性、貯蓄と投資など……経済の細かな状況を決める要因については、ほとんどなにもわかっていない」ことを認めた点にある。多数の著名な経済学者がＩＥＡから論文を発表しており、たとえば、ケインズのもとで国民所得を研究したコリン・クラークもそのひとりである。

なかでも、IEAは二人の経済学者に発言の場を提供した。どちらも、研究所が設立されて間もないころ、サッチャー元首相の言葉を借りれば、IEAが「煉瓦の壁に頭を打ちつけている」ように思えたころ、経済学の主流から外れているとみられていたが、やがてきわめて大きな影響力をもつようになった学者である。ひとりはフリードリッヒ・フォン・ハイエクであり、自由市場を主張する「オーストリア学派」を代表するイギリスの経済学者だ。ケインズの経済学をごく初期に批判したひとりだが、この時期、ふたたび批判に取り組み、ケインズ主義のマクロ経済学と乗数の世界から、ミクロ経済学の世界、富の創出を実際に担う企業の世界に戻るよう主張していた。もうひとりはシカゴ大学のミルトン・フリードマンであり、IEAはそのマネタリズム理論をイギリスに広める役割を果たした。IEAにとって、ハイエクが一九七四年に、フリードマンが七六年に、それぞれノーベル経済学賞を受賞したのはありがたいことだった。時期も絶好であった。二人の考え方に対する「需要」が高まっていたときであり、IEAが政策を提言した後であった。フリードマンが後にこう語っている。「IEAがなければ、サッチャー革命が実現したかどうか、おおいに疑問だ」

キース・ジョゼフは一九六〇年代から、ときおりIEAの活動に参加していた。七四年になって、すべてを根本から考え直そうと、IEAのラルフ・ハリス所長に助言と助力を求めた。学びなおしたいので、本、必読書リスト、論評、記事を教えてほしいと頼んだ。ジョゼフは教えられたものをすべて吸収した。

つぎに、みずからの研究機関、政策研究センターを設立した。ジョゼフはフェビアン協会の社会主義がイギリスの病をもたらした元凶だと考えていたが、戦略を立てる際にはこの協会をモデルに

した。オピニオン・リーダーに影響を与えて、文化と政治を変える戦略である。IEAは学問的な研究を目指していたので、これとの違いを明確にするために、ジョゼフは政策研究センターをきわめて具体的な政治目標の達成を目指す組織にした。後に、こう説明している。「保守党を改宗させることが目標だった」。保守党の議員をもうひとり引き入れ、センターの副理事長にした。フィンチェリー選出のマーガレット・サッチャー議員である。二人は政治的な立場があったので、新しい組織を設立するにあたって、ヒース党首の承認を受けておく必要があった。党首はジョゼフの意図を疑いながらも、承認を与えた。ジョゼフとサッチャーが他国の企業と経済から、ほんとうになにかを学んでいくのであれば、悪かろうはずがない。その間、自分に挑戦する暇もなくなるだろう……。それ以外にもうひとつ、承認する理由があったという意見もある。「ジョゼフに化学薬品を与えておけば、自分で調合して自爆してくれないともかぎらないと、ヒースは考えたはずだ」[5]

では、政策研究センターで具体的になにをするのか。はじめての理事会では、具体的な行動目標はひとつしか決められなかった。ジョゼフが講演を行なうこと、それも、数多く行なうことである。しかし間もなく、センターは独自の活動計画を立てていった。センターの研究担当理事で、この時期にジョゼフを研究面で支えたアルフレッド・シャーマンは、「われわれの仕事は、それまで疑問とされなかった点に疑問を投げかけること、考えられなかった点を考えること、新しい道を切り開くことであった」と語っている。センターは大量の本や小冊子、セミナーや昼食会や夕食会によって、新しい考え方をつぎつぎに開発し、普及をはかり、後援していった。

このころになると、ジョゼフが必読書をさまざまな人にすすめるようになった。必読書のリスト

を受け取ったひとりに、センターのサッチャー副理事長がいた。リストの筆頭に掲げられていたのは、ハイエクの『隷属への道』である。サッチャーは学生のころにこの本を読んだことがあったが、もういちど、ていねいに読みなおし、理解を深めることができた。『隷属への道』は一九四四年に出版されており、正統的自由主義の立場から、福祉国家、混合経済、「集産主義」を批判した独創的な著作である。ジョゼフを中心とするグループでは、この本が教典になっていた。

ジョゼフによれば、政策研究センターの目標は、混合経済の「本質に根ざす矛盾」をあきらかにすることであった。敵は「三十年にわたる社会主義の流行」であり、「国家統制主義」である。問題の解決、経済の管理を国に頼る三十年にわたる風潮である。ジョゼフらによれば、この風潮によって、イギリスはヨーロッパの貧乏国に転落してしまった。平等のための平等を追求していけば、全員が貧乏になるしかない。いま必要なのはリスクを負う精神を刺激することであり、その結果、成功すれば報酬が得られ、失敗すれば打撃を受ける制度である。「富の創造」がジョゼフの好きな言葉のひとつになったが、その目的は社会の富を創造することであって、個人の富を創造することではない。しかし、そのためには個人がカネを儲け、資産を蓄積できるようにすることが必要条件になる。ジョゼフによれば、政治はいつまでも、一九三〇年代の大恐慌と大量失業の記憶にとらわれすぎている。五六年にはじめての議会演説でもそう主張したが、このころには、いっそう強くそう考えるようになっていた。目的は富の創造であるべきであり、雇用の補助であってはならない。

ジョゼフを中心とするグループは、自分たちがまったくの少数派の立場から出発することを自覚していた。「市場経済」という言葉すら、使っても大丈夫かどうか、悩み、心配した。そんな言葉を

使えば、フン族のアッティラ王より古いというレッテルを貼られないだろうか。結局、「市場経済」という極端な言葉を使えるほどには時代が熟していないとの結論をだした。一九九〇年代になると、どこでも使われる言葉になるのだが。「資本主義」について語ることはできた。ただし、「心の優しい資本主義」でなければならなかった。(6)

党首選

これらはいずれも、考え方の面での課題であった。しかし、必読書リストだけでは不十分だ。政治面の課題があったのだ。ヒース党首を降板させなければならない。あまりにもご都合主義だし、足して二で割る妥協の人でありすぎる。かつて、ある企業の動きを「資本主義の容認できない面」を示したものだと批判したことがあるが、この批判は、市場制度そのものに対するあいまいな姿勢を示しているともみられていた。それ以上に問題だったのは、当時の危機を解決する方法として、もっと中道左派に近づき、挙国一致内閣をつくる方針を望んでいたことだ。この方針なら首相の座に返り咲けるとみていたのだ。ウィルソン首相は一九七四年に二回目の総選挙を実施し、今度は過半数を握った。ヒース党首の退陣は必至の状況になった。しかしヒースは粘り、党首の座からおりる気配はみせなかった。キース・ジョゼフは、党首の座に挑戦する有力候補のひとりだとみられていた。しかし、本人の言葉を使うなら、党首になれば「最前線に立つ」ことになる。本人にも、強い意欲があるのかどうか、はっきりしているわけではなかった。

このとき、ジョゼフは思わぬ抗議の嵐にみまわれることになる。ある講演で、貧しく若い女性が未婚の母になるケースがあまりにも多いのではないかと問い掛けた。これが国にとって損害になっているのではないかと語り、避妊を擁護した。皮肉なことに、この主張は左派の社会学者の研究に基づくものであった。しかし、マスコミからは人種差別主義者、人種改良論の擁護者だと非難された。自宅の周辺に報道陣がテントをはって待ち構え、ジョゼフにも家族にも、乱暴で意地の悪い質問をあびせた。この攻撃にジョゼフはひどく動揺した。「決して謝罪してはならない」という政治の格言を無視して、タイムズ紙に長文の謝罪文を発表し、釈明した。それでも効果はなかった。攻撃は続いた。ジョゼフはヒース党首に挑戦すべきかどうか、苦悩するようになった。

ある午後、ジョゼフは、党首選に向けた非公式な選挙運動の責任者、マーガレット・サッチャーの議会執務室をたずねた。「申し訳ないが、党首選には立候補できない。あの講演以来、マスコミが家の外にはりついている。情け容赦のないやり方だ。妻は耐えられなくなっている。だから立候補できないと決めたのだ」

サッチャーは絶望的な気持ちになった。「ヒース流の政治」に屈伏することはできない。それに、野心もあった。この点で疑問の余地はない。しかしそれまで、自分が狙えるポストは蔵相までだと考えてきた。それでも、思わずこう答えた。「もし、どうしても立候補できないというのであれば、わたしが立候補します」

その夜、サッチャーは夫に立候補の意思を伝えた。夫は納得しなかったようだ。「正気とは思えない。勝てる望みはないんだから」。サッチャー自身、夫が間違っているとは確信できなかった。数日

たって、サッチャーはヒース党首に会いに行った。「わたしが党首選に立候補することをお伝えしておかなければなりません」。党首の反応は冷たかった。立候補を取り下げるよう説得する気配もなかった。背を向けて、肩をすくめ、こう答えた。「どうしてもというのなら、どうぞ」

迷いはない。どうしても出馬しなければならないのだ。サッチャーは立候補した。ヒース党首はあきらかに、自分が再選されると予想していた。サッチャーの力は過小評価されていた。サッチャーが勝てるとみていたごく少数の人たちのひとりに、選挙運動責任者をつとめたエアリー・ニーブがいる。第二次大戦中、ナチのコルディッツ捕虜収容所で有名な脱走を組織した経歴がある。組織づくりがうまく、内輪の会合で「うちの娘が勝つ」と予言していた。実際、サッチャーは予想外の勝利を収め、茫然自失状態のヒースに代わって野党党首になった。

サッチャー党首はジョゼフより批判やマスコミに強かった。つねに攻撃にさらされていた。攻撃してきたのは、左派や外部だけではない。党内からもあり、ヒース陣営や党長老から攻撃を受けた。雑貨屋の娘らしく、缶詰を買い占めるよう勧めたと非難され、自分でも缶詰をため込んでいると攻撃された。つぎに、ロンドン北部の店で、当時不足していた砂糖をすべて買い占めているのを目撃されたとすら報じられている。報道された「店」が実在せず、サッチャー家では砂糖をほとんど使わない点は無視された。まして、男の政治家であれば、砂糖をこっそり買い占める罪をおかしたと非難されるようなことは考えにくい。こうした攻撃を受けても、サッチャーは屈しなかった。友人にこう語っている。「連中がキース〔ジョゼフ〕をどうやってつぶしたか、よく理解できた。わたしはつぶされたりしない」

ジョゼフは大魚を逸したともいえるが、後悔はしていない。「世の中には直観力というものがある。サッチャーにはこれがあり、カンがするどい。わたしにはそれが欠けている。わたしをよく知っている人ならだれでも、わたしの直観がするどいとは思わないだろう」と語った。しかし、ジョゼフは権力から遠ざかったわけではない。野党の指導部で第三位の地位につき、政策と研究を担当した。事実上、影の思想担当相になり、「考え方をめぐる戦い」に専念するようになった。(7)

「あたりさわりのないことを話している時期ではない」

マーガレット・サッチャーとキース・ジョゼフが追求していたのは、合意に基づく政治ではなく、信念に基づく政治である。「あたりさわりのないことを話している時期ではない」とジョゼフは語った。そしてジョゼフは、とくにはっきりした発言を行なった。それから数年間、イギリス各地でつぎつぎに講演し、サッチャーによれば、「一つの世代の政治的な考え方に、根本的な影響を与えた」。この言葉通り、のちにサッチャリズムと呼ばれるようになる考え方のかなりの部分が、当時の講演で語られている。ジョゼフはこれらの講演で、大目標に向けて走りだした。本人によれば、集産主義の「流れを逆転させる」キャンペインである。混合経済を支えている合意のすべてに挑戦しはじめたのだ。ケインズ流の需要管理によって完全雇用を目指すのではなく、通貨供給量を安定させてインフレを抑制することに焦点をあてるべきだという点が、主張の中心であった。第二次大戦後に拡大した国家統制主義は、「善良な意図」から生まれたものであり、動機は正しかったが、だからと

いって、間違いであることに変わりはないし、それによる害が少なくなるわけでもない。この政策の結果、国民の生活水準が低下している。勤労意欲を取り戻さなければならない。「イギリスは、政府の管理が過剰になっており、政府支出が過剰になっており、税金が過剰になっており、借り入れが過剰になっており、人員が過剰になっている」と語った。このトレンドを逆転させなければ、「雇用の見通しが加速度的に悪くなり、専門的な能力をもつ人材、才能と能力がある人材がさらに流出し、国民の生活はますますみじめで見すぼらしいものになっていくだろう」と警告した。

考え方を変えた点で決定的だったのは、完全雇用というケインズ主義の目標を基本的な誤りだとして拒否したことである。この目標がたしかに誤りだとするなら（ジョゼフらは誤りだとみていた）、公共部門の支出が「マクロ経済上の有益な機能」を果たすとはいえなくなる。その場合、政府の支出は減らすことができるし、減らすべきである。税金は減らすことができる。そうなれば、経済の「供給側」（一九五六年にジョゼフが議会でのはじめての演説で強調した点だ）が強化され、国民全体に恩恵が及ぶだろう[8]。

ジョゼフはこれらの考え方を広める運動の一環として、イギリス各地の大学で百五十回以上の講演を行なった。多数の聴衆を集めた講演もあれば、少人数に話しかけるものもあった。野次を浴びることが多く、殴りかかられることすらあり、ボイコットされたこともある。ロンドン大学経済学政治学部では、学生たちが講演を禁止しようとした。講演できても、聴衆が集まらないように、講演は中止になったという貼り紙がはられたりした。それでも、ジョゼフはキャンペインのうち学生向けの部分をもっとも楽しんでいた。少なくとも、何年か後に振り返ってみると、そう思えた。「す

ばらしい体験だった。もちろん当時はひどいものだったが」。学生たちこそ、ジョゼフがとくに改宗させたいと望んでいた人たちだ。「社会主義ではなくても、国家統制主義が子供たちにまで浸透していた」のである。当時の若者にとって、ジョゼフの語ることはまったく耳慣れない主張であった。学校では教えていないし、親からすら聞いていない。オックスフォード大学で講演を聞いた学生のひとりが、こう回想している。「満員の教室で、自由市場、マネタリズムについて語り、協調組合主義の危険を語るサー・キース・ジョゼフの講演を聞いた。……まともな両親なら、信じてはいけないと息子に警告するたぐいの主張、学生が口にしだしたら、熱心な教官が心配しだすたぐいの主張である」

戦後にとられてきた経済政策はすべて、誤った見方に基づいているとジョゼフは主張した。「戦後景気は、一九三〇年代の幻影を背景にはじまった。長期にわたる大量失業、施し物の列にならぶ陰鬱で希望を失った人たち、死んだような街……、こうした状況に逆戻りするのではないかという恐れにつきまとわれていた。やせ衰え、無口になった人たちが帽子とマフラーの姿ですぐ身近にいるかのように信じ込み、経済政策をこの幻想に基づいて組み立ててきた。これを幻想だというのは、まさに幻想だからである」

ジョゼフは公言できなかったことを公言した。責任を負い、リスクをとり、カネを儲けている人たちは、社会の役に立っているのだと語った。「民間セクターは、社会全体の基礎になる不可欠の部分なのに、攻撃を受けている……。ところが、われわれは民間セクターを動かしている人たちを押さえつけてきた。……労働者だけでは、富を創出することはできない。富を創出し、雇用を創出す

る起業家が必要であり、富を創出し、雇用を創出する経営者が必要なのだ。われわれは起業家や経営者を冷遇しすぎてきた」。ジョゼフは経済成長をもたらす人たちを、「潰瘍持ち」と呼んだ。ジョゼフ自身がそうであるように、胃痛に悩まされている人たちである。「いつも不安定で不安にかられている。リスクをとろうとしている。……報酬を得る機会を与えられるべきだ」

学生に衝撃を与えたのはたしかだと、ジョゼフは考えている。「倫理という観点から資本主義を擁護する主張は、それまで一度も聞いたことがなかったはずだ。……わたしが繰り返し語ったのは、現実の世界はまったく不完全だという点だ。わたしが主張したのは、チャーチルが民主主義について語ったように、これまでのどのような体制よりも資本主義は悪が少ないという点だけである」。結果の平等だけをやみくもに追求すれば、全員がおなじように貧困に苦しむようになるだけだとジョゼフは警告した。そして、とりわけ衝撃的な発言を、何度も繰り返した。「イギリスには、大金持ちがもっと必要であり、倒産がもっと必要である」。リスクがもっと大きくなり、報酬がもっと多くなることが、生活水準を高め、経済が繁栄するために不可欠なのだ。しかし、国が果たすべき役割がないわけではないと、ジョゼフは強調した。「なにもかも自由にしろと主張しているわけではない。国がルールをつくり、ルールを守らせて、安全な生活を保障し、暴力や詐欺から国民を保護し、われわれの社会が育んできた考え方、現在の考え方を示す社会・経済・環境面の価値観と基準を守らなければならない」

講演の終わりに、ジョゼフは学生に、イギリスよりも政治がうまくいっている国をあげるよう求めた。答えはいつもおなじだった。キューバ、中国、ユーゴスラビアがあげられた。やがて、これ

らの国の実情があきらかになってくると、この質問にだれも答えなくなった。最後のころのある講演で、しばしの沈黙のあと、さかんに野次をとばしていた学生のひとりがようやく答えを見い出した。一八七一年のパリ・コミューン、わずか三か月で崩壊した革命政権である。(9)

「本日運休」

ジョゼフは「影の思想担当相」として、つねに人びとに質問し、自分にも問いかけ、手帳に書きつけ、さまざまなアイデアをだしていったため、ある種の人気者になった。政治の世界のドン・キホーテになり、国中をまわっては、各地の風車につぎつぎに戦いをいどんでいるようにみえた。まともにとりあうべき人物なのだろうか。異端すら突き抜けている人物なのではないだろうか。当時、混合経済の主流派にしっかり位置していたエコノミスト誌は、神がかりの修道士をからかう誘惑に抗しきれなかった。「サー・キース〔ジョゼフ〕が努力を重ねて、どんな混乱も収めずにはおかず、自分の発言についてのどんな誤解も説明せずにはおかない姿勢をとってきたことは、……保守主義を見直し、考え直し、なんとかし直す遊軍の仕事を押しつけられて以来、よく知られるようになっている。……政治の世界で賢人と呼ばれるようになるには、高貴なだけでは不十分であり、賢明でもなければならない」。ジョゼフはエコノミスト誌の誤りを正そうと、同誌に投稿してこう書いた。自分の主張は、「一九七〇年代初めの苦い経験に基づいて、イギリス特有の常識を見直した結果である。……われわれは現実的であり、考え方や政策をその結果に基づいて判断する」

議会の論争でも、ジョゼフはおなじ主張を展開している。あるジャーナリストが議会での演説のようすを、こう伝えている。「ジョゼフは身をかがめて構えた。自分で書いた大量のノートを抱え、新聞の経済面の切り抜き、さまざまな右派の研究所や研究グループが発行した小冊子、アメリカ中西部のどこかの大学で開催された『ケインズはマネタリストだったのか』と題するセミナーの分厚い報告書など、みずからの主張を裏付ける書類で武装もしている。演説をはじめると、額には青筋がたち、眉を寄せ、目を半分閉じて神経を集中させる。その顔はまるでネジを巻きすぎた目覚まし時計であり、いまにも鳴りだすか、そうでなければ、ぜんまいが音をたてて切れそうな印象になる。……例によって、自由な企業活動の効果を説き、やがて影の内閣の閣僚から疲れ切った目、困惑の目を向けられるようになる。そうでなければ、チリへの馬鹿げた介入を批判し、……政治の自由を確保するには資本主義が決定的に重要なのだと主張する。……資本主義は自由の十分条件ではないが必要条件なのだと……。演説が終わると、世界はなにごともなかったように、それまでだれにとっても常識であった通りの動きに戻っていく」

実際には、戻っていかなかった。ジョゼフの主張に共鳴する人たちが増えていったからだ。イギリスは悪循環から抜け出せていない。ケインズ主義の理論、景気の微調整、国の介入がもたらせるものは、これしかないのだろうか。国全体が施しを受けるようになっていた。一九七六年、ポンドを防衛し、債務不履行を避けるために、国際通貨基金（ＩＭＦ）から支援を受けるしかなくなったのだ。ＩＭＦは支援を提供する条件として、公共部門の支出を大幅に削減するよう求め、労働党内から激しい反対が起こった。ハロルド・ウィルソンから首相の座を受け継いだ労働党のジェームズ・

キャラハン首相は、国有企業の工場閉鎖と人員削減を支持して、党内の反乱がいっそう拡大しかねない状況を作り出した。同首相は、ケインズ理論の基本である完全雇用の目標を放棄してもいる。財政赤字によって政府支出を増やしても、雇用は増えないと語った。労働党の定期党大会で、こう演説している。「われわれはあまりに長期にわたって、基本的な選択を先送りし、社会と経済の基本的な変化に直面するのを先送りしてきた。……しばしの猶予を得た状態を続けてきた。蔵相のペン先ひとつで完全雇用が実現する時代になったといわれてきたが、そういうぬるま湯のような時代はもう二度と戻ってこないだろう。……ぬるま湯のような時代は終わったのだ。……減税を実施し、政府が支出を増やせば景気後退から抜け出せ、雇用が増えるとされてきた。……この政策はもはや選択できなくなっている。……過去にこの政策をとったときに効果があったのは、経済のインフレ率を上昇させたからである」。キャラハン首相のこの演説が、労働党のそれまでの主張より、経済問題研究所（ＩＥＡ）の主張に似ていると思えるとすれば、それには十分な根拠がある。この演説でスピーチ・ライターの中心になったのは、同首相の女婿、ピーター・ジェイであり、エコノミスト、ジャーナリストとして活躍し、ＩＥＡの小冊子もいくつか書いた人物なのだ。

一九七八年末、イギリスはふたたび危機に陥った。公共部門の労働組合がストライキを打ち、またしても「不満の冬」になった。病院労働者がストライキにはいり、医療サービスに厳しい割当制を導入するしかなくなった。街頭にはゴミの山ができた。墓掘り人が死者の埋葬を拒否した。トラック運転手もストにはいった。「生活必需品」を積んだトラックがピケット・ラインを通過する際には、労働組合の職場代表の許可を得なければならなくなった。国有鉄道が掲示した貼り紙には、「本

日運休」とだけ書かれていた。七四年には石炭労働者が内閣を倒した。七八年には労働組合のストライキで、国全体の動きが止まりかねない状況になった。ヒース首相が七四年にそうしたように、キャラハン首相も緊急事態の宣言を考慮した。どこかが極端におかしくなっているのだ。

一九七九年三月二十八日、下院の食堂すらストライキで閉鎖された日、不信任決議案がわずか一票差で可決され、労働党政権は倒れた。キャラハン首相は総選挙で国民の信を問うしかなくなった。このひどい状況のなかで総選挙を行なえば、混合経済の是非が焦点になることを、首相は認識していた。選挙運動が終わりかけたとき、議会から首相官邸に戻る自動車のなかで、労働党がぎりぎり勝利を収められるだろうと側近のひとりが語った。首相は静かに答えた。「それはどうかな。たぶん三十年に一度ぐらい、政治の流れが大きく変わるときがある。……いまがその時期なのではないかとも思う。そして、政治の流れはサッチャーに有利になっている[10]」

「ほんとうの戦いがこれからはじまる」

一九七九年の総選挙で保守党が勝利を収め、マーガレット・サッチャーが首相に就任した。「これで第一の障害は突破できた。ほんとうの戦いがこれからはじまる」と、親友のひとりへの手紙に書いている。新しい考え方を宣伝する点ではジョゼフが中心になったともいえるが、考え方を実行に移せるかどうかは、サッチャー首相の手腕にかかっていた。そして、新しい考え方を実行に移していったことで、同首相は二十世紀でただひとり、「その名前がひとつの政治哲学の代名詞になる」首

相になった。

サッチャーは一九二五年生まれ、旧姓はロバーツである。政治家としての道も、基本的な考え方も、子供のころにルーツがある。「サッチャー首相はつきつめていけば、イングランド中部の中産階級下層に育ったきわめて聡明な女性だ。勤勉、達成を尊び、何かを手に入れるにはカネを支払わなければならない、カネがなければ手には入らないと確信している」と、閣僚のひとりが語っている。父親のアルフレッド・ロバーツは、イングランド中部のグランサムで雑貨店を経営し、地方政治家でもあった。父親は子供のころ、教師になりたかったが、両親が豊かではなかったので、十三歳のときに学校をはなれてはたらくようになった。貯蓄にはげみ、やがて、雑貨店を二つもつようになる。その間もほぼ独学で勉強を続け、地元の図書館でとくに貸し出しの多い利用者のひとりになった。また、雑貨店の経営よりも、地方政治にはるかに興味をもっていた。

父親はだれよりも大きな影響をマーガレット・サッチャーに与えた。「わたしの現在があるのは、ほとんどすべての点で父のおかげだ」とサッチャーは語っている。後に、父親から学んだ点として、「誠実さ」をあげている。「まず、なにを信じるのかをはっきりさせ、つぎにそれを適用し、これという点では妥協しないようにと教えられた」。さまざまな教訓や模範を教えたのも父親である。勤勉、自助努力、節約、義務などについて教えられ、少数派になっても信念にしたがって行動すべきだと教えられた。首相になった後ですら、誇りをもって父親の教えについて語っている。「きっかけをつくる」だけではだめだ、「あくまでも固執し」、「最後までやり遂げ」なければならないとも教えられている。「わたしが話すことは家計の教訓や、居間で語られる寓話ばかりだと言う人がいる。そう言

われても、わたしはひるんだりしない。そうした教訓で倒産をまぬがれた金融機関は多いし、危機をまぬがれた国も多いのだから」と一九八二年に語っている。メソジスト教会に熱心に通うようになったのも、両親の影響である。日曜日には、二回か三回は教会に行っている。子供のころ、家族の生活は質素で、ケチでさえあった。おもちゃはほとんどなく、店の二階に住んでいた。父親にとって、もっとも重要でもっとも興奮する部分は政治だったとサッチャーは述べており、父親が娘に話したのも、政治に関することだった。さまざまな教訓を教えただけでなく、政治に対する変わらぬ情熱を娘に伝えた。娘がはじめて選挙運動に加わったのは、十歳のときである。

やがてオックスフォード大学に入学し、化学を専攻したが、とくに化学者になりたかったわけではない。なによりも興味があったのは政治である。大学の保守党協会に入り、やがて会長になった（もっとも、オックスフォード・ユニオンでの論戦には加わっていない。当時はまだ、女性の参加が認められていなかったからだ）。この時期に政治家への道を目指す決意を固めている。一九四五年の選挙では、グランサムに戻って保守党候補を応援した。「十九歳の若い女性が確信に満ちた態度で応援したことが、決して小さいとはいえない要因になった」と、グランサム・ジャーナル紙が伝えている。サッチャーの学生時代は第二次大戦の時期にあたっている。成人になったころ、一点の曇りもない無条件の愛国主義を身につけており、その後もこれが変わることはなかった。大恐慌ではなく、戦争が原点になっているのだ。

大学を卒業した後、プラスチック会社の研究者になり、つぎに食品会社のJ・ライオンズに移って、ケーキの台やアイスクリームの試験にあたった。化学者になることにはとくに関心はなかった

が、生活費を親に頼るつもりはなかった。いちばんの望みは、立候補する選挙区を確保することであった。サッチャーは後に、労働党にはひとつだけ恩義があると語っている。このころ、下院議員の歳費を六百ポンドから一千ポンドに引き上げたのだ。「このときから、政治家を職業として考えることができるようになった[11]」

イングランド南東部のある選挙区で候補者になれたが、そこは労働党の強固な地盤になっていた。はじめての選挙で落選したが、だれも当選できるとは考えていなかった。下院議員になる目標に向けて一歩を踏み出せたことだけで、すなおに喜べた。候補者に選ばれた夜、家業の塗料・化学会社を経営している実業家に出会った。デニス・サッチャーである。二人はともに政治に関心をもっていた。サッチャーの自伝によれば、「かれは塗料に、わたしはプラスチックに関心があった」ので、政治以外にも話題が広がった。愛情をはぐくむには、「ロマンチックにほど遠い」話題ではあったが。

一九五一年に二人は結婚した。そのころには化学とケーキにそれ以上深入りする気持ちがなくなっていたので、法律を勉強して弁護士になり、特許と税務を専門にするようになった。保守党の若い女性として、すでに目立つ存在にもなっていた。五二年、ある日曜紙に記事を書き、家庭にとどまるべきだと考える必要はないと女性に呼びかけた。専門職の道を目指すことができるし、政治の道も歩める（当時、六百二十五人の下院議員のうち、女性は十七人しかいなかった）。下院ですら、さらに上を目指すことはできないと考える理由はない。「実力をそなえた女性があらわれれば、主要な閣僚ポストをめぐって、男性とおなじ機会を与えられるべきだ。女性が蔵相になってはならない理由があるだろうか。外相になってはならない理由があるだろうか」。五九年、サッチャーは下院選

挙で当選した。これで第一段階に到達できた。

「当時、下院議員として地位を高め、成功を収めるためには、中道に位置し、保守党内では左派に位置するのが自然な道であった。とりわけ、保守党の新人議員にとって、『反動的』といわれないようにすることが重要だった」と、サッチャーは後に回顧している。マクミラン首相がその典型である。一九三〇年代に自分の選挙区のストックトン・オン・トレントでみた大量失業と絶望に大きな影響を受け、ケインズ主義と経済計画を支持してきた。「ニューディール派の保守党員」を自称し、保守党を戦後の合意のなかにしっかりと組み込むことがみずからの使命だと考えていた。福祉国家、完全雇用、経済計画を信奉し、これらを「中道」の路線だととらえていた。古くからの自由主義を一方の極、社会主義と全体主義をもう一方の極として、中央の道だという。家業であるマクミラン社は、ケインズの重要な著作のほとんどを出版している。マクミラン自身が書いた『中道』は三〇年代後半、ケインズ主義に基づく政策をもっとも鮮明に主張した著作だと受け止められている。そして、政治家としてのキャリアを通じて、ケインズとケインズ主義の影響を強く受けてきた。五六年から六三年まで首相をつとめた間、インフレよりも失業問題をはるかに重視した。後にこう説明している。「インフレ率は二・五パーセント前後だった。この程度であれば問題はないと、いつもケインズが言っていた。……この程度なら、だれも気づかない」

マーガレット・サッチャー議員は、本人の言葉を借りれば「当時の正統的な考え方」を受け入れ、階段を上がっていった。一九六一年、マクミラン首相のもとで閣外相になり、同首相と後継者のアレックス・ダグラス―ヒューム首相に忠実にしたがった（ダグラス―ヒューム首相は、経済問題を

考えるときはマッチ棒で計算をすると発言したことがあり、新聞のマンガでさんざんにからかわれている)。つぎのエドワード・ヒース党首のもとで七〇年の総選挙に保守党が勝利した後、教育相に選ばれた。サッチャーがキース・ジョゼフとともに、ヒース党首を中心とする保守党主流に見切りをつけたのは、七四年になってからであり、経済危機と社会危機、選挙での敗北、党首の座をめぐる戦いがその背景になった。しかし、それ以前から経済問題研究所の強い影響を受けており、六〇年代から同研究所と協力していた。

一九七四年に野党党首の座についた後、保守党内で自由市場をもっとも強力に主張する立場を鮮明にさせている。七〇年代半ば、党首になってそれほどたっていない時期に、保守党の調査部門を訪問した。研究員のひとりが、保守党は右と左の中間の道を歩むべきだと主張する論文について説明した。サッチャー党首は無遠慮に話をさえぎった。マクミランの政策に磨きをかけることになど、興味はない。ブリーフケースを引き寄せ、一冊の本を取り出した。ハイエクの『自由の条件』だ。みなに見えるように、その本を高々と掲げ、厳しい口調で言った。「これが、わたしの信じる理論だ」。本をテーブルの上に乱暴に置き、イギリス経済の病について一方的にしゃべりだした。

おなじ時期のある夜、サッチャー党首は経済問題研究所に行き、ハイエクと二人で話し込んだ。同党首が帰った後、研究所の研究員が全員、ハイエクのもとに集まった。いつになく物思いに沈んでいるようにみえる老経済学者に印象を聞いた。かなりの沈黙の後、ハイエクはたったひとこと、こう答えた。「ほんとうに美しい女性だ」

総選挙に敗北し、ヒース党首や当時の保守党主流派と決裂してからちょうど五年たった一九七九

年、サッチャーは首相に就任した。真っ先に行なったことのひとつとして、経済問題研究所のラルフ・ハリス所長を貴族に叙した。「保守党が基本的な考え方を再構築でき、成功を収められたのは、主に貴殿が基礎を築いたからです」と、同所長にあてた手紙に記している。

首相に就任したとき、サッチャーは十年前に死んだ父親のことを思った。「父はわたしが首相になれるとは考えてもいなかったはずだ。しかし、政治の世界でもっと活躍するよう望んでいたと思う。父にとって政治はきわめて重要だったし、私は父にそっくりの娘だったから[12]」

「軟派」と「硬派」

戦いを進める際に武器になるのは、新しい考え方であり、これはすでに確立していた。サッチャー首相に迷いはなかった。政府が手をだしすぎているのだ。首相に就任してから間もなく、こう語っている。「生まれた直後の洗礼式に驚くほど素敵な妖精に扮してあらわれるとも、人生の旅路の要所要所で快活な同伴者になってくれるとも、葬式にはそっと花輪を捧げてくれるとも、国に期待すべきではない」。ゆりかごから墓場までの「甘やかし」を特徴とする「乳母国家」を捨て、リスクと報酬という「自由企業の文化」の厳しさを取り入れることを望んでいた。政治とは「哲学を行動に移したものだ」というエドマンド・バークの言葉を好んで引用した。しかし、考え方が確立するだけではなにも進まない。考え方を定着させ、行動に移し、政策として打ち立て、きわめて複雑でさまざまな議論が戦わされる現代の政府と社会のなかで実行していくには、まったく違った努力が必

要になる。そして、当初の三年間の実績だけから判断するなら、サッチャー革命は失敗だったともいえる。それどころか、革命といえるような点は、なにもなかったとすらいえる。

一九七九年に権力の座についた保守党の新政権は、労働党の前政権から受け継いだ経済状況が予想よりはるかに悪いことに気づいた。キャラハン政権は絆創膏をあちこちにあてて、見た目をつくろっていたのだ。金利は一六パーセントになっていた。インフレ率は二〇パーセントまで上昇する仕組みになっていた。財政赤字は膨れ上がる状況にあった。公共部門の労働者に大幅な賃上げを約束してある。労働党政権が先付け小切手を切ってあったようなもので、インフレ率がさらに上昇するのは避けられない。国有企業の赤字で、国庫から資金がはてしなく流出していた。さらに悪いことに、保守党員を改宗させようとしたキース・ジョゼフの努力は、まだ一部しか成功を収めていない。政権をとった直後、サッチャー首相は何度もこう語っている。「強く誠実な人物が六人いれば、やり遂げてみせる」。そういう人物が六人も揃うことはめったになかった。首相は政権内部ですら少数派であり、内閣を支配することすらできていない。

当時の言葉を使うなら、政権は「軟派」と「硬派」に分かれていた。軟派はそれまでの保守党主流派であり、ケインズ流混合経済の合意を大切にし、ディズレーリ流の「国の統合」を信じ、対決を批判し、老いがめだつようになったマクミラン、すっかり怒りっぽくなったヒースの二人の元首相に忠実な人たちである。硬派はキース・ジョゼフの主張を吸収し、みずからの主張とするようになった人たちである。硬派は「仲間」であり、革命を起こそうとしている人たちだとサッチャー首相は言う。しかし、サッチャー政権の第一期内閣では、硬派より軟派の方が多かった。

一九七九年の選挙公約も、革命色を薄めて慎重なものにしていた。しかし、サッチャー首相は就任直後から、目標をはっきりとさせていた。「イギリス経済には大きな問題がふたつある。国有企業による独占と、労働組合による独占である」。このふたつを打ち破るには、宣戦を布告しなければならない。

ストライキがはてしなく続いた後に就任しただけに、まずは強力な労働組合に焦点を合わせるしかない。労働組合の力を抑え、対等に交渉できるようにしなければ、実のある成果はなにもあげられない。ストライキが起こるたびに、サッチャー政権は程度の違いこそあれ、じっと耐える姿勢をとった。そうして、労働組合の指導部の思い通りにはならないこと、ダウニング街十番地で「ビールとサンドウィッチ」を前に和気あいあいと賃上げを交渉する協調組合主義の時代は終わったことを示す「デモンストレーション効果」を確立しようとした。また、議会で労働組合の力を制限する決定的な法律を成立させ、労働組合がときには内部で権力争いを繰り広げながら、あらゆる対立を階級戦争に転化させるのが難しくなるようにした。

キース・ジョゼフは産業相として、労働組合との戦いの中心になった。サッチャー政権が成立してはじめての全面対決になり、将来を占うものになるとみられた一九八〇年の鉄鋼ストでもそうだった。このストライキで労働組合は最終的に賃上げを勝ち取ったが、その見返りとして、さまざまな制限的労働慣行の廃止と、事業の再編合理化を受け入れた。労働組合、経営、政府の駆け引きで賃上げが決まるそれまでの方法を、ジョゼフ産業相は頑として拒否した。ビールとサンドウィッチを前に交渉する方法はとらない姿勢をつらぬいた。「大臣と話していると、馬に中国語を教えている

ような気分になる」と、ある労働組合指導者が言ったと報じられている。ジョゼフ産業相は、公共部門の支出を思い切って削減し、膨れ上がるばかりだった財政赤字を減らす点でも、大きな力になった。

さまざまな問題に取り組むなかでも、ジョゼフ産業相は改宗という天職を忘れたわけではない。サッチャー政権が発足した直後、産業省の幹部に必読書のリストを配っている。新政権で行動に移す予定の考え方が書かれた本の一覧表である。ジョゼフの伝記を書いた作家が後に、紅茶のしみがついたコピーを入手している。二十九冊が必読書に指定されていた。ハイエクの『隷属への道』、アダム・スミスの二冊（『国富論』はもちろんだが、『道徳感情論』もあげられている）、キース・ジョゼフ自身が書いた八つの小冊子などである。(13)

「レディは逆戻りしない」

政府はこれと並行して、ケインズ主義政策からマネタリズム政策への移行をはかろうと努力した。経済政策の中心は財政政策によって経済に介入することではなく、通貨供給量の伸び率を安定させ、経済成長率に見合ったものにすることにあると、保守党政権は考えていた。これは、当時常識になっていた考え方に真っ向から挑戦するものであった。「われわれはみなケインジアンだ」と、大蔵事務次官が当時、私的な場で悲しげに語っている。「そのわれわれが、政府の方針にしたがうために全力を尽くしている」というのだ。正統派ケインズ主義の経済管理の手段（雇用と経済成長率の目標）

は、政府の予算案から削除され、それに代わって経済に流通する通貨の伸び率が目標として掲げられた。政府の支出が劇的に削減されて大きな議論を巻き起こし、それまで四十年近くの流れがたしかに逆転した。それでも、短期的にみれば、経済は再活性化したわけではない。それまでに経済に深く根づいていたインフレが、一九七九年の第二次石油ショックと労働党政権時代に約束されていた公共部門の賃上げによって、いっそう悪化した。失業者数も増えつづけた。ジョゼフ産業相が掲げてきた構想は、約束された結果を生みだしていないように思えた。大金持ちが増えるよりはるかに速いペースで、倒産が増えていた。

とくに熾烈な批判のうちのいくつかは、閣僚の間から出されている。閣僚のひとりはサッチャー首相の考え方の全体を非難し、こう警告した。「ハイエク教授流の経済の自由主義は、あまりに厳しく、社会の一体感を生みだすことができないため、政治的自由を保護するのではなく、脅かす結果になる」。国が国民を保護しなければ、国民は国に対して忠誠心をもたなくなる。「競争が最終的にもたらす利益を説き、市場の力に介入することの危険を説いても、たったいま困難にぶつかっている人たちは満足しない」。閣僚の間では、これ以上に悲観的な予想がささやかれていた。

たいていの政治家なら、妥協していたかもしれない。しかし、サッチャー首相は妥協しなかった。断固とした姿勢は変わらない。「その点はよくわかっている。わたし自身、最近だけで少なくとも三百六十五人の経済学者にそう言われている。そんなことは起こりはしない、イギリスの産業は崩壊するだろうと。この予想は正しいとこれらの経済学者が自信をもっているのをみると、わたしは息がつけなくなる。しかし、店の二階で育てられたわたしは、経済学者がこの予想に自分のカネを賭

けているのかと聞きたくなることがある」。首相の立場はぎりぎりまで追い詰められているとも思えたが、首相自身は難題に取り組めるのを喜んでいる風でさえあった。首相官邸で開かれた少人数の夕食会で、サッチャー首相は靴をぬぎ、椅子の上に立ち上がって、予定外の演説をぶった。「わたしは保守政権を率いる反逆者だ」と胸をはった。

それでも、ヒース首相の例がある。サッチャー首相もUターンして、戦後の合意に戻らざるをえなくなるのではないだろうか。それはありえなかった。Uターンすれば降伏になる。サッチャー首相に降伏する意思はない。政府ではなく市場を重視する新しい考え方は、異論がきわめて多いものであるかもしれない。しかし、旧来の考え方は信頼を失っている。失敗があきらかになっているのだ。それでも、Uターンを求める声、一九七〇年代にジョゼフとサッチャーが提唱してきた考え方から離れるよう求める声が日増しに強くなっていった。しかし、首相は動揺しない。一九八〇年の保守党大会で、Uターンを求める声が強いなか、首相はクギをさした。「逆戻りしたい人は、すればいい。レディは逆戻りしない」。おそらく、サッチャー首相の発言のなかで、これはもっとも記憶に残る一節だといえる。

イギリスの病を治すには、痛みが伴わないわけにはいかないとサッチャー首相は何度も繰り返し説明した。しかし、経済的な痛みが強まっていた。それとともに、首相の人気は低下していった。支持者からみれば不屈の意志、伝統的な価値観の重視、真実を話す勇気だと思える点が、批判者からは傲慢さ、敵対的姿勢、ときには考えにくいほど無神経な性格だとみえる。このような見方から、国民の間でも保守党内でも、首相に反対する人たちの間で敵意が強まることになった。保守党の旧

主流派のなかで、首相は「あの女」と呼ばれるようになり、憎々しげに語られるようになった。サッチャー首相がみずから、事務的に貴族の閣僚のクリストファー・ソームズを更迭したとき、保守党の大物でウィンストン・チャーチルの女婿でもあるソームズは、首相の欠陥をひとつずつあげて痛烈に非難していった。そのとき開いていた首相官邸の窓から、罵倒の声が表にまで聞こえたはずである。首相の間違いのひとつとして、それまで女性から浴びたことがないほどの罵声を自分に浴びせたと非難した。サッチャー首相は、ソームズがここまで怒ったのは、「家政婦に解雇を言い渡されたかのように感じたからだろう」と述べている。

サッチャー首相自身、内心は疑問をもっていたかもしれない。しかし、それを表にはださなかった。政策の正しさを確信してはいたが、あるいはむしろそのために、成功の可能性は低くなっていくように思えた。世論調査で保守党の支持率は三〇パーセントまで下がり、首相の支持率はさらに低い二三パーセントまで下がった。世論調査がはじまって以来、ここまで支持率が低下した首相はいない。この支持率では、革命を成功させる基盤にはとてもなりえない[14]。

フォークランド戦争――「予想外のことが起こる」

サッチャー首相が好きな警句のひとつに、本人がサッチャーの法則と呼ぶものがある。「予想外のことが起こる」というものである。一九八二年四月二日に起こったことは、まさに予想外であった。この日、アルゼンチンの軍隊が南大西洋にあるフォークランド諸島に侵攻した。ここはアルゼンチ

郵便はがき

料金受取人払

東京中央局
承　認
1103

差出有効期間
平成12年4月
30日まで
（切手不用）

100-8787

〈受　取　人〉
東京都千代田区大手町1-9-5
日本経済新聞社
出版局編集部行

フリガナ お名前		性別		年齢
		1.男	2.女	歳
郵便番号	—			
ご住所	都道 府県			

ご職業	1.会社員　2.公務員　3.農林水産業　4.商工業　5.自由業　6.教師 7.団体職員　8.学生　9.大学院生　10.主婦　11.その他（　　　）
お勤め先 （学校名）	部課名 （学部名）
勤務先 分類	1.建設業　2.製造業　3.商業　4.金融　5.運輸・倉庫　6.情報・通信 7.流通　8.サービス　9.官公庁　10.地方自治体　11.大学・短大 12.小・中・高校　13.その他（　　　）
職種	1.経営全般　2.人事　3.秘書・広報　4.経理　5.調査・開発　6.総務 7.技術　8.製造　9.宣伝　10.営業　11.その他（　　　）
役職	1.役員　2.部長・支店長　3.課長　4.係長・主任　5.専門職 6.一般社員・職員　7.その他（　　　）

『市場対国家』愛読者カード

〔該当のものを○で囲み、(　)内にご記入ください〕

①本書の発売を次のどれでお知りになりましたか？

1.新聞広告（紙名　　　　　　　　　　　　）
2.書評、新刊紹介（掲載紙誌名　　　　　　　　　　　　　　）
3.書店の店頭で　4.知人のすすめ　5.図書目録　6.図書館
7.その他（　　　　　　　　　　　　　　　　　　　　　　　）

②お買い上げ日及び書店名

年　　　月　　　日　　　　　市区町村

③最近、どんな本を購入されましたか？

書名（　　　　　　　　　　　　　　　　　　　　　　　）

④本書のご感想をお聞かせ下さい。

ご協力どうもありがとうございました。

ンの海岸から約三百キロ離れたところにある岩だらけの島で、百四十九年前からイギリスが支配しており、二千人弱のイギリス人が住んでいる。とくに魅力もないはげ山の続く島だが、アルゼンチンはかなり以前から領有権を主張していた。当時、アルゼンチンを支配していた粗暴な軍事政権が、この諸島を制圧しようと考え、ほとんど抵抗らしい抵抗はないだろうと予想していた。しかし、サッチャー首相はアルゼンチンの侵略を放置しておくわけにはいかないと判断した。リスクは大きかったが、フォークランド諸島を奪回するために艦隊を派遣した。この決定を下したとき、首相はまったく孤独であった。後にこう語っている。「わたしは容認しない。宥和政策は信じていない。自国民が独裁政権に踏みにじられるのを許さない。それでも、すべての要因をコンピューターに入力すれば、一万三千キロの距離があり、冬であり、補給の問題があり、制空範囲から六百キロも離れており、空母は二隻しかなく、一隻が撃沈された場合の損害ははかりしれず、将兵が艦船に乗り込んでから上陸作戦までに三週間から四週間かかるといった要因を入力すれば、コンピューターは作戦を行なうなという答えを出すだろう。しかし、イギリス国民には信念がある」

いくつかの海戦があり、本格的な上陸作戦があり、三週間にわたって激しい戦闘が続いた後、アルゼンチン軍は降伏した。その結果のひとつとして、同国の軍事政権が倒れた。イギリス国内でも、サッチャー首相の立場が様変わりした。「イギリスが退却を続ける時代は終わった。いまや、われわれは新たな自信をもつようになった。国内の経済の戦いのなかから生まれ、一万三千キロのかなたで試され、本物であることが示された自信を」。首相は自分の信念と判断の正しさをはるかに強く確信するようになった。首相に対する国民の信認、自国に対する国民の信認も、はるかに強くなった。

フォークランド戦争によって、イギリスには新しい政治環境が生まれた。首相は自分の哲学を行動に移す際に、それまでよりはるかに成功を収められるようになった。後にこう回顧している。「首相になってから三年間は、きわめて厳しかった。ほんとうに厳しい時期だった。しかしフォークランド戦争の後、われわれがやると言ったことはやる点が理解されるようになった」

フォークランド戦争はイギリスの政治に一大変化をもたらし、サッチャー革命の環境を整える要因になった。サッチャー首相は不人気な宰相、異端に近い存在ではなくなった。女性が首相になれることを実証してもいる。しかし、首相の真価が問われるのは、一九八三年の総選挙だ。このとき野党は、サッチャー首相の立場をむしろ強化する役割を果たしてしまった。過去から脱却できない労働党に見切りをつけて、穏健派の指導者が離党し、社会民主党を結成した。この結果、野党が分裂することになり、失業率が高い点も、保守党の経済戦略に対して国民のはっきりした支持がない点も、それほど大きな問題にはならなくなった。

保守党の勝利は間違いないとみられていたが、それでもサッチャー首相は投票前の貴重な休息時間を割いて、ダウニング街十番地の住居部分の荷物を整理し、選挙に敗北して一晩で引っ越さなければならなくなる事態に備えた。結局、引っ越す必要はなくなった。保守党が圧勝したからだ。百四十四議席の大差は、「新エルサレム」の実現を目指した労働党が一九四五年夏の総選挙で獲得して以来のものであった。

これでサッチャー首相は、サッチャリズムと呼ぶにふさわしい政策を追求できるようになった。これは、キース・ジョゼフが講演で主張してきた数多くの要素をまとめたものである。ケインズ主

義の拒否、福祉国家と政府支出の抑制、経済に対する政府の直接介入の削減、国有企業の売却、馬鹿げたほど高く、罰則的な税率を引き下げるための一貫した努力、財政赤字削減の目標などである。これらの政策は、乳母国家の優しさを拒絶するためとも思える厳しさをもって、断固として主張された。おそらくはそのために、サッチャリズムに対する見方は二極化し、冷静な評価が難しくなったようにも思える。(15)

決定的な戦い

フォークランド戦争で勝利し、総選挙で勝利したことで、サッチャー首相はつぎの戦いに、イギリス経済の方向を変えるためには避けて通れない全面対決に乗り出せるようになった。つぎの敵は労働組合であり、過去の戦いで得た圧倒的な力をもちつづけていた。対決はまず、マルクス主義の闘士、アーサー・スカーギルが率いる全国鉱山労組とのにらみ合いの形をとった。その後に起こった戦いは劇的で、長期にわたるものになった。これが決定的な戦いにもなった。

石炭産業は一九四七年に国有化されていたが、恐ろしい勢いで赤字を垂れ流していた。政府の補助は年十三億ポンドに達している。合理化が不可欠になっていた。生き残れるとの希望を少しでももてるようにするには、閉山を進め、人員を整理するしかない。しかし、スカーギルらの労組指導部には妥協する意思はなかった。赤字がどこまで膨らんでも、閉山は一切認めない。労組指導部にとって、これは産業の現代化の問題ではない。階級戦争なのだ。

サッチャー首相らの政府首脳は、ほぼ十年前の炭鉱ストライキがヒース政権崩壊の決定打になった苦い経験を忘れてはいない。当時の動きによって、全国鉱山労組には政府の命運を左右する力があると一般にみられるようになった。したがって、鉱山労組との対決は避けることができないし、必要でもあった。サッチャー首相も、妥協するわけにはいかない。対決の準備のために、政府は中央電力庁に指示して、きわめて早い時期から石炭の在庫を積み増し、石炭生産が中断しても耐えられるようにしていた。一九七四年の電力供給カットと停電を繰り返すことはない。

ストライキは一九八四年三月にはじまった。対立は感情的になり、ときには暴力的になった。ストの過程で数千人が逮捕されたほどである。仕事に戻る意思を示した炭鉱夫はたえず脅迫され、家族まで脅された。国際的にも関心を集めた。西ヨーロッパの各国で、社会民主主義政党が街頭でカンパを集め、ストライキ中の労働者を支援した。全国鉱山労組はリビアのカダフィ大佐にも資金提供を呼びかけ、ソ連が支配するアフガニスタンの「労働組合」から募金を受け取り、ソ連からも受け取ったようだ。石炭公社と政府は強い圧力を受け、困難にぶつかりながらも、強い姿勢を貫いた。一年たって、ストライキはついに先細りになっていった。一九七四年とは逆に、鉱山労組が屈伏したのだ。政府は勝利を収めた。これによって、労働組合、経営、政府の基本的な力関係が変わった。イギリス経済の動きを決める基本が変わって、新時代がはじまったのである。数十年にわたった労働組合主導の保護主義の時代、イギリス経済が柔軟性を失い、赤字を垂れ流し、成長力を失った時代は、これで終わった。

民営化の誕生

石炭労働者との戦いは、経済政策の変化をもっとも端的に示すものであった。しかし、サッチャリズムのもっとも重要な部分、その基本的な考え方とならんで、世界各国にとくに大きな影響を与えた部分は、「民営化」と呼ばれるようになった政策である。これこそ、戦後のアトリー合意からの訣別を、もっとも極端な形で示すものである。一九九〇年代後半にはどこにでもみられるようになった民営化も、七九年の総選挙の前にはあまりに過激な政策だとみられていた。サッチャー党首を熱心に支持した人たちですら、あえて口にしようとしなかったほどなのだ。国有産業に関して主張できたのは、「柔軟性のない」財務目標の設定、政府省庁の介入の排除、効率性の重視、政府補助の廃止までであった。七九年の選挙公約では、民営化はごくわずかに触れられているにすぎない。それ以上に突っ込んだ政策を掲げれば、選挙を目前に控えて有権者がおびえるだけになろう。

七九年の選挙で勝利した後の政策も、おなじ路線に沿っていた。国有企業を「営利企業化」し、民間企業に似た経営方法をとるようにすべきだとの主張もあった。首相官邸の政策部門が、国有企業の「株式会社化」について検討している。しかし、サッチャー首相、ジョゼフ産業相らは、それでは不十分だと考えていた。もっと徹底した方針を望んでいたのだ。国有企業が民間企業の「真似」をするのでは、「ラバの背中に縞模様を描いて、シマウマですと言う」ようなものではないか。もっと過激で、もっと独創的な政策を考えていた。政府が事業から撤退する道を望んでいたのである。

そのためには、それまでになかった種類の事業を編み出さなければならない。当時、先進国にも開発途上国にも、この道をとる際に指針になるものがなかったからである。

この新しい「事業」には名前すらなかったほどで、一筋縄ではいかない。国有化の過程をへて政府が所有するようになった企業を民間の手に戻すのだから、すぐに思いつく名前は「非国有化」である。しかし、困った点があった。電話事業のように、国有化されたわけではなく、当初から政府省庁に付属する機関として発足したものもあったのだ。それに、「非国有化」ではいかにも否定的で、魅力がない。そこで、別の言葉として「民営化」が使われるようになった。もっともこの言葉でも、語感の悪さにそれほど変わりはないという意見もあった。民営化という言葉が、国有企業の売却の意味ではじめて使われたのは、十年以上前のことであった。一九六〇年代後半、デービッド・ハウエルという保守党の若手政治家が、「イギリスの巨大な国営セクターを解体し、同時に、イギリス社会で株式を所有する層を拡大する」計画を立案することになった。役立つアイデアがアメリカにないかと探していったとき、経済・社会学者のピーター・ドラッカーの著作で「民営化」という言葉を見つけた。それほど魅力的な言葉だとは思わなかったが、それでも考えていたことをうまく表現できる言葉だと判断し、六九年に発表した「政府の新しいスタイル」のなかで使うことにした。ハウエルによれば、この考え方はそのまま「眠りについていた」が、やがてジョゼフとサッチャーに取り上げられた。

この言葉で面白いのは、その支持者がひどい言葉だと思う一方で、便利な言葉であることを認めている点である。サッチャーはこう述べている。「好きな言葉ではない。ほんとうは自由企業制度と

いうべきだ。それでも、この言葉を受け入れるしかなかった。一語であらわせる良さがある」。サッチャーは「民営化」という言葉を嫌って、しばらくは一切使わなかったほどだ。しかし、全員がそうしたように、やがて抵抗をあきらめた。サッチャー政権でエネルギー相、蔵相をつとめたナイジェル・ローソンはこう書いている。「もっと良い言葉をだれも考えだせなかった。そして、この言葉や、それを直訳した言葉がいまではシベリアからパタゴニアにいたる世界各地で使われているのだから、これを使いつづける方がいいだろう」

サッチャー首相がこの言葉はともかく、考え方を採用したのは、財政収入を増やしたり、労働組合の力を抑えること以上の意味があるとみたからである。社会のバランスを変えることが狙いだった。「民営化によって、広範囲な国民が資本を所有する民主主義という夢を実現しようと考えた。国民が家をもち、株式をもち、社会に利害関係をもち、つぎの世代に遺す富をもつ国、そういう国を実現したかった」。首相が民営化に熱意をもやしたのは、この夢があったからである。

労働党の政治家は第二次大戦の前後、国有企業を博愛主義の事業であるかのように宣伝した。「公営企業は資本主義者の事業、利益と配当だけを存在理由にし、目的にする事業であってはならない。取締役会と役員は、自分たちが公益を守るよう委任された立場にあることを認識しなければならない」と、労働党の政治家で、戦後の国有化計画に大きな影響を与えたハーバート・モリソンが語っている。しかし現実には、この高い理想は実現しなかったと、サッチャリズムの唱導者は主張した。政府は将来を見通す点で、民間企業より少しでも優れていただろうか。民間企業より高い水準の知識を入手できたのだろうか。サッチャリズムの唱導者は、政府の知識を信用していなかった。ロー

ソン元蔵相が語ったように、政府は、「将来との間に特別のホット・ラインをもっているわけではない」のだ。実績をみていけば、事実は正反対だといえる。変化に対応できる柔軟性に欠けているのだ。

国有企業は、当初のビジョンがどうであれ、実際には雇用の面でも、きわめて非効率的で、柔軟性を欠き、実績が低迷していた。必要な水準をはるかに超える人員を維持し、さらに雇用を増やすよう政治的な圧力を受けていたからである。また、労働組合からの賃上げ要求に抵抗できず、このために、インフレをもたらす大きな要因になった。事業の効率が低く、労働組合の圧力に弱く、市場での競争から守られているので、巨額の損失を積み上げるようになり、納税者にツケをまわすようになった。ローソン元蔵相によるなら、「公的資金という名の無限の財布をあてにする」ようになった。賃上げであれ、工場立地、大型プロジェクト、機器などへの投資であれ、どのような決定でも、企業自体の利害に基づくものではなく、そのときに政権の座にある政治家の意向による政治的な決定になる危険があった。国有企業に欠けていたのは、産業国有化を主張する労働党の政治家がもっとも嫌っていたもの、すなわち、市場によってもたらされる規律である。一九八二年、ローソン・エネルギー相がこう語っている。「企業の公的所有がもたらしたものは、買収の脅威を取り除き、最終的には倒産しかねないという脅威を取り除き、民間企業なら時に応じて行なわざるをえない市場からの資金調達の必要をなくすことである」。さらに、イギリス型の公的所有では、製品が市場に適合したものにならず、消費者や買い手のニーズや希望はほとんど考慮されなかった。

サッチャリズムの支持者の間で、民営化が大義になった。キース・ジョゼフが国内各地をまわっ

て講演した「流れの逆転」を体現するものなのだ。株式所有者の幅を広げ、国民が私有財産に既得権をもつようになれば、イギリスの政治文化が変わるだろう。国の役割にはっきりした制限ができ、サッチャー政権の政策のうち少なくとも一部は、逆転させることが事実上できなくなるだろう。企業も効率性を高め、消費者に価値を提供するようになるだろう。国有企業が「無限の財布をあてにする」ことがなくなり、GNPに占める政府の比率が低下する。それに、巨額の代金が大蔵省に入り、減税の財源にもなる。

とはいえ、民営化に広範囲な国民の支持があるという感覚はまったくなかった。官僚はどうかといえば、民営化を妨害するような動きはみせなかった。一九七〇年代に国有企業でさんざん苦労してきたために、混合経済の原則に魅力を感じている官僚ですら、それを現実にうまく機能させる見込みはないとみるようになっていた。それに、民営化に代わるうまい案もない。それまでの考え方では、もはや万策尽きていたのだ。サッチャー政権で閣僚をつとめたジョン・ウェイカムが回想している。「民営化の原動力のひとつは、八方ふさがりで今後どうすべきか、まったくわからないという見方が、官僚の間で一般的になっていたことだ。計画、国有化など、それまでの政策はすべて失敗した。国有産業は巨額の損失をだしていた。だから、なにか新しい政策を試してみたいと考えていた。保守党の新政権に対する官僚の反応は、『これまでより悪くなるはずはない』というものだった」

キース・ジョゼフが産業省で民営化をまず取り入れ、新政権が発足した日に、デビッド・ヤングを民営化担当の特別顧問に任命した。ヤングはこう語っている。「新政権は政府の役割を縮小し、政

府支出を削減する方針を固めていた。それには民営化が不可欠になる。大きな問題は、国有企業を民営化できる状態にしなければならないことだ。しかし実際には、赤字が巨額にのぼっていたのは、経済の管制高地に位置する企業ではなく、石炭をほぼ掘り尽くした炭鉱など、時代後れの産業だった。売却できる企業は売却し、その他の企業は赤字を減らし、必要に応じて閉鎖し、経営体制を確立していこうと考えた」

このような状況であったため、後に大がかりになる民営化も、当初はきわめて小規模なものになるしかない。初期に民営化された企業には、ケーブル＆ワイヤレス、ブリティッシュ・エアロスペースなどがある。高速道路沿いのガソリン・スタンド、国有鉄道が所有していたホテル、医療用の放射性同位元素のメーカーも売却された。初期の民営化で最大になったのは、結局、居住者への公営住宅売却であった。

ときには、民営化に向けたごく小さな動きですら、新聞、国民の一部、国有企業の労働組合から、猛烈な反対を受けることがあった。国有企業の経営陣も自分たちの縄張り、自分たちの領土が縮小するのを嫌って、反対の合唱に加わった。売却の対象になった事業がなんなのかは、ほとんど無関係なようにも思えた。ブリティッシュ・ガスは、きわめて広範囲な独占を認められていた。同社が国有企業として設立されたのは、国全体に近代的で総合的なガス供給網を作り上げるためである。その市場はきわめて広かった。ガス・ストーブなどの機器の販売も独占し、全国の九百の販売店で取り扱っていた。一九八一年、政府はこれらの店舗を売却すると発表した。独占のために競争がなくなり、価格が高くなり、輸出意欲が薄れていることが理由だった。また、ガス機器の販売まで国

が独占しなければならないというのは、なんとも理屈に合わない。ガス・レンジの安全を守る点で、政府にどのような特別の技術があるというのだろう。

しかし保守党の政治家は、なにが待ち受けているのか、ほとんど気づいていなかった。ブリティッシュ・ガスの労働組合が、どんなに周辺部のものであっても帝国の一部を失いたくない経営陣にそそのかされ、労働党の下院議員と協力し、保守党議員の一部とすら協力し、販売店売却の計画を糾弾した。ローソン元エネルギー相が書いている。「経済の管制高地とはとても呼べないものをめぐって、どれほどの嵐が起こるのか、われわれのほとんどだれも、気づいていなかった」。政府に反対する人たちは、「国有の販売店網の民営化が、……偏狭なイデオロギーに基づいてイギリスの生活様式に攻撃を加えるものであるかのように描くことに、驚くほどの成功を収めた。地域社会の核になっているのは、教会でもパブでもなく、地域のガス器具販売店であるかのようだった」。このとき同氏は、反対運動のすさまじさに仰天し、安全に関する法規が成立するまで販売店の売却を先送りすると発言して、面目を保ちながら一時退却することで合意をとりつけている。[16]

しかし、どのような方法をとればいいのか

フォークランド戦争の後、サッチャー政権は、経済の管制高地にまともに位置する国有企業を民営化できる力をもつようになった。しかし、その際にとくに大きな障害になった点として、「民営化がそれまで、事実上、一度も行なわれたことがなく、……参考になるような先例がどこにもなかっ

た」ことをローソンがあげている。決めなければならない点がいくつもあった。国有企業の株式を国民全員に無料で分配すべきだろうか。それはありえないとローソン蔵相は断言し、アメリカ独立戦争を戦ったトーマス・ペインの言葉を引用した。「安く手に入れたものは、軽々しく扱うことになる」。では、株式の売り出し価格をどう設定すべきか。価格が高すぎれば、投資家に敬遠されるし、価格が低すぎれば、政府が不必要に安売りすることになる。なによりも重要な点として、売り出しの後、株価が下がるのではなく、上がるような価格でなければならない。そうなるように価格を設定するにはどうすればいいのか。従業員や小口の投資家が「政府放出株」を購入するようにするにはどうすればいいのか。政府は国民の購買意欲を高めるために、テレビ用のコマーシャルをつくった。シドという名の平凡な市民を主人公にし、株主になれる機会を逃さないようシドに呼びかける内容であった。

もっとも緊急の課題になったのは、じつは、国有企業の財務実績を正確で意味のある形でまとめ、それを民間企業で使われているわかりやすい会計基準にしたがったものにすることであった。ローソン元蔵相が語っている。「国有企業だったブリティッシュ・テレコムをはじめて検査したとき、まるで東欧企業のように経営されていた。どの事業が黒字でどの事業が赤字なのか、経営陣にはまったくわかっておらず、まして、管理会計の詳細など、なにもつかんでいなかった」。デビッド・ヤングによれば、「ブリティッシュ・テレコムはまったくの混乱状態であった」という。従業員五百人の小さな部門が、「穴だらけの会計システムをもっていた。それ以外の部門はすべて、大きな大きな鍋のなかにつっこまれていた。地域別のコストはわからないし、それよりもなによりも、どんなコス

トもわからない。なにかを購入すると、そのことはもう忘れてしまう」

この点は、さらに大きな課題があることを示していた。国有企業は、「経営再建」が終わらなければ民営化できないのだ。赤字の事業を削減し、組織を再編し、収益をあげられる基盤を確立しなければならない。そうしておかなければ、企業の株式を買おうとする投資家があらわれるはずがない。ブリティッシュ・スティールがこの点を示す好例だといえる。同社は一九七〇年代半ばから八〇年代半ばまでに百億ドル以上の赤字をだした。当初は、公的資金の流出をくい止めることを目的に、事業再編が進められた。八〇年代になってようやく、民営化が目標になった。同社の株式がついに売り出されたとき、従業員数は大幅に削減されており、生産性は劇的に上昇しており、設備は合理化されていた。そして、黒字経営になり、国際競争力をもっていた。

しかし、損益を超えた問題を抱える特別な例もあった。たとえば、原油などの「戦略的」な資産が、外国企業に支配されないようにするにはどうすればいいのか。民営化がはじまったのは、一九七〇年代の石油ショックから何年もたっていない時期だったのだ。北海油田を一部国有化する決定が下されたのは、もともと、石油ショックのためであった。この点について、ローソンはきわめて創造的な方法をとった。十年ほど前にフィナンシャル・タイムズ紙の株式欄のコラムニストだったころ、「奇抜な株式構造」をもった企業があることに気づいた。「ごく少数の株式を保有している株主が、きわめて大きな力を行使できる」ものになっていた。ジャーナリストとしては、賛成しかねるものであった。しかし、政治家としては天の恵みになる。これをヒントにローソンは「黄金株」の仕組みを考えだした。「民営化の後にも政府が保有しつづける特別の株式で、それによって政府は

民営化された企業が不適切な者に支配されるのを防ぐことができる」。「不適切な者」とは、「外国人」を婉曲的に表現した言葉である。婉曲表現ではあっても、政治的にはじつに見事な効果をあげた。[17]

はるかに大規模な政策

サッチャー政権は最終的に、当初はだれも予想しなかったほどの規模の民営化を実行することができ、国の前線を後退させることができた。一九八二年と八四年、北海原油・ガスに対する政府の持ち分を民営化し、その過程で設立された企業のひとつ、エンタープライズ・オイルは、いまでは世界最大の独立系石油会社にまで成長している。ブリティッシュ・ペトロリアムの株式を売却した。この株式は第一次世界大戦の直前にウィンストン・チャーチル海相の主張で購入されたものである。港と空港も民営化された。ヒースローなどの空港は、現在では民間企業のBAAに所有・経営されており、同社はアメリカでも空港を運営している。

ほんとうに大規模な民営化の第一号になったのは、国営電話事業の分離によるブリティッシュ・テレコムの設立であった。この民営化は他のどの案件よりも、生産者の重視から「消費者」の重視へ、経済の性格を変える点で重要な役割を果たした。また、民営化が一気に拡大する突破口を開くものになった。北海の油田やガス田の権益を政府がもっていようと、民間企業がもっていようと、国民の日常生活には直接の影響はない。電話の場合には日常生活に直接かかわってくる。油田とガ

ス田の民営化の際には、ごく少数の人たちが関心を示しただけだった。電話に関しては、劇的な動きが起こっていることは、ほとんどの国民が知っていた。電話事業は、ジョゼフ産業相が分離するまで、郵便事業の一部になっていて、さまざまな点で国有企業の最悪の面を象徴していた。国による官僚的な管理で、技術革新が抑えられていた。消費者には顔を向けていなかった。新しい電話機を手に入れるのに、何か月もかかる。電話機の選択の余地は二つしかない。電話局が指定するものを受け取るのか、受け取らないのかだけである。電話が故障したとき、それほど時間をかけずに修理してもらう方法はひとつしかない。修理係に袖の下を払って、時間外にきてもらう方法である。公衆電話は数が少なく、悪臭がしていたり、故障していることが少なくなかった。

デビッド・ヤングが回想している。「ブリティッシュ・テレコムの本社に行って幹部の話を聞いたとき、事務所の環境や、年金や、その他さまざまな点について語ってくれた。しかし、顧客についてはだれも話さなかった。古くなったビルから新しいビルにある部門が移転するとき、労働組合は補償を支払うよう強要していた。労働環境を良くした『迷惑料』として、従業員一人当たり数百ポンドを支払えというわけだ。ところが新しい電話をひこうとすると、準備がすべて整ってもなかなかやってこない」

民営化の前に、他の手段もとられている。長距離電話市場にマーキュリー社が参入し、技術革新が促された。第一期サッチャー政権のある火曜日、ジョゼフ産業相が議会で、いずれ電話機を一般の小売店で販売できるようにすると発言した。二日たって、デビッド・ヤングが通勤の途中にローワー・ブルック通りを歩いていると、ある店のショーウィンドーに急遽輸入した各種の電話機がな

らんでいた。販売はまだ違法だったのだが。産業省についたヤングはすぐに大臣室に行って、興奮して報告した。「市場が機能するようになった」

ブリティッシュ・テレコムが実際に民営化されたのは、一九八四年十一月であった。同社株の五〇パーセント強が第一回の売り出しで民間に売却され、総額は六十億ドルであった。大規模で人気の高い民営化株市場が作り出された。奇妙なことに、民営化の後に電話サービスに関する苦情が増えている。しかし、これには十分な理由があった。「民営化以前の古き良き時代には、だれも苦情を言わなかった。苦情を言っても意味がなかったからだ。聞いてくれる人がいなかった」とヤングは語る。民営化の後には、苦情を言えば聞いてもらえるようになったのだ。ブリティッシュ・ガス、英国航空、ブリティッシュ・スティールがその後に続いた。やがて、ブリティッシュ・コールとブリティッシュ・レールも民営化された。国営水道は地域水道会社に分割して民営化された。とくに大型だったのは、国有独占企業だった中央電力庁を、地域配電会社十二社[*]、発電三社、自由なアクセスを保証した送電会社一社に分離分割し、民営化したことである。

その後十五年の民営化の過程で、さまざまな批判がだされている。大型の案件ではそのたびに、資本市場が吸収できる規模ではないという批判が、決まり文句のようにだされた。実際には、規模が大きすぎて消化できなくなるケースはなかった。株式の売り出し価格にも批判がたえなかった。低すぎるという批判か、高すぎるという批判がだされた。保守党の長老で混合経済と中道路線を主

*——地域配電十二社のうち、後に十一社が買収されており、うち七社はアメリカの電力会社に買収された。

張するマクミラン元首相が、少なからぬ国民の声を代弁して、家宝（ブリティッシュではじまる社名をもつ企業）を売り払うのかと批判した。これに対しては当然ながら、「家宝」を大切にしまっておけるほど裕福ではなくなったのだとの反論がだされた。

国有企業の多くは民営化の前の方が、効率性と生産性の向上のペースが速かったと指摘する人もいた。これに対する反論としては、これらの改善が必要に迫られたものであったこと、民営化が迫ってきたために市場の規律と圧力を受けるようになった結果であることが指摘された。後になると、民営化された企業の幹部や取締役が俸給とオプションの形で受け取る報酬が急増し、マスコミに大きく取り上げられるようになった。国有企業の時代に人員がとてつもなく過剰になっていた各社で、従業員数が大幅に削減されていただけに、経営陣の報酬の増加が目立つことになった。巨額の報酬を受け取る経営者は「太った猫」と呼ばれるようになり、国民の怒りの的になった。民営化された企業では、従業員数が二〇パーセントから四〇パーセント削減されたケースが多い。そして、サービスの質が向上し、事業の効率性が高まったことは疑問の余地がない。しかし、職を失った人たち、とくに中高年齢で解雇された人たちにとって、再就職先を見つけるのは簡単ではない。民営化がもたらした合理化の動きで、「減量」したイギリスではしばらく、失業者数が大幅に増加している。しかし、失業の増加は一時的な現象にとどまった。一九九〇年代後半になると、失業率はヨーロッパ大陸諸国にくらべてはるかに低くなった。

民営化によって、規制面で新たな課題が生まれてきた。国有産業は、政府の省庁によって管理されていた（管理が非効率な場合が少なくなかったのは事実だが）。民営化によって、ガス、電力、水

道など、基本的な公益サービスの提供が民間企業に任されることになった。コストがかかっても国民全体にサービスを提供することが使命ではなくなり、収益性が判断の基準になった。この新しい体制がうまく機能するには、競争を維持し、消費者を保護する規制機関が必要である。しっかりした規制を確立しなければ、新体制は国民に受け入れられない。アメリカの規制の歴史を学べば、もっと良い制度ができるはずだ。保守党政権は規制をできるかぎり「軽い」ものにし、しかも効率的なものにする方法を求めた。規制が負担になりすぎたり、介入しすぎたりしては、政府の役割を縮小する目標と矛盾してしまうからだ。そこで、政府はそれぞれの業界ごとにひとりずつの「規制官」を任命し、業界の慣行の監視と価格設定規則の制定をできるかぎり少ない人員で行なうよう求めた。

しかし、「軽い規制」としてはじまったものが、短期間のうちにはるかに大きな規制機関に成長していった。国有独占企業から民間企業への移行によって発生する規制の必要が、過小評価されていたのだ。民間企業による独占や複占が形成されるリスクは、きわめて大きかった。また、電力業界などで複雑な価格設定の仕組みを維持し、監視していくのは、簡単ではないことがわかった。このような理由で、当初の「規制官」の概念が非難をあびるようになり、本格的な規制機関を確立する方向に動いていった。いくつかの機関は、数百人の人員を抱えるようになった[18]。

「少しは定着した」

一九八七年、サッチャー首相は三回目の総選挙でも勝利を収め、サッチャリズムがそれまでの流

れからの一時的な逸脱ではなく、流れの方向を変えるものであることが確認された。「わたしもこれで、イギリスの社会に少しは定着したのではないかと思っている。『あのマギーも、そんなに悪くはないんじゃないか』と考えてもらえるようになったようだ」と、選挙の直後に語っている。このころ、首相はさまざまな仕事を抱えながら、もうひとつ、個人的な目標を追求するようになった。旧約聖書を始めから終わりまで読み、毎日、どこまで進んでいるかを側近に伝えるというものである。「旧約聖書は律法の書であり、新約聖書は慈悲の書だと教えられてきた。しかし、そういえるのかどうか、よくわからない」と後に語っている。

しかし、一九八七年の勝利は、ひとつの時代の終わりの始まりでもあった。保守党政権は地方税制度を抜本的に改革して人頭税を導入する政策に固執し、国民の怒りをかった。そして、サッチャー首相は欧州共同体（ＥＣ）を強化する動きを、ナショナリズムの立場から感情的に攻撃する姿勢を強めた。ブリュッセルに怪物のような官僚機構が登場し、自国の主権を奪おうとしていると罵倒した。とくに、ヨーロッパ通貨統合の計画に怒りをあらわにした。この計画が実行されれば、ドイツがヨーロッパ全体に対する覇権を握ることになるとみていたからだ。あまりに強硬な姿勢をとった結果、なによりも、サッチャー革命の実現にあたってとくに大切な味方であった政治家の何人かが離れていった。イギリスはヨーロッパの一員として統合の過程に影響を与えるべきであり、ヨーロッパ統合の部外者としてそれを攻撃する立場に立つべきではないと考えていたからだ。首相の指導スタイルによって、内部対立がいっそう悪化した。自分の意見を頑固に主張するばかりで、他の意見には耳を傾けなくなってきたように思えた。反対意見を許容しようとする姿勢をほとんどみせ

なくなり、とくに親密な政治家すら侮辱するようになった。野党との間だけでなく、党内ですら、対立をもたらす要因になった。

短期間、息をつける時期もあった。一九九〇年八月、イラクがクウェートに侵攻したとき、首相はコロラド州アスペンで開かれた会議にブッシュ大統領とともに出席していた。そこで会談した大統領に、既成事実を認めないようにクギをさした。「大統領、ぐらついている時間はありません」。フォークランド戦争の教訓（そして、宥和政策の教訓）が、首相にとって大きな意味をもっていた。

しかし、国内では、首相の政治的な立場はあきらかにぐらついていた。民営化の立役者であったナイジェル・ローソン蔵相が一九八九年に辞任した。サッチャー首相にとって長年にわたってとくに密接な味方だった政治家に、ジェフリー・ハウがおり、当初四年間は蔵相、その後六年間は外相をつとめてきた。しかし首相は、ヨーロッパ統合への反対姿勢がしっかりしていないと判断して外相の座からはずし、下院院内総務と副首相のポストを与えて労に報いる形をとった。一年少したって、ハウはもうたくさんだと思った。強圧的な指導スタイルにも、ナショナリズムをむきだしにしていると思えるECへの反対姿勢にも、耐えられなくなった。九〇年十一月の辞任演説は、無念さをこめながらも、サッチャー首相との意見の違いを明確にするものであった。この演説を契機に、保守党党首の座に挑戦する動きがはじまった。サッチャー首相は訪問先のパリで、第一回投票の結果を聞いた。一位にはなったが、当選に必要な得票数には達しなかった。その夜、ベルサイユ宮殿で、ミッテラン大統領が主催する優雅なバレエの公演と晩餐会があった。首相はきわめて沈着だった。しかし、ある国の指導者がつぎの投票で勝利するよう期待していると声をかけたとき、首相は

答えた。「いいえ、戦いは終わったのです」。あくまでも再選を求めれば敗北し、屈辱を味わうことになると説得され、サッチャー首相は第二回投票には立候補しないと表明した。数日後、サーカス芸人の息子で実業家出身の政治家、ジョン・メージャーが保守党の新しい党首に選ばれ、首相の座を引き継いだ。

サッチャーの時代は終わった。退任を惜しむ声が噴出したわけではない。首相の不人気は党派を超えて広がっており、保守党内でもかなりの部分を占めていた。独善的で、硬直的で、無神経だとみられていた。首相の強さ、信念を貫き通した点も、没落の原因になった。ジェフリー・ハウが後に述べたように、サッチャーは「偉大な首相」であった。しかし、「サッチャーの悲劇」は、「在任期間の終わりにかけて、妥協を排して自分の意見をあくまでも押し通そうと、かたくなな姿勢をとるようになったことにある。最後の数年には、個人、政府、党、国の間の区別がなくなっていった。……国の主権という衣を着せて、自分の意見を至上のものとしてそのまま受け入れるよう主張したのは、堕落というほかかない」

それでも、サッチャー首相は、ほとんどの政治家には考えられないほど、強い影響力を長期にわたって及ぼしている。国と市場に対する姿勢を変え、政府を企業経営から撤退させ、政府の知識に対する信頼を薄れさせた。サッチャー革命によって国の責任から個人の責任に重点が移り、所得の再配分と平等ではなく、事業意欲、勤労意欲、富の創造が最優先されるようになった。起業家精神がもてはやされるようになった。民営化はごく普通になった。労働争議で経済が繰り返し混乱することもなくなった。何年にもわたって、サッチャリズムはほとんどあらゆるところで、疫病神のよ

うに思われていた。しかし一九九〇年代には、サッチャーの影響で、世界各国の新しい経済政策が確立されるようになっていた。

数値をみていくと、イギリスの経済がどれほど変わったのかが理解できる。一九九二年には、かつての国有企業のうち三分の二が民営化されている。九十万人の従業員をかかえる四十六の大企業が民営化されており、政府は三百億ドルを超える代金を受け取っている。かつては国庫に大きな負担をかけていた企業が、税収の大きな源泉になった。株式を保有している人たちの数は三倍の九百万人になり、成人人口の二〇パーセントに達した（もっとも、九百万人のうちかなりの部分は、わずかな株数しか保有していない）。そして、民営化の成果のなかでもっとも重要な点は、労働組合改革とともに、四五年以来のイギリス経済の基本的な力関係、七九年には国全体をほとんど麻痺状態に陥れることになる力関係を変えたことである。七九年には、勤労者一千人当たり一千二百七十四労働日がストライキによって失われた。九〇年には、これが十分の一以下の百八労働日になった。イギリスの政治文化と経済文化は様変わりした。キース・ジョゼフの文化革命は、さまざまな非難を受けながらも、かなりの程度まで成功した。七五年にはアメリカ移住を考えたデビッド・ヤングは、四年後にジョゼフ産業相の特別顧問になり、のちにサッチャー政権の閣僚になった。いまの時点で振り返って、こう述べている。「サッチャー政権の時代に、イギリス経済は生産者主導型から消費者主導型に変わり、競争力をもつようになった。信念がこの過程の原動力になった[19]」

「すべては信念からはじまる」

年月がたつとともに、サッチャリズムに対する痛烈な反感は薄れていった。ジョゼフとサッチャーの二人がはじめたことは、もはや過激なものではなくなり、イギリスの新しい合意の核心ともいえるものになっている。一九九七年、「新しい労働党」が、サッチャリズムを攻撃するのではなく、その主張と政策のかなりの部分を取り入れて、政権を奪った。もっとも、優しさを強調した点で、サッチャリズムと一線を画している。

サッチャー女男爵（一九九二年からそう呼ばれるようになった）にある日の午前、インタビューしたとき、考え方と政治が話題になった。「以前には、庶民が労働党員になるとき、生活をよくしたいと希望していた」。ロンドンの高級住宅街、ベルグレービアにある瀟洒なテラスハウスにサッチャー財団があり、二階の応接室の小さな長椅子にサッチャーは坐っていた。「いまでは、法のもとでの自由と企業活動の方が、産業と国民に対する政府の大がかりな介入より良いことが理解されている。新しい労働党は、社会主義がなんであり、どのように失敗したかを理解しており、まず富を創造しなければ再配分もできないことを理解している。社会主義は、富の創造の前に、再配分からはじめる」

サッチャーは話しつづけた。「社会主義は長く時代の流行だった。われわれはこの国で社会主義を実験してきた。保守党は政権を握っても、その動きを逆転させせようとはしなかった。わたし自身は、

一度も社会主義に共鳴したことはない。わたしにとって、ものごとはきわめて単純だ。国が国民になにをすべきか命令するべきではない。自分の経験から、この信念が強まった。社会主義者の方法では衰退を容認することになる。このことが国民にあきらかになってきていた。国民が衰退を容認することなどあるだろうか」。元首相は頭を振った。

では、政府の役割はなんなのか。「第一に、財政を健全にすること。第二に、法律の適正な基盤を作り上げ、産業、商業、サービス、政府がいずれも活発になれるようにすること、第三に、防衛がある。教育が第四で、これは機会を得る道になる。第五は社会保障だ。社会はますます複雑になっており、基本的な問題に答えるにあたっては、これまで以上に高度になる必要がある。たとえば、効果的な社会保障を提供する一方、国に依存する文化を作り出したり強めたりしないようにするには、どうすればいいのか。市民社会の美点を維持するにはどうすればいいのか。それに、インフラへの支出があり、純粋科学への支出もある……」

そして、サッチャーは付け加えた。「サッチャーの法則を忘れてはいけない。予想外のことが起こる。だから、それに備えておく方がいい」

サッチャー元首相にとって、「予想外のこと」のひとつとして、イギリスで取り組んだ政策が全世界に影響を与えた点がある。「一九八一年にある国の蔵相が訪問してきた。『イギリスの政策にはとても興味をもっている。イギリスで成功すれば、他国も追随するだろう』と言った。その点は考えてもいなかった」。結局、他国は、サッチャリズムの影響を認めた場合もあれば、距離をおこうとした場合もあるが、たしかに追随することになった。

階段をおりるにあたって、サッチャー元首相は最上段で立ち止まり、それまでの議論を振り返っていた。サッチャー革命自体が予想外のことであった。一九七〇年代半ばに、ここまでの変化を予想した者がいただろうか。「サー・キース・ジョゼフとわたし、政策研究センター、それに経済問題研究所のハリス卿がはじめたことだ。そう、出発点は考え方、信念だった」。しばらく間をおいて、こう続けた。「そう、信念を出発点にしなければならない。すべては信念からはじまるのだ[20]」

第5章

信認の危機

世界的な批判

chapter 5

CRISIS OF CONFIDENCE:

The Global Critique

それがどのようにして起こったのかは、よくわかっていない。振り返ってみれば、起こるべくして起こったように思えるが、一九八九年十一月九日の夜に起こったことは、偶然の産物でもあった。この夜、ベルリンの壁を東独側で守っていた国境警備隊が、まったく混乱していたことはたしかだ。この日、東ドイツの政権党、社会主義統一党では中央委員会総会が開かれ、果てしない議論と多数派工作によって党内の主導権争いが繰り広げられていた。党ベルリン市委員会のギュンター・シャボウスキー委員長がテレビで生中継される記者会見に出席しようとしたとき、エゴン・クレンツ書記長から内務省の新規則の草案をわたされた。

「これは大評判になるかもしれない」と書記長は言った。

たしかに、大評判になった。この草案には、西側を訪問する際のビザ取得手続きの改正案が書かれていた。この点は、とりとめもない記者会見で話した内容の中心ではなかった。他のことに気をとられていて、読んだ草案の内容はあまり理解できていなかったし、まして、それをどう説明するかは、わからなかった。それに、まだ草案の段階のものでしかない。それでも、イタリア人記者の質問に答えて、東ドイツ市民が無制限に西側に旅行できる、それもいますぐにそうできるという意味のことをしゃべったように聞こえた。クレンツ書記長は後に、この発言を「小さな間違い」だったと語っている。どうみても、控えめにすぎる表現である。

夜の七時前後のことであり、東ドイツ国民のかなりがテレビで記者会見のもようをみていた。シャボウスキーの発言に反応して、まず数千人が、やがて数万人が、そして数十万人がベルリンの壁に向かい、内容がよくわからないまま、新政策とやらを試してみようとした。家族そろって街に飛

び出し、なかにはパジャマ姿のままの者も少なくなかった。それから三時間、壁の前の群衆は膨れ上がり、立ち去るのを拒否して、掛け声をあげた。「ゲートを開けろ、ゲートを開けろ」。共産主義者が支配してきた時代、国境警備隊には、市民が壁を突破しようとしたときにどうすべきか、どこまでも続くかに思えるほどこと細かな指示書が配られていた。しかし、このとき、考えられないことが起こっていた。このような事態にどう対処すべきかは、指示書のどこにも書かれていない。この状況にどう対応するかは指示されていない。そのため、国境警備隊は身動きがとれなかった。発砲すべきなのか、ゲートを開けるべきなのか。混乱状態のなかで、警備隊はゲートを開ける方を選んだ。数十万人の東ベルリン市民が殺到した。西側には西ベルリン市民の群衆が待っていて、抱き合い、ビールとシャンパンをふるまった。

信じられない事態だった。わずか一年前に、西ドイツのコール首相が自分の生きている間には起こらないだろうと言っていたことが、まさに起こっているのだ。この瞬間に、ベルリンの壁は事実上、崩壊した。東ベルリン市民と西ベルリン市民は共に踊り、共に歌って夜をあかした。東も西もない、全員がおなじベルリン市民になったのだ。翌日、東ドイツ社会主義統一党の緊急会議で、ひとりの参加者が新しい現実をこう表現した。「党は基本的におしまいだ」。それから間もなく、東ドイツは姿を消した。ベルリンの壁は解体され、その破片は過ぎ去った時代の記念品として販売された。冷戦は終わった。終わりを告げたのは銃声でもすすり泣きでもなく、お祭り騒ぎであった。

ベルリンの壁は東と西の分裂、共産主義と資本主義の対立を象徴していた。壁の崩壊も、対立の時代の終わり、新しい時代の始まりを象徴する大きな事件になった。このときに消えたもののひと

つに、知識の世界の壁がある。考え方と知識がふたつの違った世界に分かれ、それぞれに数十億人が属していた時代が終わり、全体がひとつの世界になった。そして、ひとつの市場になった。共産主義は国による経済の管理をもっとも極端な形にまで推し進めたものだったので、共産主義の崩壊によって、思想の世界でも大きな変化が起こった。国による管理から市場経済に、常識が変化した。共産主義の経済モデルが成功を収めているようにみえたこと、したがってその権威が高まったことが、政府による経済の管理の普及をもたらす重要な原動力のひとつであった。時代は移り、マルクス主義と共産主義制度の失敗が、新しい時代を形成する重要な要因になった。

この新しい時代の特徴は、基本的な思想の変化によって、世界各地で経済の組織に関する考え方と政策が急激に変化した点にある。地域によって、国によって、さまざまな変形がある。しかし、全体としてみると、この変化によって国家主権の問題が解決し、植民地主義と帝国主義の時代の遺産もようやく過去のものになったとみられるようになり、経済が政治より優先されるようになった。さらに、共通の考え方と見方が中心軸になり回転軸になって、政府と市場の関係がこの軸を中心に振れるようになった。では、この新しい時代はどのようにしてはじまったのだろうか。先進工業国の混合経済に対する失望からはじまったのである。[1]

信認の危機

経験は最良の師である。一九七〇年代から八〇年代にかけての経験によって、主流の座を占めて

いた混合経済に疑問がだされるようになり、その能力を懐疑的にみる見方が広がっていた。その結果、政府の能力を真っ向から否定する者もでてきた。それ以外の人たちの間でも、不安感が高まり、戦後の経済構造がもはや、当初に意図された役割を果たさなくなったのではないかという疑問が強まった。いずれにせよ、栄光の三十年間によって生まれた信認がなんらかの形で薄れてくるとともに、姿勢の変化がみられるようになった。新しい思想に触れて啓示を受けたというより、現代の経済を運営する政府の能力に限界があることを、経験から学んでいったのである。

戦後三十年間にわたって、経済を成長させ、生活水準と国民の福祉を向上させるには、いずれかの形の中央計画が必要だという見方が常識であった。必要になる調整の範囲はきわめて広く、国以外にはそれを担えるはずがないとみられていた。この常識を支えていたのは、信認である。国の計画と調整がうまく機能するには、政治的な指導者が（もちろん、選挙の洗礼を受け、力を再確認されたうえで）、きわめて不確実な未来を予想するのに必要な知識を結集でき、経済運営の手段をうまく使って国の見通しを改善でき、将来をもっと確実なものにすることができると、国民や企業が信じていなければならない。混合経済を運営する政府は、この任務を遂行するために、五つの手段をさまざまに組み合わせてきた。規制、計画、企業の国有、産業政策、ケインズ主義の財政政策である。この五つを補強するものとして、第六に金融政策があった。これらの手段の組み合わせ方は国によって違っており、各国の伝統と歴史の違いがその背景になっていた。

政府が経済に関与する際に基本的な根拠になったのは、「市場の失敗」という経済学の概念である。経済に関して、達成するのが望ましい点のなかには、個々の市場参加者の手に余る調整を行なわな

ければ達成できないものがいくつかある。市場にはこのような限界があるので、政府が関与し、必要な調整を行なう。投資期間と投資収益が大きな問題になることが少なくない。民間企業に任せていては、投資を進められない場合がある。成果があがるまでに時間がかかりすぎる投資や、投資を行なった企業ではなく、社会全体が利益を得られるような投資がそうだ。インフラストラクチャーは開発に時間がかかりすぎるものの例であり、基礎的な研究開発は、利益が社会全体に拡散し、投資資金を支出した企業が確保できなくなりかねないものの例である。

市場の失敗には別の意味もあった。知識の面での失敗、知識の不足である。「政府の知識」、つまり、政府がもっており、もつことを期待されている知識は、「企業の知識」とは違っている。大学でも、違った学部で教えられている。法学部や政治学部であり、経営学部ではないし、まして職業学校ではない。経済活動が将来を志向するようになり、幅広い国民に影響を与えるものになるほど、事業に関する単純な知識では見通しをつけるのが難しくなる。政府が経済への介入に使う手段は、政府の知識を活用する手段になる。資源をなにに投入し、どう配分するかは、需要と供給の力、市場参加者の知識によって形作られる力によってではなく、国によって、政治家や官僚によって決められるようになる。フランスのバレリー・ジスカール・デスタン元大統領は、一九五〇年代初め、同国で政府の知識を伝えるエリート教育機関、国立行政学院の優等生であった。そこで受けた教育を振り返って、誘導的計画や価格統制については教えられたが、「市場についてはなにも触れられなかったし、なんの議論もなかった」と述べている。

当初は、政府が経済活動のリスクを引き受けるのは理に適っているし、安全だとみられていた。

一九三〇年代の苦しみを、だれも忘れることはできなかった。このため、政府が国営保険会社のようになり、経済成長を保証し、市場のリスクから国民を保護する役割を果たした。政府は巨大な保険会社のように、支出をまかなうために、あらゆる種類の直接税と間接税の形で保険料を徴収した。保険会社とは違う点として、政府には公的な権力を担うものとしての特権があり、財政赤字によって支出を増やすことができる。そして政府は、この特権をますます行使するようになった。しかし、保険会社としての政府の役割が定着するようになると、消費者、労働者、企業の政府に対する期待も深く根づくようになる。政府による経済への介入が確立すると、政府は大きくなるばかりで、縮小することができなくなる。経済成長を保証し、給付金を増額していく意志と能力が政府にあるとの見方が、政治文化の一部になる。

それでも、政府による経済への介入の実験が成功を収めたことを否定できる者が、はたしているだろうか。第二次世界大戦が終了してから一九七〇年代の石油ショックまでの間、先進工業国では三十年にわたって経済が繁栄し、所得が増加して、将来への夢と期待が広がっていった。ここまでの成果は、過去にほとんど例がない。戦中から戦後にかけて配給制度のもとで育った子供たちが、経済復興と経済成長の時代に成人になり、消費社会で子育てをするようになった。住宅は見違えるほど良くなった。家族は自動車を買い、やがて二台目も買えるようになった。家電製品を買い、テレビを買った。スーパーやデパートで買い物をし、休暇には旅行するようになり、やがて外国に行くようになった。広告が盛んになって、買うものもブランド品になり、ステータス・シンボルになった。そしてなによりも、職があった。消費社会を嘆き、物質主義を批判する批評家もいる。「個人

の豊かさ」と「社会の惨めさ」のギャップを指摘する。しかし、基本的な事実はこうだ。第二次大戦が終わったときには夢にも考えられなかったほど、生活の質が高まっているのである。この点を考えるなら、共産圏以外の先進工業国で、着実な経済成長を保証し、したがって完全雇用を実現する政策手段を使うと公約する政治家に、有権者が票を投じたのは不思議とはいえない。それによって、有権者は優れた知識をもつ政府に、経済に関する決定を委ねたのである。

警戒信号はインフレであった。一九六〇年代を通じて、混合経済の各国ではインフレ率が徐々に上昇していたが、真剣な警告がだされるほどにはなっていなかった。しかし、七〇年代初めになると、インフレ圧力は強くなり、目立つようにもなった。政府がそれまで使ってきた手段は、消費需要を支え、インフレ率にしたがって賃金を引き上げていくものであり、この状況には不適切なものであった。ケインズ主義の需要管理政策は、失業率を低く抑えると同時に、インフレ率を管理可能な低水準に抑えることが長期にわたって可能だとの想定に基づいている。この想定は、間違っていたのだ。

この教訓を学ぶには時間がかかった。それまで広く認められてきた常識のすべてに矛盾するものだったからである。真っ正面から問題に取り組む意思が政府に欠けていたため、先送りされている間にますます問題が深刻になっていった。インフレはさまざまな点で、経済に深く根をおろすことになった。財政赤字の増加によって、福祉国家の拡大によって、競争を阻害する要因によって、労働市場の硬直性によって、労働コストに上乗せされる「社会コスト」によって、労使の賃金交渉の性格によって、賃上げによるコスト上昇が転嫁されていく仕組みによって、経済がインフレ体質に

なっていた。インフレのうちかなりの部分は、不確実性、変動性、競争に対して保険国家が提供する保護のコストによるものであった。賃金・物価統制が導入されたのは、インフレをもたらす力が広範囲にわたっていたことを示している。しかし、統制は一時的な策にしかなりえない。発動するたびに、インフレを押さえ込める期間は短くなり、インフレの根を絶つことはできなかった。

一九七三〜七四年の石油ショックが起こったとき、混合経済にはすでにきしみが生じていた。石油価格の劇的な上昇がほんとうの意味で「ショック」だったといえるのは、経済のなかでそれまで見慣れていたコスト構造が混乱した点だけである。石油ショック後の不況では、インフレ率と失業率が同時に急上昇するという過去に例のない状況になった。この現象には、スタグフレーションという名前がつけられた。七四年から八〇年までの間に、各国の政府は右派であろうと左派であろうと、財政支出・財政赤字を拡大して経済危機から脱出しようとするのは、効果がないどころか逆効果になることに気づいた。ケインズ主義は権威を失った。それまで数十年間にわたって続き、当然のことのように考えられるようになっていた経済成長は、もはや実現できなくなった。

経済が低迷し、政府の政策が混乱状態に陥ったことから、既存の体制に対する信認が失われるようになった。政府の知識はそれほど強力ではなかった。政府はなんでも知っているわけではなかったのだ。波瀾の一九七〇年代が終わるころには、新しい認識が定着するようになった。限界にきているのは経済運営の方法ではなく、経済の構造全体だという認識である。市場における政府の役割を考え直すことが不可欠になった。この動きの先駆者になった人たち、さまざまな国で経済からの政府の撤退をいち早く計画した経済学者、政治家、官僚にとって、この課題はまさに革命的であっ

た。各国の政府がそれまで数十年ではじめて、方向を逆転させることを考えるようになった。資産を減らし、管理の一部を放棄することを少なくとも検討するようになったのだ。七〇年代末にはすでに、先進工業国で混合経済への不満がはっきりと表明されるようになり、その後間もなく、選挙結果にもその影響があらわれるようになる。先進工業国が混合経済の見直しを進めていたころ、開発途上国も過渡期の危機に直面しようとしていた。

債務危機と失われた十年

ヘスス・シルバ・ヘルソグは、メキシコの歴史に輝く名前を受け継いでいる。同名の父親は一九三七年に外資系の石油会社の不当さを指摘する歴史的な文書を執筆し、これが根拠になって石油産業が国有化された。メキシコの近代史でとくに重要な出来事のひとつであった。息子は新テクノクラートの道を歩み、イェール大学大学院で経済学を学んだ。八二年四月、蔵相に就任した。当時、メキシコは世界の大国への道を歩んでいるように思えた。大規模な油田が発見されて、主要な石油輸出国になった。所得が急増し、その後もさらに増加すると予想されたため、新規の公共投資を自由自在に進められると思えた。ホセ・ロペス・ポルティジョ大統領は、メキシコが世界の大国の地位を与えられるべきだと主張した。そして、威厳を示す姿勢をとり、経済は「消化できる以上のものを吸収する」べきではないと発言している。

しかし、一九八二年夏には、すべてが幻想にすぎないことにシルバ・ヘルソグ蔵相は気づいてい

た。借金できるだけ借金して浮かれ騒いでいるのであり、それを止める意志と能力をもつ者はだれもいない。ロペス大統領にその気がないのはたしかだ。ごますりやご機嫌取りばかりを集めて、名大統領だという追従ばかりを聞きたがっていたのだから。数か月前に高官のグループが勇気を振り起こして、危機が迫っていると大統領に警告した。結果は、グループ全員のクビが飛んだだけになった。しかしもはや、真実が明白になっていた。少なくともシルバ・ヘルソグ蔵相の目には。一九八二年八月十二日、蔵相はメキシコが対外債務の利払いを行なえないと判断した。浮かれ騒ぎは終わる。メキシコは倒産の危機に瀕しているのだ。

シルバ・ヘルソグはこう語っている。「ひどかった。石油があるからと、とんでもない間違いをおかしていた。しかし、当時は勝利に酔っていたのだ。メキシコの歴史で最大のブームに沸いていた。一九七八年から八二年までは建国以来はじめて、世界でもとくに重要な人物に声をかけられるようになった。金持ちになったのだと思っていた。石油があるのだからと」

蔵相は急遽ワシントンに飛び、アメリカの財務省、連邦準備制度理事会との厳しい交渉のすえ、緊急支援の第一段階を確保した。アメリカ政府の高官は、きわめて危険な事態になっていることをすぐに理解した。危険にさらされているのは、メキシコだけではないし、中南米全体だけですらない。発展途上国向けの貸出はきわめて巨額にのぼっていたので、アメリカの大手銀行のほとんどが、そして、世界の銀行システム全体すらが、崩壊の危機に瀕していたのだ。

数週間たって、アメリカ当局の要請にしたがって、シルバ・ヘルソグ蔵相はニューヨーク市におもむき、数百の債権銀行の経営者を集めた会議で、危機の実情を説明した。この会議にはメキシコ

政府からもうひとり、アンヘル・グリアが出席した。蔵相は現状の厳しさを説明し、それまでにまとまった救済策を提示した。債権銀行には、メキシコに返済の延期を認めることに合意して協力してもらうしかない。ニューヨーク連銀総裁は、返済の延期を「据え置き」と呼んだ。「債務不履行」という言葉を使えば、すぐさまパニックを引き起こすことになると、アメリカ当局は心配していたのだ。状況が深刻なことは、だれの目にもあきらかだった。そしてこれは、メキシコだけの問題ではない。銀行の経営者は自行の貸出額をつかんでいるし、問題が波及しかねないことも、はっきりと理解できた。全員が崖っぷちに立たされているのだ。会議は重苦しかった。出席した銀行経営者はショックを受け、質問すらまともにできなかったほどだ。なにか安心感を与えるような言葉がないかと考えたあげく、蔵相はようやく、口を開いた。長期的にみれば、メキシコ向け債権について心配することはない。ここにいるアンヘル・グリアとこのわたしが、債務を返済するよう責任をもつ。そう言って、グリアと自分を指さした。なんとも心細い保証だが、それしか言えることはなかった。一九八〇年代の債務危機は、こうしてはじまった。

先進工業国で一九七〇年代、スタグフレーションと硬直性という現実によって混合経済の合意がくつがえされたように、八〇年代の長期にわたった債務危機で、開発途上国では国の役割の拡大に対する信認が低下し、同時に、第三世界主義への支持が薄れた。大きな野心と強い安心感からはじまった借入ブームは、「歴史上もっとも広範囲の債務問題」と呼ばれた事態のなかで終わった。この債務は、七〇年代の後半に驚くほど急速に増加したものだ。当時、世界の金融センターには、急激に外貨収入が増えた産油国から、巨額の預金が流入していた。「オイルダラー」と名づけられたこの

資金を、銀行は主にローンの形で急速に還流していった。貸出先の多くは途上国であり、政府にも国有企業にも貸し出された。政府や国有企業がこれだけの借入を返済できるのかと懸念する声もあったが、そうした懸念は無視された。それどころか、二〇年代から三〇年代にかけての動きとの類似が指摘され、オイルダラーの還流が遅れれば、世界恐慌の引き金になりかねないとの見方が強かったほどである。

それに、当時の感覚では、貸し手にとっても借り手にとっても、この資金は将来を見越して貸出されたものであった。先進国から開発途上国に、世界の力関係と影響力が移行していくのが時代の流れだとされていた。南の諸国が北の諸国との勢力不均衡を正し、植民地主義と帝国主義の罪の償いを受けるのだとされていた。さらに、もうひとつ、別の要因もあった。先進諸国の景気が落ち込んでいたため、大手銀行には、地元市場に十分な貸出先がなかった。アメリカでは不動産市場が急落したばかりだ。銀行業界の競争が激化し、借り手の候補に提示する条件が甘くなり、魅力的になっていった。第三世界への貸出しが最新流行であり、リーグ・テーブルで下位になるのをのぞむ銀行はない。当時のポール・ボルカー連邦準備制度理事会議長は、後にこう書いている。「第三世界の大統領や蔵相にとって、一九七〇年代の国際金融とは、クレジット・カードがどんどん郵便で送られてくるようなものであった。それも、与信枠のゼロの数が二つか三つ多くなっていた」

当時は十分に認識されていなかったし、根拠もしっかりとは考えられていなかったが、開発途上国の借入が急増した。一九七二年から八一年までの間に、途上国の対外債務は六倍になり、八一年には五千億ドルに達した。資金の流入によって、少なくとも数年間は、経済成長率が高まった。八

〇年代初めには、アメリカの大手九銀行は平均して、自己資本の二五〇パーセントにあたるローンを途上国に貸し出していた。第三世界の債務急増に疑問を呈したりすれば、老人くさい不平不満だといわれた。アメリカ最大の銀行の経営者が主張したように、政府が倒産することなどありえないのだから。

借り手のリーグ・テーブルで最上位に位置していたのは、石油ブームに沸くメキシコであった。一九八〇年代初め、対外債務の総額は八百億ドルであった。銀行はメキシコに貸し出すために、あらゆる努力を惜しまなかった。熱気に満ちた貸出競争のなかで、メキシコ政府のある高官は「今年最高の借り手」の称号を与えられ、尊敬を集めた。八二年八月以降になると、だれもそんな称号はのぞまなくなるのだが。

借入ブームがどうして、債務危機に陥ったのだろうか。振り返ってみれば、事実上の倒産をもたらした公式はきわめて単純であった。債務の増加、金利の上昇、外貨収入の減少である。債務が急速に増加してピークに達したのは、悪い時期にあたっていた。ちょうどその時期、先進工業国が不況に陥っていたので、開発途上国のほとんどにとって主要な収入源である一次産品の需要が減少している。そうなれば価格が下がり、収入が減る。同時に、一九八〇年代初めには先進国のインフレを押さえ込むために金利が上昇していた。この結果、変動金利の途上国債務のコストが上昇し、債務返済の負担が重くなった。もちろん、借り入れた資金は投資にあてられており、収入を増やすはずであった。ところが、それほど収入を生みださない用途にも資金がまわされていた。高価な輸入品、浪費、インフレ、無駄、腐敗、海外の秘密預金などである。この結果、借入額から予想される

ものにくらべて、生産的な資産ははるかに少なかった。

一九二〇年代に、ドイツの債務負担を軽減しようという議論がでてきたとき、アメリカのクーリッジ大統領が、「ドイツはそのカネを借りたのではないのか」と反問した。おなじ間違いを繰り返すわけにはいかない。今回は、債務の再編と組み替え、償却と返済免除、既存債務の新しい債券や株式への転換などによって債務危機を「解決」するために、幅広い努力が払われることになる。そうしなければ、経済的な困難が長引き、その結果、どうなるかはきわめて不確実だが、政治的にきわめて深刻な問題が起こる可能性がある。このため、八〇年代末までの期間は、債務危機の解決にあてられた。開発途上国の一部では、八〇年代は「失われた十年」と呼ばれるようになる。経済成長率がきわめて低いかマイナスになり、その間に人口が増加しているので、一人当たりの実質所得が急激に落ち込んだ十年になった。銀行も途上国向け債権を償却し、財務基盤が大幅に弱まることになった。これらすべてが、野心と傲慢、そして無分別のツケであった。

債務危機が与えた長期的な影響として、第三世界で政府と市場の関係が大きく変わった。国際通貨基金（ＩＭＦ）が支援策を提供するにあたって、債務負担に苦しむ政府の運営に協力するようになり、国際的な管財人のような役割を果たすようになった。救済策の条件として、各国政府に財政の放漫状態を解決するよう迫った。具体的には、資源の流出をもたらす保護貿易政策を撤廃し、通貨を現実的な水準まで切り下げ、賃上げを抑制するよう求めた。そして、決定的な点として、財政赤字を削減し、予算の無駄遣いをなくすよう求めた。各国政府は財政支出を減らし、赤字の国有事業への補助金をなくし、国有資産を民間に売却するか委譲するしかなくなった。この構造調整に必

要な資金を提供し、履行の過程を監督するために、世界銀行は構造調整融資制度を新設し、政策面でいくつかの条件が満たされたときにのみ、融資を実行していった。予算ばらまきの時代は終わり、財政緊縮の時代になった。

債務危機は開発途上国にとって、大きな転換点になった。ここから得られた教訓は、きわめて大きな意味をもっていた。途上国が深刻な問題にぶつかった一因は、政府が肥大化し、国有企業が非効率的だったことにある。放漫財政で政府が膨れ上がっていては、国際資本市場で財政赤字を穴埋めする資金を調達できるとは期待できなくなった。そして、政府の膨張は当時の常識では正しいとされていたが、これこそが実際には破綻にいたる道だったのである。それまでの経済体制も、開発経済学から導き出された原則も、どちらも見直さなければならなくなった。約束した経済成長をもたらせなくなったからである。ほんの数年前には常識外れとされ、政治的に受け入れられなかった考え方が一気に前面に飛び出し、そうした考え方を実行に移そうとする人たちに活躍の場が開かれた。財政が極端に苦しくなった現実では、それ以外に道はなかった。[2]

国策企業

イタリアの炭化水素公社（ＥＮＩ）の学者風にもみえる経営者、フランコ・ベルナベが一九九五年、アメリカを訪問したとき、ヒューストンで開かれた会合でこう述べた。「ＥＮＩは民営化しなければならない」。そして、単純直截にこう語った。「それ以外に選択の余地はない」

そこまでの道は、なんと長かったことだろう。イタリア最大の企業、ＥＮＩは国有企業としてでなければ、第二次大戦後に発足することもなかっただろう。国からの資金がなく、国策企業としての熱気と使命感がなければ、経営面でも技術面でも傑出した存在にまで成長することはなく、世界の十大石油会社の一角を占めるまでになることもなかっただろう。それでも、一九四〇年代から五〇年代にかけて正しかったことが、九〇年代にはもはや正しいとはいえなくなった。この点で、ベルナベに迷いはなかった。

ベルナベの確信は、苦い経験から生まれたものである。ＥＮＩ内部でも、イタリアの政治の世界でも厳しい戦いがあり、ベルナベは何度も追い詰められたことがある。毎日、おなじ教訓を繰り返し学んでいるように思えた。国有企業の理想と、国有企業が陥っている苦境との間には、大きなギャップがあるという教訓である。鉄道員の息子として生まれ、経済学を学んできたベルナベは、イタリア最大の民間企業、フィアットの事業再編で重要な役割を担った。その後、一九八三年にＥＮＩに勤務するようになった。ＥＮＩの内部がいかにひどいかは、まったくわかっていなかった。同社は赤字をだしていた。そのうえ、国内の政党には資金源であると同時に影響力を誇る対象だとみられており、つねに圧力をかけられていた。統一のとれた企業として機能することができなくなっていた。

ベルナベは当初、ＥＮＩを政治家の影響力から切り離そうと努力した。しかし、赤字の化学事業の再編にとりかかったとき、政府省庁、議会の委員会、閣僚、政党幹部から汚い攻撃を受けるようになった。これが転換点になった。「それ以降、政治的な干渉を忌み嫌うようになり、ＥＮＩを公共

セクターから切り離す方法を考えるようになった」という。ひそかに、民営化の道筋を検討するようになった。しかし、現状維持をのぞむ政治家や社内の人たちが、その動きを嗅ぎつけた。そして、ふたたび個人攻撃にのりだした。今度はベルナベをクビにすることが目的だった。この攻撃をかわせたのは、ひとつにはイタリアの政財界に蔓延する腐敗の捜査が進んで、多数の政府高官や企業経営者が逮捕されたためである。ＥＮＩでも、経営幹部二十人が逮捕された。会長も逮捕され、刑務所で自殺している。この結果、ＥＮＩの経営陣に空白が生まれた。ベルナベは一九九二年、ＥＮＩのマネージング・ダイレクター兼最高経営責任者に任命され、赤字の同社に残された時間が少なくなっていることにすぐに気づいた。この年、ＥＮＩは従業員に給与を支払えなくなる寸前まで資金繰りが逼迫している。ベルナベは猛烈な勢いで事業再編にのりだした。非生産的な資産を売却し、経営陣を刷新し、政治家の利益を守ることから株主の価値を高めることに会社の焦点を切り換えた。もっともこの時点では、株主は国だけであったのだが。ベルナベはさらに、民営化に向けた計画を開始している。一九九五年後半、アメリカ訪問から数か月の後、ＥＮＩの株式がはじめて、ミラノ、ニューヨーク、ロンドンの証券取引所に上場された。

ＥＮＩは、世界でもとくに有名な国有企業であった。イタリアの政治文化の影響を受けて独特の性格をもっているが、それでも、その苦闘と変身は、国有企業の地位がいかに変わったのかを、とりわけ劇的な形で示している。国有企業が登場したのは、崇高で重要な理想を追求するためであった。つまり、国家目標を達成し、国の主権を主張して外国による支配から脱し、経済成長を促し、民間企業による独占を抑制し、国の資源が国民の利益のために使われるようにすることが目的であ

った。投資を先導し、技術革新を促すことも目的であった。しかし、一九七〇年代にはすでに、国有企業は困難にぶつかるようになっている。七〇年代の危機でとくに大きな打撃を受けたもののひとつとして、国有企業に対する信認があげられるほどである。企業文化、事業の方式、誇りと使命感、優秀な人材を引きつけ技術を活用する能力など、国有企業の利点とされてきた特徴は、輝きを失った。調整は、なんとも始末の悪い統制になった。資源の配分は、歪みをもたらすものになった。政府の歳入源は、補助金の支給先になり、経済成長を阻害する要因になった。政治の介入が慢性的な病になった。柔軟性の欠如と効率性の低さが病根になった。資源を無駄な部分に配分するよう強いられた。そして、国庫から巨額の資金を流出させるようになっていった。国有企業は、各国が直面している経済危機をもたらした大きな要因だとみられるようになったのである。

国有企業に柔軟性が欠けていたことは、技術革新が難しかった点によくあらわれている。国有企業の一部は、国内市場で独占を認められているか、ある種の基礎資源を独占的に使う権利を認められているため、技術革新を迫られることがなかった。消費者が示すシグナルに反応する必要はないし、企業内に既得権益が根をはって、新技術の導入が妨げられていた。もちろん、民間の大企業もさまざまな国で、経済と技術の変化に対応できなくなった例が少なくないが、競争環境のなかでは、やがて選択の余地がなくなる。苦痛に満ちた事業再編に取り組まざるをえなくなった大企業が少なくない。これに対して国有企業は、あまりに長期にわたって保護されていくのが通常である。もちろん、例外も少なくない。ノルウェー、フランスから、中南米、東南アジアにいたる世界各地に、技術面で主導的な立場にある国有企業がいくつもある。しかし、公共部門のサービス、機器、イン

フラがみじめな状況にある国が多い事実も、それに劣らず重要である。たとえばアルゼンチンでは、電話を引くには二千ドル以上を支払わなければならず、何年も待たなければならない。雇用の面でも、柔軟性があきらかに欠けている。公共部門の強力な労働組合が、労働慣行をがっちりと支配している。人員過剰と制限的労働慣行が慢性化しているケースが多い。

国有企業に欠けているのは、効率性を高め、技術革新を進め、投資と経費をうまく管理するよう促す最強の力になりうる要因である。競争が欠けており、資本市場がもたらす節度が欠けているのだ。国策企業であろうと、完全な独占企業であろうと、国有企業は現実には巨大な官僚的機構になり、世界のどの国でも、おなじ官僚文化に染まっていくように思える。外部からは手がつけられなくなっていく国有企業が多い。自分たちの思い通りに運営していき、独立王国のようになっていく国有企業もある。生産的な事業を拡大してきたことに、価値の高い仕事に従事していることに、国の発展に貢献していることに誇りをもっている。しかし、国有企業を批判する立場からみれば、社会全体に対してあまりにも閉ざされている。予算を管理できない。顧客のニーズに鈍感すぎる。投資の決定は、経済の現実や事業機会に基づくものにはならない。干渉や政治的な基準や果てしない憶測がつきまとうことになる。この点は、国有企業が効率的に機能しようとする際に、とくに大きな障害になるとも思える。

国有企業という立場によって、事業の基本的な目標をめぐって、つねに混乱が起こることもあきらかになってきた。これは、インドの傑出した経済学者で官僚でもあるビジェイ・ケルカールが、一九八〇年代に国有企業の取締役になって気づいた点である。このときの経験から、ケルカールは

インドの経済開発戦略を支える基本的な想定のひとつに疑問をもつようになった。政府に企業を経営する能力があるのかという疑問である。「『インド人民』が株主である場合、経営陣は互いに矛盾するいくつもの目標を同時に追求することになり、この矛盾をうまく解決できなくなる。この結果、企業は動きがにぶくなり、効率が悪くなり、経営が難しくなる。株主の利害と経営陣の利害は一致している必要があり、企業の業績をはかる客観的な基準は、収益性しかない」という。

企業を国が所有していることの結果には、これ以外に、経済学者が「直接に非生産的な慣行」と呼ぶものがある。この婉曲表現を普通の言葉になおせば、「腐敗」になる。「独立王国」になった国有企業は、融資、株主資本、売り上げの形で資源を引きつけると同時に、利権を狙う人たちを引きつける。コネと顔がものをいう仕組みができあがる。国有企業や政府は、独占の傘の下でだれがどのような権利や機会を得るかを決める立場にたつので、その決定を下す者は、一財産を築く機会を得られたことになる。経済が好調な時期には、賄賂や経費の水増し、利益誘導型政治による投資、政党への献金も必要悪とされ、世論もめくじらを立てないかもしれない。しかし、経済成長が鈍化するか、透明性が高まれば、一部の集団が優遇されていることが目立つようになり、反発が強まって、腐敗という言葉が使われるようになる。

国有企業にとって、とりわけ厳しい課題になったのは、収益性の回復であった。国有企業の多くは独立採算制を維持することになっていたが、政府所有という後ろ楯があるので、民間企業にくらべて支出を拡大する余地が大きかった。支出が収入を上回ることも多く、赤字が拡大していった。採算が度外視されているケースも少なくない。この点が最大の問題であった。先進工業国でも、開

発途上国でも、避けられない問題になった。しかし、国有の国策企業を閉鎖するわけにはいかない。値上げをしなければ経費をまったく賄えなくなっていても、値上げが許されない場合もある。政府がインフレに与える影響を懸念し、それよりも、デモ隊が街頭で暴れまわる事態を恐れるからだ。

国際資本市場で突然、貸し手がいなくなると、国有企業はもはや、資金を借りるあてがなくなった。金をだしてくれるところは、ひとつしか残っていない。公的資金という名の財布に頼るしかない。こうして、国有企業の赤字は膨れ上がり、政府の財政赤字は急増して、歯止めがかからなくなる。国の財政状態まで危機に瀕するようになる。政府は、他に選択の余地のない行動をとってきたのであり、その結果、壁にぶちあたってしまった。国有企業が一般に、歴史的な役割を果たしてきたのは事実だろう。しかし、もはや劇的な事業再編と改革を進め、市場原理、金融市場が求める節度にあった状態に戻すしかない。要するに、「営利企業化」するしかない。あるいは、もっと劇的な方法をとり、国有企業の地位を捨てて、民営化するしかない。競争にさらし、倒産の可能性という恐怖感を与えた方が、独占と政府補助よりうまくいくだろう。政府が管制高地の支配を、資本市場にゆだねるのだ。とはいっても、一方的に撤退するのではない。持ち株を売却して、その過程で巨額の売却益を得られる可能性がある。

ＥＮＩではそうなった。一九九七年後半までに、イタリア政府はＥＮＩの株式を売却して、総額百七十六億ドルを得ている。そしてＥＮＩは黒字になり、九六年には利益が三十億ドルに達した。同社の変身を指揮したフランコ・ベルナベにとって、腐敗し、混乱した政治体制との戦いから逃れ、その要求から逃れる必要があったことが、改革を進める動機のひとつになった。しかし、もっと大

きな要因も背景になっていた。ベルナベはこう述べている。「国有企業の時代は終わった。国境の壁がつぎつぎになくなり、グローバル化が進む世界では、基本的に時代後れになっている。国有企業は内向きであり、守りの姿勢をとる。民間企業は外向きだ。国有企業では、経営者は公務員であって、実業家ではない。責任を負わない。国民国家はグローバル経済で競争していく手段をもっていない。

国有企業は、戦争、国益、自衛の時代の産物だ。一九九〇年まで、経済は戦争に備えていた。他国との対立に備えた閉鎖的な体制の一部だった。資源の確保が、生き残りのために不可欠だとみられていた。これに対して民営化は、戦争がない状況、原材料や資金や技術をだれでも入手できる国際体制の幕開けを背景にしている。国民国家も、それを飾りたてる国有企業などの装飾品も、比較的最近になって登場したものだ。グローバル経済の方は、十四世紀、十五世紀にはすでに成立していた。そして、われわれが競争していかなければならない舞台は、グローバル経済なのだ[3]」

赤いスターの凋落

モデルと呼ぶこともできるし、偶像と呼ぶこともできる。二十世紀を魅了した魔法だともいえる。二十世紀の歴史のかなりの部分は、マルクス主義によって形作られ、マルクス主義に魅了された人たちとそれを拒絶した人たちの間の戦いによって、そして、選択の余地もなくこの戦いに巻き込まれた人たちによって形作られてきたからである。マルクス主義と共産主義は、市場経済に基づく社

会に対抗するモデルになっただけでなく、世界全体で論争の枠組みを形成し、資本主義体制のなかですら、国が強力な役割を果たすべきだとする主張が有力になる状況を作り出した。共産主義が崩壊したいまになっては理解するのが難しくなっているが、まずは急速な工業化を達成し、一九五〇年代から六〇年代にかけては経済成長率がきわめて高いように思えたことから、世界各国でソ連型の制度はきわめて高い権威を確立していた。失業問題を解決する方法を見つけだせたように思えた。中央計画経済の成果が光り輝いていた。経済開発の有力なモデルになり、世界各国の国家戦略に影響を与えた。

マルクス主義の魅力は、経済をどのように組織すべきかという実際的な問題の範囲をはるかに超えている。世界を解釈する際の枠組みであり、経済、政治組織、国家間の関係はもちろん、小説であれ家族であれ性であれ、あらゆる種類の「構造」にいたるまで、森羅万象を扱う理論である。『資本論』の難解な文章を読みとおすことができないとしても、「初期マルクス」にはロマンチックな魅力がある。マルクス主義はさまざまな形態をとって知識人を引きつけ、不正への怒りや疎外感を表明する道になり、政治的な動員と組織化の仕組みを提供した。

そして、マルクス主義はいくつもの成功を収めてきたと主張できるように思えた。東ドイツは一人当たりGNPでみて、世界で第十位の経済規模を誇っているではないか。中国の文化大革命は、頽廃的な社会で開発と純化を同時に進める道を示しているではないか。北ベトナムが南ベトナムに勝利したのは、マルクスの権威を示し、遅れた農村社会で文化を変え、現代化する力をマルクス主義がもっていることを示しているではないか。マルクス主義を批判する人たちですら、その力を認

めないわけにはいかなかった。鉄のカーテン、あるいは竹のカーテンがしっかりしていて、知識の流れが妨げられていた間は。

これらのカーテンがついに開け放たれるまでには、数十年かかった。そして、開け放たれてみると、現実は外見と驚くほど違っていた。経済制度としてみたとき、共産主義は失敗だった。それも、目をおおうばかりの失敗だった。一九八〇年代には、年老いて硬直化したソ連経済にぴったりの年老いた指導者がソ連を率いている。ブレジネフは足元がふらついていたし、元ＫＧＢ議長のアンドロポフは病弱だったし、元国境警備隊員でブレジネフの元取り巻きのチェルネンコはよぼよぼだった。ミハイル・ゴルバチョフが権力を握った一九八五年には、経済は深刻な危機に陥っていた。ソ連は軍事大国の地位を保っていたが、経済は低開発国なみで、しかも、低落の道を歩んでいるように思えた。一九九一年にソ連が崩壊する以前ですら、共産主義とマルクス主義も、そしてその特徴である中央計画経済と経済全体の国有化も、壁にぶちあたっていた。

東ヨーロッパ諸国でも事情は変わらず、ソ連は手を引こうとしていた。中国は、建前と政治体制ではマルクス主義を維持しながら、市場経済に門戸を急速に開放し、その過程で、経済規模が七年ごとに倍増するようになった。最高実力者の鄧小平は国民に、マルクス主義とは縁遠い「豊かになれ」という呼びかけを行なっている。鄧小平の改革開放路線は、実際には一九七〇年代後半にはじまっているが、劇的な変化が広く認識されるようになったのは八〇年代半ばからである。そのころにはすでに、中国は共産主義体制のなかで政治と経済を分離する決定的な手段をとっていた。

それまでの数十年、欧米では、強制収容所や抑圧に衝撃を受けて共産主義に強く反対しながらも、

大成功を収めていると思えたソ連の体制から影響を受ける立場をとりえた。一九八〇年代になると、このような立場はありえなくなった。この結果、中央計画経済、国の経済への介入、企業の国有の権威が幅広く失墜することになった。五〇年代、共産主義に失望した人たちの論文集が刊行されたが、それには、『失敗した神』というぴったりの題名がつけられていた。八〇年代になると、失敗したのは経済モデルとしての共産主義であった。インドの経済関係の高官がこう語っている。「八九年のベルリンの壁崩壊から九一年のソ連崩壊までの時期、わたしは三十五年間の夢から覚めたように感じていた。経済制度についてそれまで自分が信じてきたこと、実行しようとしてきたことのすべてが誤りだった」。魔法は威力がなくなったのである。(4)

アジアのスターの勃興

赤いスターが消えようとしているとき、別のスターがあらわれてきて、政府主導の経済体制の魅力がいっそう弱まることになった。別のスターとは「アジアの奇跡」であり、言うまでもなく、日本からはじまったものである。日本政府の高官が好んで語るように、日本は小さな島国であり、天然資源はほとんどない。資源が豊富で、十一の時間帯にまたがるほど広大なソ連とは、対照的な国だ。ところが日本は、一九八〇年代半ばには「経済大国」として認められるようになっていた。日本だけではない。アジアの虎と呼ばれる韓国、台湾、香港、シンガポールが後に続いている。そのすぐ後ろを、「新しい虎」のマレーシア、インドネシア、タイ、フィリピンが追いかけている。そし

て、中国の広東省も新しい虎の仲間入りをしている。これらの諸国が開発途上国にとってモデルになり、学ぶべき対象になった。

アジアの奇跡と呼ばれたのは、経済成長率が高かったからだけではない。高度経済成長が持続し、工業化に成功し、そしてなによりも、庶民がその成果の分配を受けて、生活スタイルの革命が起こったからである。そして、政治家も学者も、東アジアの成功は「奇跡」と呼べるような不可思議なものではなく、それをもたらした要因を説明できるものであり、したがって、世界各国にとって役立つ教訓を引きだせるものだと主張した。こうして、成長の源泉について、活発な議論が戦わされるようになった。論争の中心は、政府の介入、あるいは政府の自制が果たした役割である。東アジアが成功を収めたのは政府の産業政策の結果だと主張する者がいた。つまり、政府が国内企業のなかから「勝者」を選びだし、補助金の支給、関税による保護によって選ばれた企業を育成し、これら企業と密接に協力して、海外に進出し、世界各地の市場を征服していったという主張である。成長率をみれば、この政策の成果がわかるという。この主張に反論する者も少なくない。政府の介入はあっても、世界のほとんどの国とくらべて、アジア諸国は民間企業と起業家の活躍の場がはるかに広いと指摘する。ノーベル経済学賞を受賞したゲーリー・ベッカーが語ったように、アジア諸国はさまざまな性格をもってはいるが、「当時の世界の標準からみれば、市場志向がかなり強かった」のである。

一九九〇年代になって、市場経済重視を評価する見方が強まった。これは、産業政策の理論を直接に批判する新しい理論が有力になってきたからである。新しい理論は「マクロ・ファンダメンタ

リスト」が発展させたもので、こう主張する。経済開発で政府が果たしてきた役割は、これまで極端に過大評価されてきた。経済開発の成功をもたらした決定的な要因は、アジア各国の政府が経済のファンダメンタルズ(基礎的条件)を適正にしてきた点にある。つまり、インフレ率を低く抑え、財政赤字を少なくし、貯蓄率を高くし、教育を普及させ、政策の一貫性を保ち、企業活動を奨励する制度と法律の枠組みを維持し、そして、決定的な点として、貿易の世界的システムに参加する意思をもっている点が重要な役割を果たしてきた。以上の見方からは、政府が直接に寄与した点のなかでもっとも重要なのは、教育と保健による人的資本の確立である。勝者の選択は二次的であり、いずれにせよ、その役割が過大に評価されすぎているといえる。

ニュージーランド――「経済が成り立たない」

一九八〇年代半ばから九〇年代初めにかけて、アジア太平洋地域の辺境に位置するニュージーランドで思い切った実験が行なわれ、この見方がさらに裏付けられることになった。ニュージーランドは数十年にわたって社会民主主義の分厚いコートをまとってきた国だが、意外なことに、経済の自由化の重要な実験場になった。二十世紀初めには世界でもトップ・クラスの豊かな国であったが、戦後、典型的な混合経済を採用して、「経済の不確実性に備えたゆりかごから墓場までの保障」という社会民主主義の夢を実現しようとした。経済には規制と保護の網の目がはりめぐらされ、国有産業が大きな位置を占め、完全雇用の目標が掲げられた。賃金は統制され、物価も統制された。二千

ャンネルのテレビ放送は国営であった。これだけなら、当時としてはめずらしくないが、同国では政府がテレビのメーカーを決め、価格まで決めていた。一九八〇年代になると、この体制全体がうまく機能しないことがあきらかになっていた。経済は国際競争力を失っている。一人当たりの所得は、他国につぎつぎに追い抜かれていく。ＧＤＰに対する政府債務の比率が上昇している。失業率は高い。八四年の通貨危機によって、政策に選択の余地がなくなった。

その直後の総選挙で政権をにぎった労働党が、自由化を急速に推し進め（「息をのむような」ペースだともいわれた）、中道左派の政府の特徴とされてきた政策手段のほとんどを撤廃した。その後数年間、経済の規制緩和が進み、国有企業の大規模な民営化計画が遂行されていった。貿易障壁から労働者保護にいたるまで、あらゆる種類の保護が削減されるか撤廃された。所得税減税にあたっては最高税率から引き下げていく方法をとり、それまでの平等主義とはっきり訣別している。結果はめざましかった。インフレ率と失業率は低下した。経済は成長軌道に戻った。ＧＤＰに対する政府債務の比率は低下した。そしてニュージーランドは、国際競争力を取り戻したのである。改革がはじまってから何年か後に、元首相のひとりがこう語っている。「振り返ってみれば、改革はまったく避けがたいものだったと思える。経済が成り立たなければ、社会正義を実現することなどできない」。アジアの虎とは違って、ニュージーランドは、経済政策の世界で頻繁に引き合いにだされるわけではない。しかし、中道左派を標榜する政府が開始した同国の改革が、他国の政府高官の考え方にも少なからぬ影響を与えているのはたしかだ。

ニュージーランドの改革は、イギリスのサッチャー革命にきわめてよく似ている。どちらも、経

済危機に直面した政治指導者が、不本意ながらも現実を直視し、それまでは理論の世界でしかほとんど影響力のなかった考え方を取り入れる意思を示した結果である。しかしそれ以前から、世界の見方を決める経済学の基本的な枠組みが変化していたのである。これは、考え方の力を示す典型例だといえる。(5)

フリードリッヒ・フォン・ハイエクと「考え方をめぐる戦い」

振り返ってみれば、一九七四年のノーベル経済学賞の受賞者の選定が、偶然に近くはあったが、知識の世界の大きな変化を真っ先に示すものになった。この年、スウェーデン王立科学アカデミーは、ケインズ学派の著名な経済学者で、開発経済学の父であり、スウェーデン社会主義の長老でもあるグンナル・ミュルダールを選びたかった。しかし、自国の好みで受賞者を選んだという印象を与えるのではないかと恐れ、もっと保守的な学者を加えてバランスをとることにした。こうしてミュルダールと同時に、フリードリッヒ・フォン・ハイエクが受賞者に選ばれた。ハイエクが選ばれたことには、憤慨する学者が多かった。アメリカの経済学者にこの時点で調査していれば、ハイエクを経済学者だとすら認めない者が多かったはずである。右派とみられており、主流派にはもちろん属しておらず、変わり者であり、生きた化石だとすらみられていた。ミュルダールは苛立ちのあまり、授賞式の間、ハイエクにはほとんど話しかけもしなかったと他のノーベル賞受賞者の間で評判になっている。

それでもハイエクの受賞は、経済学界の重心が大きく変化しはじめたことを示すものになった。市場に対する信認が回復し、経済活動を組織化する方法のなかで市場がもっとも優れているとの見方が復活してきたのである。その後十五年間で、この変化はほぼ完了した。この見方が勝利を収めていく過程は、二つの都市を中心に展開していく。経済学の二都物語の舞台になったのは、ウィーンとシカゴである。

フリードリッヒ・フォン・ハイエクは、この二つの都市を結び付ける役割を果たした。さらに、第一次大戦後のオーストリア学派と、一九八〇年代の市場への信認回復を結び付けてもいる。オーストリア・ハンガリー帝国に生まれ、その崩壊を体験したハイエクは、第一次大戦前のウィーンの活気と活力にあふれる文化、大戦後の苦悩に満ちた文化の影響を強く受けている。哲学者のルードビッヒ・ウィトゲンシュタインの又従兄弟にあたり、一族には生物学者や政府高官が多く、ハイエク自身も父親とおなじ生物学者になろうと考えていた。しかし、第一次大戦で将来への希望が根本から変わった。下級将校として従軍したなかで、ナショナリズムの複雑さと危険を身をもって体験した。後にこう語っている。「わたしは、偉大な帝国がナショナリズムの問題で崩壊するのをみてきた。わたしが従軍した戦いでは、十一の言語が話されていた。このような体験をすれば、政治組織の問題に関心をもつようになる」。戦争体験によって、「もっと公正な社会」をつくるにはどうすればいいのかという「差し迫った問い」への答えをみつけたいと切望するようにもなった。

戦後、このような思いをいだいてウィーンに戻ったハイエクは、経済学と法学で博士号を取得している。一九二三年にニューヨークに留学し、ニューヨーク大学の博士過程で学んだ。しかし、資

金がつきてウィーンに戻り、経済学の研究を続けることにした。戦争を体験したことから、当時の若者の多くがそうであったように、ハイエクも理想に燃えて社会の変革、改善への道を求めていた。社会主義に惹かれていたのだ。「自分たちが生まれ育った文明は崩壊したと感じていた。社会を立て直したいと望んで、経済学を学ぶ者が多かった。もっと合理的で公正な社会への希望を、社会主義が満たしていた」と後に述べている。しかし、経済学を学びはじめた後、ハイエクは意に反して、苦しい見直しを迫られることになった。その結果、理想を実現するには、市場経済に頼る方がいいとの結論に達した。

ハイエクが立場を変えたのは、オーストリア学派の著名な経済学者、ルードビッヒ・フォン・ミーゼスの影響を受けたからである。ミーゼスは一九二二年に出版された『社会主義』で社会主義の経済がぶつかる中心的な問題を、完膚なきまでに批判した。ミーゼスはこれを経済計算の問題と名づけた。中央計画のもとでは、経済計算が行なわれない。つまり、資源の配分やモノの売買を合理的に判断する方法がない。いくつかの選択肢を比較検討する際に基準になる価格制度がないからである。中央計画当局は、技術的な決定は下せるが、経済的な決定は行なえない。このミーゼスの批判は二十世紀末までの間に、驚くほど正確な予想であったことがあきらかになっている。「この著書はわれわれの世代にショックを与えた」と、ハイエクは後に語っている。戦争から戻って理想に燃えていた若者の見方を大きく変えたという。「わたしはそのひとりだったから、よくわかる。……『社会主義』は、社会の改善の道を間違った方向に求めてきたことを教えてくれた」

ハイエクはミーゼスに教えを受けるようになり、その後何年かにわたって研究助手をつとめてい

る。オーストリアは戦後、猛烈なインフレにおそわれていたので、はじめての仕事でインフレの意味するものを実感できた。給与は当初、月に五百クローネであった。九か月後には月百万クローネにまで膨れ上がっていた。一九三一年、ハイエクはロンドン大学経済学政治学部に招かれて教授に就任した。招聘したのはウィリアム・ベバレッジ（約十年後にベバレッジ報告を書いた経済学者）だが、実際にはイギリスの傑出した自由主義経済学者、ライオネル・ロビンズが強く推奨していた。ロンドン大学でのはじめての講義で、ハイエクはこう述べている。「心の温かい人物が、現在の社会にある悲惨さについて考えるようになったとき、社会主義者になる」のは、「ほとんど避けがたいことだ」。しかし、経済学を学べば、もっと保守的な立場をとるようになるだろう。しかも、過激な運動の基盤になっている「倫理面の動機のすべてに最大限に共感する」人たち、「社会主義と中央計画経済が約束通りの成果をあげると信じられるのであれば、心から喜ぶ」人たちがそうなるのだという。

ロンドン大学経済学政治学部は、一八九五年にフェビアン協会の社会主義者によって設立され、一九三〇年代以降、左翼の教育機関という評価を受けるようになった。教官には社会主義者が多く、イギリス国内に、そして世界各国から留学してくる若者に、左派の理論を宣伝していた。とはいえ三〇年代には、経済学部でロビンズ、ハイエクらが正統的自由主義の砦を築き、社会主義とケインズ主義が圧倒的な力をもつようになったなかで、自由主義の理念を守るために戦っていた。ハイエクはその先頭に立ち、ケインズの経済学を『一般理論』の発表前にも発表後にも、もっとも一貫して、そしてもっとも声高に批判している。ケインズの方法は間違った前提のうえに成り立っており、

不況を解決することはできず、インフレを定着させることになるとハイエクはみていた。『一般理論』は経済学の一般的な理論などではなく、イギリス政治の行き詰まりを打開するための特殊な理論を飾りたてたものにすぎないとみていたほどである。ケインズも負けず劣らず激しい言葉でハイエクに反論した。ハイエクのある論文は、「間違い」から出発して、「正気とは思えない混乱」にいたっているとケインズは書いている。別の論文については、「最悪のがらくたの寄せ集め」だと書いた。一九三三年、ケインズはハイエクのケンブリッジ訪問のようすを妻への手紙に書いている。夕食の際に隣に坐り、翌日の昼食もともにした。「こうして付き合うには、いい友達だ。しかしあの理論はひどい(6)」

隷属への道

第二次大戦のさなか、ハイエクは集産主義と中央計画が広まり、後にケインズ流の介入主義になる動きがでてきたことを懸念するようになった。とくに有名になった論文で、ハイエクは知識の問題によって経済の中央計画が破綻するだろうと主張して、こう論じている。中央の当局者が決定を下せるだけの知識をもてるはずがない。中央計画経済よりはるかに優れているのは価格制度であり、価格の「ほんとうの機能」は、「情報を伝達する仕組み」になることである。この仕組みは「驚異」としかいいようがない。「それが驚異だといえるのは、ある原材料が不足したとき、ひとつの命令も下されず、おそらくはごく少数の人間しかその原因を知らないのに、何万人もの人たちが（何か月

もかけて調査しなければ、どこのだれなのか突き止められない人たちが)、その材料やそれでできた製品の使用を減らすからである。つまり、正しい方向に動くからである」

ハイエクは同時に、はるかに幅広いテーマを扱った著作を、一般読者向けに執筆していた。これが『隷属への道』である。一九四四年に出版されたこの著作は、戦争によって紙が厳しい配給制度の対象になっていなければ、ベスト・セラーになっていただろう。それでも、数少ないなかの一冊は、オックスフォードの学生だったマーガレット・ロバーツ、後のマーガレット・サッチャーの手にわたっている。アメリカではシカゴ大学出版によって出版され、リーダーズ・ダイジェスト誌に要約が掲載されて、はるかに幅広い層にハイエクの主張が知られるようになった。ハイエクはみずからの主張をあからさまに書くわけにはいかない部分もあった。当時は偉大な同盟国であったソ連を直接に批判する主張は、受け入れられなかったからである。こうした主張は婉曲に表現する形をとったが、それでも第二次大戦が終わった後、四大国によるドイツ占領当局は、ソ連の要請にしたがって、この本を発売禁止にしている。

ケインズはブレトン・ウッズ会議への途上で『隷属への道』を読み、ハイエクに手紙を書いて、なんとも意外なことに、「偉大な本」だと称賛している。主張の全体に「深く感動し、同意しました」とも述べ、その後に、根本からの反対意見を展開している。「わたしの見方では、中間の道の有用性が極端なまでに過小評価されています。……いま必要とされているのは、計画をなくすことではなく、減らすことですらありません。計画をもっと取り入れることが必要なのだとわたしは主張します」。結論として、ケインズはハイエクに、「正しい倫理の復興」を目指すよう助言した。「聖戦の対

象をその方向に向けなければ、ドン・キホーテにそっくりだという感覚から抜け出せないでしょう」

『隷属への道』でまずは大成功を収めた後、ハイエクはたしかに、風変わりな戦いに向かうドン・キホーテのようにみえた。後年になって、ハイエクはこの本が「人気」を集めすぎたことが、学界ではむしろ重荷になり、経済学者の間で信用されなくなったと嘆いている。この本の刊行の直後にハイエクは離婚し、二十年以上前の初恋の相手と再婚した。一九五〇年に、ロンドン大学からシカゴ大学に移って、社会科学・倫理学の教授になった。権威ある社会思想委員会の委員にもなり、ここにはアメリカの一流の知識人の何人かが加わっていた。経済学部には属しておらず、そこの学生には直接の影響を与えていない。シカゴ大学の人たちには、中央ヨーロッパの典型的な紳士で、控えめで厳格だという印象を与えている。ある大学院生（何十年か後にノーベル経済学賞を受賞している）が経済分析と公共選択に関する論文の原稿を読むよう依頼したが、丁重に断られている。手書きの原稿は読まないことにしているというのだ。

一九六〇年に出版され、主著とされることが多い『自由の条件』を執筆したのは、主にシカゴ大学の時代である。この本で、ハイエクはとくに重要なテーマのひとつを詳しく論じている。自由放任だけですべてが解決するわけではない。政府にははっきりした役割があり、競争に基づく経済を維持するために、法とルールの枠組みを作り上げ、維持しなければならない。そして競争こそが、感情面ではいかに抵抗があっても、第一次大戦の戦場で抱いた理想を実現する最高の仕組みなのだと、ハイエクは論じている。ハイエクはシカゴの生活にどうしてもなじめなかった。パリに乗用車を置いておき、暇があると新しい妻とともにアルプスに出掛けた。それでも、憂鬱な日々が続いて

落ちつかなくなった。シカゴ大学に十年少し勤務した後、ハイエクはオルドー自由主義者の本拠地、フライブルク大学に移った。

それ以前から、アルプスがハイエクの影響力を広める道になっていた。一九四七年、経済学者を中心とする優秀な知識人、わずか三十六人を集めた会議を主催した。会議はスイスの温泉地、モンペルランで開催され、その後、モンペルラン・ソサエティと呼ばれるようになる。第一回の会議が大成功を収めたため、二年後に再会し、その後は場所をそのたびに変えて定期的に開催されるようになった。参加者数は増えていった。ほぼ似通った考え方の学者が集まり、社会主義と集産主義を分析し、哲学と政策について議論する場になった。また、自由主義の経済学者にとって、国際的な学界があると実感できる場、新しい考え方を熱心に議論する場になり、とくに自由主義の経済学者がきわめて少ない国からきた参加者にとっては、孤立状態から抜け出し、仲間がいるという安心感をもてる場になった。

ハイエクにとって、モンペルラン・ソサエティの会議は、考え方をめぐる戦いのなかで不可欠な野営地になった。戦いは長期にわたると覚悟していた。自由主義の思想は「今後十年から二十年」防衛戦を戦うことになり、その間、「現在の集産主義の潮流が続くだろう」と述べている。第一回の会議の後に配付された「知識人と社会主義」という論文では、戦いには勝てるとしながらも、長期戦に備えるよう参加者に警告している。「対立する利害の間の戦いが、大衆の投票によって決着がついたとみえるとき、通常、それよりはるか以前に、狭い範囲のサークルのなかの考え方の戦いで勝負がついているものだ[7]」

シカゴ学派

モンペルランで開かれた第一回の会議の参加者のなかに、ヨーロッパをはじめておとずれたシカゴ大学の若い経済学者がいた。ミルトン・フリードマンである。モンペルラン・ソサエティはフリードマンにとって、国際的な人脈を築く一助になり、同時に、研究の成果を広める手段にもなった。フリードマンの研究は影響力が強まっていった。フリードマンらのシカゴ大学の学者が数十年にわたって、時代の潮流に逆らって学問的な「悪文」を書いていなければ、市場に対する見方が世界的に大きく変わることはなかった、少なくとも現在までの形で変わることはなかったといえるほどである。これらの学者はシカゴ学派と呼ばれるようになり、アメリカと世界各国で考え方の大きな変化をもたらした基礎のうち、かなりの部分を作り上げている。

アメリカの名門の多くがそうであるように、シカゴ大学の経済学部も、一九三〇年代から四〇年代にかけて、アメリカの著名な学者、若くて優秀な学者、ヨーロッパの卓越した学者（ファシズムから逃れてきた学者も多い）が融合して基礎がつくられた。教授陣は多彩だった。中心になっていたのは、自由市場を信奉する経済学者、フランク・ナイトである。しかし、ニューディール派リベラルの唱導者のひとり、ポール・ダグラスもおり、後に政界に転身して上院議員になった。ポーランドからの亡命者のオスカー・ランゲがおり、皮肉なことに、シカゴ大学にいたころ、市場制社会主義のモデルの開発につとめていた。経済学部の花形になると期待されていたが、第二次大戦が終

了した後、ポーランドの共産主義政権に参加し、設立されたばかりの国連の大使になった。

一九五〇年代終わりにはすでに、シカゴ学派という言葉が使われるようになり、独自の性格が注目されるようになっていた。新ケインズ主義とは逆に、自由放任、つまり自由市場の重要性を強調し、政府の介入に反対する点が特徴である。シカゴが特別だったのは、なぜだろうか。博士課程にしっかりした基準を設け、厳しく教育することで有名になっていたのだ。優秀な学生が集まった。ワークショップが経済学部の活動の中心であり、教官と学生が定期的に集まって、さまざまな問題を検討し、議論した。教官も学生もひとつの世界観と思想を共有し、それを研究し発展させることに精力を集中した。この作業が、博士課程の教育の基礎になっていた。後に財務長官と国務長官を歴任したジョージ・シュルツは、十五年間つとめたマサチューセッツ工科大学からシカゴ大学に移ってすぐに、この違いに気づいている。「どこよりも大学らしい大学だ。あらゆる学部の人たちが同僚として意見を交換している」

一九五一年にシカゴ大学の大学院に入り、九二年にノーベル経済学賞を受賞したゲーリー・ベッカーが語っている。「シカゴには市場の力を信じる強い伝統がある。シカゴ大学が寄与した点は、市場の力、人びとの選択の力を、公共政策の面でも経済学の面でも示したことにある。指導力がきわめて強い点も、経済学部の特徴だった。自分たちは正しい答えを知っており、自分たち以外の経済学者は間違っているのだという強い自信があった。経済分析は人びとの行動を理解する強力な手段であり、経済そのものについても、もっと幅広い社会の構造についても、理解を深める手段になるとみていた。ほとんどの大学の経済学部では、経済学はゲームとして教えられているように思う。

教官が経済学を強力な手段だとみているかどうかはっきりしない。シカゴでは、この点がはっきりしていた」

シカゴの経済学者は、意思決定者による資源の配分とそれによる価格の動きを実際上、ごく少数の法則で説明できると考えた。市場は信頼でき、競争の有効性は信頼できる。市場に任せておけば、最高の結果が生まれる。資源配分の仕組みとしては、価格がもっとも優れている。市場に任せておけば達成される点に介入してその結果を変えようとするのは、非生産的である。このように考えるシカゴ学派にとって、政府の政策に関していえる点はあきらかである。可能なかぎり、政府の活動を民間の活動に置き換えていくべきなのだ。政府は小さいほどいい。通貨供給量に政府が介入すれば、市場を歪めることになる。通貨供給量の伸び率を安定させ、予想できるようにしておく方がいい。この主張は、政府が景気循環の波を抑えることができるとするケインズ主義の主張とは正反対である。シカゴ学派の方法のうちこの部分は、後にさらに発展して、マネタリズムと呼ばれるようになる。

一九五〇年代のほとんどの期間、シカゴ学派はそれほど目立たない少数派にすぎなかった。少なくとも、一般大衆の目からみればそうだ。当時の常識に、ほとんどあらゆる面で矛盾しているように思えた。しかし、五〇年代末になると、シカゴ学派の立場は大きく変わろうとしていた。その先導役のひとりになったのが、ミルトン・フリードマンである。経済学者としてきわめて優秀なだけでなく、大舞台に立ったときにも、後にそうなるように批判の砲火を一斉にあびせられたときにも、カリスマ性があり、自信にみちあふれ、落ちついて対応した。

フリードマンは高校生のころ、数学に夢中になっていた。すばらしい数学の教師から刺激を受けたからであり、この教師は幾何学に情熱を燃やし、ピタゴラスの定理を証明するものとして、キーツの『ギリシャの壷の歌』から、「美は真実であり、真実は美しい」という言葉を引用した。州の奨学金を受けてラトガーズ大学に進み、数学を使える職業を探して、保険数理士になろうと考えていた。保険数理の単位のいくつかをとれなかったため、この夢はあきらめるしかなくなった。しかしこのときにはすでに、経済学に夢中になっていた。やはり優れた教官に出会ったからであり、そのひとり、アーサー・バーンズは後に連邦準備制度理事会の議長に就任している。フリードマンにとって、経済学者への道はほとんど必然ともいえる選択であった。後にこう書いている。「大学を卒業したのは一九三二年であり、アメリカの歴史にそれ以前にも以後にもなかったほど深刻な大恐慌の底にあたっている。経済学者になるのは、応用数学や保険数理の道を歩むより、当時の差し迫った問題に関連があるように思えた」。フリードマンはシカゴ大学の大学院に入って経済学を学び、コロンビア大学で一時期研究した後、シカゴで博士号を取得した。

一九四六年にシカゴ大学の教授になってから、フリードマンは独自の道を歩むようになった。シカゴ大学の経済学部で常識に挑戦して論戦を挑む学者として頭角をあらわし、五〇年代後半には、ケインズ経済学の事実上すべての側面を根本から批判する動きの指導者として認められるようになった。論争になると無敵ともいえるほどの力を発揮した。フリードマンに論戦をしかけようとみなが考えるのは、本人がいないときだけだと、シカゴ大学の人たちが冗談を言い合うほどだった。教官としては要求が厳しく、熱心であった。「学生がなにをどう発言しても、フリードマン教授の発言

はるかに優れていた」と、当時の学生が回想している。学生は教授を深く尊敬し、強い連帯感をもっている。孤立しながら真実のために戦う少数派の一員だという意識が強かったのだ。

シカゴ学派によれば、政府の介入はほぼつねに、益より害が大きくなる。フリードマンはジョージ・スティグラーとともに発表した初期の有名な論文、「屋根か天井か——住宅問題の現状」で家賃統制を分析し、意図は正しいものであったとしても、地主や不動産会社が新しい物件を市場にだすインセンティブをなくし、賃貸住宅の供給を減らして逆効果になっていることを、厳密に論証している。フリードマンによれば、全体としてみて、課税と財政支出が適切なのは、防衛など、きわめて狭い範囲の「公共財」に関してだけである。それ以外のものはすべて、市場に任せるべきである。[8]

シカゴ学派の学者は、「市場の失敗」という概念を拒否し、ケインズ主義の教義を拒否した。また、独占よりも、政府の力の拡大の方がはるかに危険だとみている。独占は、アメリカで規制の必要が主張される際に大きな柱のひとつになっているが、シカゴ学派によれば、その危険性が過大に評価されすぎている。たとえば、技術の変化の影響が無視されているという。「民間企業による独占が規制を受けない状態」は、「政府による規制や所有とくらべれば」害が少ないと、フリードマンは書いている。

フリードマンがマクロ経済学の神聖な教義を攻撃していたころ、シカゴ大学の他の学者もそれぞれ、当時の常識の別の側面に挑戦していた。ジョージ・スティグラーは、規制による政府の介入について、騒々しくはないがフリードマンのものと変わらぬほど厳しい批判を続けた。ゲーリー・ベッカーは、差別を手始めに、さまざまな社会問題に経済分析を適用した。「わたしは人びとが合理的

な決定を下し、自分の決定の結果がどうなるかを考えて行動すると信じている。インセンティブによって影響を受ける。市場、合理性、インセンティブの三点を考えれば、人種、教育、家族などの問題を解明できる」と、ベッカーは語る。ベッカーの業績のなかでもっとも有名なものは、新しい分野を切り開いた「人的資本」の分析である。人的資本は、現在ではきわめて人気の高いテーマになっているが、ベッカーが取り上げるまで、ほとんど研究の対象にはなっていなかった。「人的資本は、教育、研修、保健など、人間に対する支出を扱う。広い意味で生産性を向上させる支出だ」とベッカーは語る。しかし、著書の題名を『人的資本』にするかどうか、随分悩んだという。「この言葉に反発する人が多いのではないかと考えた。『人』と『資本』を結び付けるのはとんでもないという人が多かった。いまでは、この言葉がごく当たり前に使われるようになったが」。一九九五年にノーベル賞を受賞したシカゴ大学のロバート・ルーカスは、七〇年代に「合理的期待」をテーマに新しい研究分野を切り開いていった。この研究では、民間の意思決定者の反応によって、政府の政策が予想された結果を生みださない可能性が高いと論じられている。市場の知識が政府の知識の裏をかくのである。

シカゴ学派は、独断的で、硬直的で、還元主義的だと嘲笑された。フリードマンは勇んで反論に乗り出した。講演を楽しんだ。自分の考え方が世界を変えるのだと確信していた。そして、実際に変えたともいえる。資本主義と民主主義の関係は、直接のもの、明確なもの、隠す必要などないものだと考えた。自分の考え方を論文の形で学術雑誌につぎつぎに発表していったうえ、一般向けの著作も発表している。一九六二年に出版された名著、『資本主義と自由』は、経済学者にも一般読者

にも読めるものになっている。六四年には、共和党保守派の大統領候補、バリー・ゴールドウォーターの経済顧問になった。七六年にノーベル賞を受賞すると一躍有名人になり、「かぜの治し方からジョン・F・ケネディの署名入り書簡の価格にいたるまで」あらゆる問題で意見を求められるようになった。一般読者向けに自分の考え方を書いた『選択の自由』は大ベストセラーになり、さらに、公共テレビの連続番組がこの本に基づいて制作された。八〇年代になると、自分の軌跡をある程度の満足感をもって振り返ることができるようになっていた。五〇年代には、自分たちが提起した考え方は、「ごく小さな孤立した少数派のものだとされ、学者仲間から変わり者の考え方だとみられていた」。八〇年代になると、おなじ考え方が、「学者のなかで少なくとも敬意をもたれるようになり、一般大衆の間では常識に近くなった」という。それから十年後の九〇年代半ばには、マサチューセッツ工科大学の経済学者、ポール・クルーグマンがフリードマンについて、「ケインズ経済学に反対して長期にわたる論陣をはってきた」ことから、「世界でもっとも有名な経済学者になった」と書いている。ケインズと変わらぬほど有名になったのだ。

シカゴ学派は孤立していたわけではなく、一九八〇年代初めには「シカゴ」自体の範囲がかなり広がっていた。フリードマンは大学からは引退し、何人かの同僚とともに、スタンフォードのフーバー研究所に本拠地を移した。ここで、レーガン大統領やその側近と直接の関係をもつようになった。このころには、シカゴ学派が経済学とその応用の分野で、「新古典派の反撃」に成功を収め、ケインズ主義に大打撃を与えたことが明確になってきていた。マクロ経済管理は機能せず、通貨供給量を調整しても不透明感が高まって投資を阻害するばかりだとされた。シカゴ学派はさらに、規制

がかならず、公共の利益につくす理想から離れていくことを実証していった。規制はかならず、利益集団にからめとられてしまうのだ。こうした点に加えて、政府は将来を予想する点でも、失敗を重ねてきた。「大きな政府」に対する信認が、これらの攻撃によってくずれていった。

シカゴ学派の研究は、そして間接的にではあるがハイエクの業績は、経済についての一般の見方の重心が大きく変化し、政府と市場の適切な関係が見直されるにあたって決定的な役割を果たした。財政政策はもはや、有効な手段だとはみられなくなった。景気の微調整は、調整にあたる当局の知識と能力を超えるものだ。インフレ率の上昇は失業率の低下をもたらすわけではなく、不確実性を高めるものだ。政府は小さいほど良く、大きな政府は民間の活動を締め出すことになりかねない。ケインズ主義の常識とは逆に、財政赤字の拡大ではなく縮小が、景気を刺激する。ケインズがつねに正しいとはかぎらなかったのだ。

シカゴ大学の教授は長年、ハーバード、イェール、マサチューセッツ工科大学、バークレーなどの名門大学がシカゴ大学を軽視し、卒業生を採用しようとしないと感じていた。ＵＣＬＡ、ロチェスター大学などはもっと好意的だった。バージニア大学はジェームズ・ブキャナンを中心に、自由市場派の拠点になった。ブキャナンの公共選択理論は、自己利益に基づく行動という経済学の想定を、政治家、官僚、有権者の行動の分析に適用したものである。一九七〇年代半ばのハイエクとフリードマンにはじまって、シカゴ大学の関係者がノーベル経済学賞をつぎつぎに受賞していった事実は、シカゴ学派の地位向上をよく示している。七四年以降、シカゴ大学の八人の教授と、シカゴ大学にどこかの時点でかかわった学者、十一人が、経済学賞を受賞している。ゲーリー・ベッカー

はこう語っている。「七五年以降、シカゴ学派に有利な方向に流れが変わったことがはっきりしてきた。これは、経済学者の間の動きの結果であり、世界の動きの結果でもある。この二つが重なったのだ」

フリードマンが語っているように、シカゴ学派の考え方が受け入れられるようになったのは、まずは一九七〇年代のスタグフレーションと経済の行き詰まりのためであり、つぎに、ベルリンの壁が崩壊したためである。「個人がいくら主張しても、それで経済の方向が変わるわけではない。人間が果たせる役割は、危機が起こるまでの間、重要な考え方を維持しておくことだけだ。わたしが説得したからわれわれの考え方が受け入れられるようになったわけではない。鶏が鳴いたから日が昇るわけではないのだ。集産主義は、経済の運営方法として、はじめから成り立ちえないものだった。考え方の変化をもたらしたのは、現実であり、事実である。マルクスがいうところの歴史の必然なのだ[9]」

しぶしぶながらの敬意

この考え方の変化は、三つの部分にあらわれた。経済学界の変化、学界の人たちの心のなかの変化、国内経済政策と国際経済政策の変化である。この三つの変化は、ジェフリー・サックスの経歴をみればあきらかだ。サックスはハーバード大学で、ケインズ主義の教育を受けた。一九七六年、経済学部の最優秀の学生に選ばれ、ニューヨーク連銀の昼食会に招待された。「マネタリストという

言葉が、さも軽蔑したように使われていたのを覚えている」。八〇年代半ば以降、中南米の経済改革の中心になり、その後、東ヨーロッパ、旧ソ連、アジア、アフリカでも経済改革にたずさわった。これらの各国で、政府が経済の管制高地を握った結果をみて、深く失望した。経済を合理的に管理する能力が政府にあるとは、考えられなくなった。「各国の閣僚と経済について議論する機会が増えるほど、市場で無数の参加者が競争する制度を支持するようになった。いまでは世界各国で、フリードマン主義者だと攻撃されるようになった。もともとの立場を考えれば、驚くべきことだ」と語る。

考え方の変化が、それまで数十年の経験や教訓と一体になった。政府の知識ではなく、市場の知識に対する信頼が、世界的な批判の動きの基礎になった。この新しい見方は、世界銀行が発行する権威ある『世界開発報告』の一九九一年版に力強く表明されている。この年の報告は、それまでの常識との訣別を表明したものである。市場に介入するのではなく、「市場に友好的」な政策、つまり、民間セクターの成長を促す政策をとるべきだと主張された。それまでの政策の多くは「市場に敵対的」だったとされたことになる。

この報告の責任者はローレンス・サマーズであり、当時は世界銀行のチーフ・エコノミストで、その後、アメリカ財務省の副長官になっている。ポール・サムエルソンとケネス・アローという二人のノーベル経済学賞受賞者の甥にあたり、マサチューセッツ工科大学とハーバード大学で教育を受け、四十歳以下の優秀な経済学者に贈られるクラーク・メダルを受賞している。サマーズはこう語っている。

「一九五五年には、大恐慌と第二次大戦の影響に焦点を合わせるのは不適切ではなかった。中南米の専制国家はうまくいっていたし、ソ連経済はアメリカ経済の三倍のペースで成長しているようにみえた。いまでは、大恐慌も第二次大戦も、歴史のなかで占める位置がはるかに小さくなった。

近年、三つの要因で人びとの考え方が大きく変わった。第一に、公共セクターがどこまでひどくなりうるかをみてきた。競争があれば、もっとうまくいくように思える。技術革新も進む。世界中で、数量よりも多様性が重視されるようになった。第二に、これまでなら政府の調整が必要だとみられていたことを、市場が実現できている。アメリカのどの町でも、ビデオを借りられるようになっており、政府は関与していない。公共セクターが乗り出さなければものごとが進まないという見方には、疑問符がつけられるようになった。第三に、経済学の研究が進んで、弾力性が、経済システムの反応が、考えられていたより大きいことがわかってきた。税率が変化すると、考えられている以上の反応がある。財産権に介入すると、企業は他の国に逃げだす。これは経済のグローバル化が進んだためだろう。

現在、経済学の授業で学ぶ点で、もっとも重要なことはなんなのだろうか。わたしが学生に強調したのは、見えざる手が隠れた手よりはるかに強力なことだ。命令や管理や計画がなくても、ものごとは見事に組織化されて進んでいく。これが経済学者の間で共通した見方になっている。ハイエクが残した教訓だ。

フリードマンに関していうなら、わたしが若いころには、悪魔のような存在だと思っていた。年数がたつにつれて、しぶしぶながら、かなりの敬意を払うようになってきた。さらに年数がたって、

心から尊敬するようになった[10]」

新興市場の登場

トム・ハンスバーガーには、長年のこだわりがある。それは一九五〇年代後半、アメリカ空軍の軍人として北アフリカとヨーロッパに勤務していた時代にはじまった。任務でギリシャとトルコを訪問したとき、たくみに経営された民間企業の力で、現代化が進んでいることに感銘を受けた。アメリカではだれも、これらの企業については知らないようだった。このときから、ハンスバーガーはグローバル投資にこだわりをもつようになった。グローバル投資という言葉すらなかった時代のことである。証券業界ではたらくようになり、ウォール街からオハイオ州に流れ、やがて、フロリダ州タンパで、ある銀行の信託部門の責任者になった。タンパで証券アナリストの会議が開かれたとき、ジョン・テンプルトンに出会った。テンプルトンを投資業界の「賢明な老フクロウ」と評したフォーブス誌の記事を読んでいた。たしかにテンプルトンは、バハマの小さなオフィスを拠点に、投資業界の伝説の人になる道を歩んでいた。一般の人たちが気づくはるか以前に、世の中の動きを見抜く力をもった数少ない投資家のひとりなのだ。仕事でも生活でも原則を決して崩さず、資産家になった後も質素さに変わりはなかった。「テンプルトンはどのような投資にも独自の個性があり、寿命があるとみていた。投資の決定にあたっては、感情が入り込むのを許さなかった。すべてをそれぞれ独自の利点にしたがって判断した」とハンスバーガーは語る。

二人が出会ったとき、テンプルトンは運用資産の六〇パーセントを日本株に投資しており、グローバル投資のポートフォリオを拡大しようとしていた。そして、グローバル投資こそ、ハンスバーガーがもっとも関心をもっている点なのだ。一九七九年、ハンスバーガーは、当時はまだ小さかったテンプルトン・インベストメントの最高経営責任者になった。入社して最初の仕事として、自分のパスポートを取りに行った。そして航空券を買い、数か月にわたる海外出張に出掛けて、世界各地の企業を訪問し、地元の専門家を探して歩いた。それから十五年にわたって、テンプルトンとハンスバーガーはだれにもまして、開発途上国の株式市場を欧米の投資家に開放するためにつくすことになる。当初は容易なことではなかった。「見込みのある投資家を訪問して、国際投資について説明した。しかし、海外に投資する必要があると考える投資家はほとんどいなかった。為替リスクや経済リスクを負うつもりはないし、まして、政治リスクは敬遠したいという。まともに笑われたこともある。正気ではないだろうという顔でみられたこともある」とハンスバーガーは語る。

おなじころ、世界銀行の関連機関で民間企業に焦点をあてている国際金融公社（IFC）が、開発途上国の株式市場への資金流入を促進しようと努力していた。オランダの銀行幹部、アントワン・バン・アフトマールが一九七〇年代後半、タイではたらいていたころ、タイの株式市場ははじめての大ブームに沸き、やがて暴落した。「ここから三つの結論を導きだせる。第一に、開発途上国にはきわめて大きな可能性がある。第二に、途上国の企業は、主要な国際投資家からまったく無視されており、巨額の資金を必要としている。第三にリスクがきわめて高い。したがって、分散投資が必要であり、多数の国に投資を分散する必要がある」。バン・アフトマールはこの後、IFCに入り、

途上国への株式投資の促進を目指していた小さなグループではたらくようになった。「当時の世界銀行グループで支配的だった風潮と戦った。発展途上国の株式市場はとんでもない小型カジノだとみており、政府による介入に、はるかに関心をもっていた」

ある日、聖戦の一環として、バン・アフトマールはニューヨークに行き、持論の「第三世界投資ファンド」について講演した。話しおわった後、参加者のひとりが立ち上がって、こう言った。「面白いアイデアだと思うが、売れるとは思えない。『第三世界投資ファンド』では、金を投じたいとはだれも思わない。もっといい名前を考えないと」。もっともな批判だとバン・アフトマールは思った。その週末、必死になって考えた。「低開発国市場」では話にならない。「第三世界」もだめだ。世界銀行が好む「開発途上国」もだめだ。どの言葉でも、アメリカ人が貯蓄の一部を振り向けてみようとは思わないだろう。まして、債務危機が大きな話題になり、これら諸国の経済の不安定さが明々白々になっていた時期なのだから。「否定的な言葉ではなく、肯定的な言葉、元気がでる言葉が必要だった」と言う。月曜日の朝、仕事に出掛けるころには、答えをみつけだしていた。「新興市場（エマージング・マーケット）」である。魔法のような力をもった言葉だった。

しかし、言葉は決まっても、それを実現するまでには長く苦しい道のりが続いた。ＩＦＣはメキシコ・ファンドの設定を支援したが、メキシコが事実上の倒産に向かう最悪の時期に重なる不運に見舞われた。つぎに支援した韓国ファンドは、もう少し順調だった。バン・アフトマールは『新興証券市場』という本まで書いている。しかし一九八〇年代半ばになっても、長年の努力の成果はほとんどあらわれていなかった。第三世界では、株式市場への資金流入の必要が緊急性をましていた。

債務危機が発生し、借入が突然止まったため、資金不足に悩む成長企業への資金供給がますます重要になったのである。

それでも、不良債権の処理が続いていたこの時期、きわめてリスクが高いと思える投資にあえて資金をつぎ込もうとする投資家はほとんどいなかった。一九八六年になってようやく、ＩＦＣは資産運用会社のキャピタル・グループと協力して、大手機関投資家のグループを説得し、総額五千万ドルの新興市場ファンドを設定することができた。慎重な実験という性格のファンドであった。開発途上国にとっては苦痛に満ちた時期にあたっており、投資機会はきわめてかぎられているように思えた。テンプルトンがこれに続き、新興市場を投資対象とするはじめての公募ミューチュアル・ファンドを設定した。「八六年に新興市場ファンドを設定したとき、八千万ドルが集まった。当時、最大の不安材料はこれだけの資金を投資できないのではないかという点だった。投資の機会が十分にはなかったからだ」とハンスバーガーは語る。テンプルトン新興市場ファンドは現在、百億ドル以上を投資している。

ＩＦＣの支援がはずみをつけたこともあって、一九八〇年代後半に新興市場は劇的に成長した。八七年には、新興株式市場の時価総額は合計三千三百二十億ドルであり、世界株式市場の時価総額、七兆八千億ドルの五パーセントを占めていた。約十年後の九六年には、時価総額が二兆二千億ドルになり、世界全体の二十兆二千億ドルの一一パーセントを占めるまでになった。「いつかはそうなると考えてきた。しかし、考えていたよりはるかに早く実現した」とハンスバーガーは言う。成長のきっかけになったのは、ベルリンの壁の崩壊だった。「共産圏と第三世界に住む数十億人が市場に参

加するようになった。これがきっかけになって、グローバル投資のテーマが生まれた。それまでは、地域投資しかありえなかった」。九〇年代初めになると、開発途上国は投資を引きつけるために必死に競争するようになった。十年前にはリスクが高すぎるとみられていた投資が、ごく普通のものになった。いまでは、投資の専門家がアメリカ人に、貯蓄の五パーセントから一〇パーセントを新興市場に投資するよう助言している。カリフォルニア州の公務員年金基金で巨額の資金を運用するCALPERSは一時期、新興市場に二十五億ドル以上を投資していた。

テンプルトン社が別のファンド会社に買収されたとき、ハンスバーガーは独立することにした。このときには、一九七九年にジョン・テンプルトンの事業に加わったときとは状況がまったく違っていた。「わたしが国際投資をはじめたころ、アメリカ国外に投資できる市場は七つしかなかった。だれもそうは呼んでいなかったが、ドイツと日本が当時の新興市場だった。いまでは、当社は四十七か国に投資し、六十二か国の企業を調査している。世界全体に九十の新興市場があり、まだ増えつづけている。情報技術の進歩で成長が速まっている。コンピューターを使えば、二万の企業を対象に、投資目的に合うかどうか調べる作業を、昼食までに終えられる。情報技術の進歩で、資金を即座に移すこともできるようになった。キイを叩けば、一秒以内に十億ドルを動かせる」

新興市場の発展は、世界各国で経済の変化をもたらす中心的な要因になっている。一九八〇年代に成長のための新規資金を引きつける必要があったことが、発展の背景になった。途上国政府は新規資金を借り入れなくなったし、それよりもなによりも、貸し手がいなくなった。株式市場を通じて、民間企業に資金を引きつけるしかない。この方法なら、途上国は、ミューチュアル・ファンド

や年金基金に蓄積された先進国の貯蓄を活用できる。そして、資金を引きつけるには、途上国は通貨の安定、成長見通しの明るさ、外国からの投資を歓迎する政治環境を示さなければならない。もちろん、実際には、資金の流入は数量であらわせる要因だけで決まるわけではなく、もっと心理的な要因にも左右される。

新興市場の勃興は定着した流れになったといっていい。これが市場の知識に頼る傾向を加速し、各国の経済を結び付け、変化をもたらし、従来からの政府による介入に対抗する力になっている。第三世界の全体で、政府の政策担当者は、政策が国内に与える影響だけではなく、外国人投資家の反応も考慮しなければならなくなった。各国の当局はいまでも、市場に介入できるし、実際に介入している。専制型の政策を強行することもできるし、障壁を築くこともできる。インフレ率を上昇させ、財政赤字を膨らませる政策もとれる。しかし、こうした政策をとれば、株式市場からあっという間に資金が逃げだすことになりかねない。これは、以前にはなかったことである。

新興市場は旧体制をゆさぶる大きな力になっている。新しい力が政府に与えた影響を理解するには心理学者のエーリッヒ・フロムの概念を借りるのがいいと、インドの経済学者、ビジェイ・ケルカールは語る。「フロムは、無条件の『母性愛』と条件付きの『父性愛』のバランスについて語っている。いま起こっているのは、財政赤字と赤字の国有企業に対する無制限の補助といった財政の無条件の愛から、節度を要求する国際資本市場という条件付きの父性愛への移行なのだ。以前には父性愛がなかった」

しかし、「父性愛」がどれほど厳しいものになりうるのか、だれも予想していなかった。たしかに、

債務危機の記憶から、投資家がリスクの計算を間違えることがあると警告する声もあった。厚みが比較的乏しい市場の間を巨額の資金が動きまわっており、これらの資金の流れが投資家の心理や相場の動向にきわめて敏感なことから、新興市場には「相場調整」のリスクがつねにある。

とはいえ、一九九七年と九八年に起こった世界の金融危機によって、世界の新興市場全体が激震に見舞われたとき、そのすさまじさにはだれも備えができていなかった。東アジアの経済成長率がきわめて高かったため、株式相場の上昇は当然だとみられ、短期債務の急増も正当化されてきた。危機が起こった後に振り返ってみれば、金融制度の規制の枠組みは、資金の流れに対応する点でまったく不適切であった。各国の金融制度は、短期資金と投資が急速に流入してくる状況に対応できるだけの能力をもっておらず、知識が不足しており、独立性もなかった。

その後の危機は、予想が現実を生みだしていくものになった。金利の上昇、通貨の急落と切り下げによって、債務の返済はおろか、利払いすらできなくなった。国際投資家は逃げだし、国内の投資家も資金を海外に移そうとした。全員が逃げだそうとするとき、だれも最後にはなりたくない。世界各国で、新興市場の株式相場が暴落した。市場の暴落が波及していくさまが、「伝染」と表現されるようになった。これは、各国の状況によって起こった現象ではなく、投資家の側の状況によって起こった現象である。リスクに関する見方が大きく変化し、その結果、新興市場からの資本逃避が起こったのである。これを完全なパニックだとする者もいる。流動性が枯渇した国も多い。一九九八年には、世界全体の新興市場株価指数は、三〇パーセント以上下落している。ここまでの急激な下落は、信認が失われたためだとされている。経済が回復する兆しがみえてくるまで、そして、

これらの市場の永続性と透明性があらためて確認されるまで、資金は戻ってこない。将来、投資家は新興市場に投資する際に、経済成長率だけではなく、規制と政治の体制の質も考慮するようになるだろう。ここでも、すべてが信認にかかっている。

金融市場の統合

企業が国際投資を拡大し、事業のグローバル化を進めているので、世界はすでにかなりの程度結び付けられてきた。しかし一九八〇年代半ばからは、資本市場の発展と結び付きによって、つまり金融市場の統合によって、国際経済という言葉の意味が変わってきている。金融市場の統合が大きな影響をあたえている背景には、情報の統合がある。電気通信技術と情報技術の急速な進歩によって、市場と投資家が結び付けられ、市場の動向が瞬時に伝わるようになった。この結果、国内の市場はもとより世界の市場が、毎日でも毎時間でもなく、毎分というペースで、各国の株式市場について、したがって各国の経済について、信任投票を行なえるようになった。不信任とは、きわめて急速な資金流出を意味しうる。

どのようなつながりがあるのかは簡単にはつかめないが、情報技術と電気通信技術の革命は、経済への国の介入に対する世界的な批判の一因になっている。国が経済を管理するには、国に力がなければならない。そして、国の力の源泉のなかでとくに重要なものに、情報の独占がある。この点がとくに明白だったのは旧ソ連であり、石油の埋蔵量が国家機密とされ、工場の責任者が事業に影

響を与えうる外国の情勢を知ろうとしても、危険を承知のうえで自由放送やBBCの海外放送を聞くしか方法がなかった。典型的な専制体制では、情報の管理は免許、通貨、投資の管理と変わらぬほど重要であった。

しかし、電話やファクスやコンピューターが安価になり、性能が向上して（そしてもちろん、海外旅行の機会が増えて）、情報がもっと自由に流れるようになれば、経済全体の透明性は高まってくる。情報技術の進歩によって情報が流れるスピードが速くなり、範囲が拡大して、政府はもはや追いつけなくなっている。情報が世界をかけめぐり、人びとは比較や対照が簡単にできるようになった。知識を即座に交換できるようになった。情報に基づいて行動できるようになった。投資家は世界のどこにいようとも、はるかに大量の情報に基づいて決定を下せるようになった。ロイターやブルームバーグの端末があれば、十年前には想像すらできなかったほど幅広く深い情報を、一瞬の遅れもなく入手できる。これまで高い壁で囲まれた国に暮らしてきた人たちも、いまでは違う道や選択肢があることを学べるようになった。

情報・電気通信革命の影響は、まだあらわれはじめたばかりである。しかし、バーチャル企業が登場し、シリコン・バレーとバンガロールのソフト技術者、シベリアとヒューストンの石油地質学者、デトロイトとケルンの自動車設計者がコンピューターを通じて結ばれ、チームを組んで協力するようになって、経済は様変わりしている。国の管理の有効性がそこなわれ、国民国家の国境すら侵食されていく。市場が世界全体に広がっているとき、国の経済管理の担当者は視野が狭すぎることになる。数十年にわたって経済計画当局や規制当局が開発してきた政府の知識という概念が、危

機に瀕している。政府は政府自身が考えているほどの知識をもっていないのかもしれない。知識があっても、効果的な動きがとれなくなっているのかもしれない。この結果、政府の力がますます制約を受けるようになった。政治的な目標を追求しようとしても、経済的な必要によって制約を受ける。いまでは市場が、財の供給、価格の引き下げ、インフレ率の低下、国民の生活水準の向上を管理しているからである。しかし、市場重視の考え方が勝利を収めたことで、市場は新たな義務と責任を負うようになり、新しい疑問も生まれてきている。市場はなにを、どこまで知っているのか、それをどこまで有効に使えるのか、そして、事態がどこまで悪化しうるのかという疑問である。市場のグローバル化は、リスクのグローバル化も意味する。海外旅行が大幅に増加したために、伝染病が短期間に世界各地に広がるようになったのと同様に、金融市場の統合によって、危機が世界各地の市場に短期間に波及するようになった。

この点は、一九九〇年代末に国際経済をおそった世界的な危機の「伝染」の教訓である。八〇年代の債務危機によって新しい考え方と方法を採用せざるをえなくなったが、九七年から九八年にかけての危機でも、おなじことがいえるだろう。この激動によって、新しい世界経済のなかで、政府の役割が見直されることになろう。新たな批判もでてくるだろう。統合を強める世界経済のなかで、各国の政府はどのような役割を果たすのか。どのような国際協力が必要なのか。あるいは、国際的な規制すら必要なのだろうか。国際通貨基金（ＩＭＦ）などの国際機関の役割は、今後どうなるのか。どのような標準、規範、規則、規制を国際的に広めていくべきなのか。市場の透明性と公正さを高めていくために、既得権益や政治的なコネの裏にリスクが隠されないようにするために、なに

ができるのか。

　こうした点を総合するなら、新しいグローバル経済が決定的に見直されるといえるだろう。とはいえ、その結果、政府による経済の管理に完全に逆戻りするとは考えにくい。そうなるにしては、世界は大きく変わってきている。国境を越えた結び付きが深くなり、しっかりと根づいている。世界的な批判の結果、政府の知識がかなり少なく、その知識を活用して政府がなすべきこともかなり少ないと思えるようになった。これが逆転するとは思えない。ジスカール・デスタン元大統領は、政府による管理から市場による管理への移行を象徴するものとして、パンの例をあげている。一九六〇年代後半に大蔵次官に就任したとき、生活必需品の価格統制を監督した。「わたしの下には大量の公務員がいて、フランス中のパン屋をまわり、バケットの価格が指針からはずれないようにする仕事をしていた」。何千人もの公務員が国中をまわって、あちこちの町や村でパン屋と口論し、説得する。「これは馬鹿げている。こんな制度が長続きするはずがないことに気づいた」[11]

第6章

奇跡を越えて

アジアの勃興

chapter 6

BEYOND THE MIRACLE:

Asia's Emergence

東アジアにはほんとうに経済の奇跡と呼ぶべきものがあったのだろうか。一九九七年半ば以降、東アジアが金融・経済危機に見舞われただけに、この問いに答えることがこれまで以上に重要になっている。危機がはじまる以前から、「奇跡」についてはは激しい議論があった。当時の問題は、アジアの多くの国が高度経済成長を達成し、しかも、大きな波瀾もなく達成しているようなのはなぜなのか、どのような方法をとっているのかを理解することであった。マレーシアのマハティール・モハマド首相はこの点について、きわめてはっきりした見方をもっていた。当時は首相の絶頂期であり、みずからの指導のもとで、高度経済成長（年六パーセントを超えることも少なくなかった）を二十年近く続けてきたからだ。インタビューのために訪問したとき、首相はクアラルンプールの執務室で、チーク材の大きなデスクを前に、若干堅苦しい姿勢でわれわれを迎えてくれた。服装は質素で、マレーの伝統的な服を着ていた。胸のところに、「マハティール」と書かれた小さな名札をつけている。側近もみな、それぞれの名札を胸につけている。

首相はみるからに、しっかりと情報武装している。デスクの横に別のデスクがあり、四つのディスプレーが並んでいて、画面が点滅している。一番目はテレビ会議用だ。二番目はインターネットにつながっている。三番目にはロイターのニュースがつねに流れている。四番目は国内各地の開発に関する最新情報を伝えている。左手の窓枠には、マレーシア企業が設計し、製造している航空機の模型がおかれている。

首相も「奇跡」という言葉はとくに好きではないという。経済成長が勤勉と犠牲の結果である点を無視しているように聞こえるし、市場の規模と構造、歴史、文化、そして首相にとってとくに大

切なナショナリズムといった点での大きな違いも無視することになる。「アジアの奇跡などはない。ひとつの考え方、経済をどのように運営するかに関するひとつの考え方を実行に移していった結果にすぎない。正しい選択を行ない、政治的な方法と経済的な方法をうまく使い分けた結果だ」

クアラルンプール（アジアではKLと呼ばれている）の情景からも、この点が確認できるようだった。その中心街はブームのさなかにあり、巨大なクレーンや建設機械が林のように見えた。経済が収縮したり、崩壊したりする可能性があるとは、だれにとっても考えられなかった。街路には、マレー人、華人、インド人の若者がTシャツにジーンズ姿でバイクに乗り、日本車、ベンツ、それにマレーシアの国民車で国中にみられるプロトンで混雑する道を走っていく。いくつもの文化がまじりあっていることは、女性の服装によくあらわれている。ミニスカートとハイヒールの女性のすぐ後を、頭から爪先までイスラム風の上品な服で隠した女性が歩いていく。恐ろしく高いツイン・ビルが空に向かって伸びている。これは国有石油会社のペトロナスのオフィス・ビルであり、ニューヨークの世界貿易センター、シカゴのシアーズ・タワーより高く、世界一高いビルである。劇的で持続的で、世界銀行すら奇跡と呼ぶようになったアジアの経済成長を象徴する建造物でもある。アジア経済の奇跡は地域全体に広がって、南はマレーシアにまで及び、プランテーションを経済基盤にしていたこの国を一変させた。「ハイチに国民一人当たりの所得でなんとか追いつくことができたのは、つい最近の一九六〇年のことだ」と首相は語る。ハイチは西半球でもっとも貧しい国である。九〇年代後半には、マレーシアは技術が進んだ国になり、二〇二〇年には（それ以前には難しいとしても）、欧米先進国と変わらない水準まで所得水準を向上させることを目標にしていた。ゴム

を主要な産業とする植民地だった国が、わずか三十年で、半導体の生産額が世界でも上位に入る国になった。しかし、マレーシアでも近隣諸国でも、厳しい金融・経済危機によって、この間に達成してきた成果のかなりの部分が破壊されるまでに、わずか一年しかかからなかった。危機のきっかけになったのは、一九九七年半ばに発生したタイの通貨危機である。だが、危機の原因はいくつもあり、さまざまに議論されてもいる。そして、少なくとも主要な原因のいくつかは、これまでの成功をもたらしたものとされてきた地域の経済制度のなかに隠れていたことがあきらかになっている。金融危機が深化して東アジアの大部分が不況に陥ると、「東アジアの経済モデル」(どのようなモデルなのか、見方はさまざまだが)の信頼性に対して、内外からの批判が高まった。「奇跡」という言葉があっという間に使われなくなり、「仲間内資本主義」という非難が浴びせられるようになったことほど、見方の急激な変化をよく示すものはない。

危機の深刻さには、観測筋の多くが意表をつかれた。密接につながった金融市場を通じて危機が伝染し、ロシアと中南米の一部まで不況の波にのみこまれるようになると、アジアの経済体制に対する疑問がさらに深まった。こうした批判によってみえにくくなってはいるが、東アジアが三十年にわたって経済の成長と進歩を達成してきた事実、経済の歴史のなかでほとんど例がないほどの成長を短期間に達成してきた事実は消えるわけではなく、今後も希望をもたらすものになるだろう。

世界銀行によるなら、「奇跡の核心」は経済学の見果てぬ夢に近い状況をアジアが達成してきたことにある。「高度成長と平等の組み合わせ」である。この夢を達成してきたからこそ、アジアが注目を集めるようになったのであり、マルクス主義と中央計画経済という凋落したスターに代わって、

アジアの奇跡という新進スターが研究すべき対象になり、一時的にではあれ、真似るべきモデルになったのだ。金融・経済危機に見舞われたものの、どのような基準でみても、過去三十年の実績が並外れているのはたしかだ。

では、アジアの奇跡をもたらしてきた方式は、どのようなものだったのか。政府と市場の関係はどうだったのか。アジアには政府と市場の組み合わせがおなじ国はないとするなら、アジア各国はいずれも、自由主義モデルと中央計画モデルの間のどこかに位置していたことになる。以前には、アジアの成功の秘密を探るために、最近ではアジアの危機の原因を探るために、この二つのモデルの組み合わせがどうなっており、それをどう説明するのかが、活発に議論されてきている。

マハティール首相は、マレーシアについて、「勝利を導く公式」という表現を使っている。その公式とはどのようなものなのだろうか。政府と市場の関係はどうなっているのだろうか。この点に関しては、これまで活発に議論されてきており、ときにはとげとげしい論戦になることもあった。政府の指導が成功の秘訣だとする主張もある。エリート官僚が勝者を選び出し、進むべき道を指導しつづけてきた。貿易障壁、信用、投資、競争を管理して、一貫して経済に介入してきた。国内では各社が激しく競争するよう促し、微に入り細をうがつ保護主義で国内市場を守った。これが秘訣だという。政府と企業はきわめて密接な関係にあり、政府に近い企業に信用、特権、保護を与える仕組みになっている。これに対して、政府が「市場に友好的」であり、マクロの基礎的条件を適切なものにしたことの方がはるかに重要だったとの反論がだされている。貯蓄率が高く、インフレ率が低く、輸出志向が強く、教育に熱心な点、とくに、工業化に必要な技術能力の変化に合わせて教育

を変えてきた点が重要だという。さらに、これらを一貫して粘り強く追求してきたことが重要であり、その背景には問題は富の分配ではなく、最終的には強硬な共産主義者の攻勢のなかで生き残れるかどうかなのだという切迫感があった。

政府の指導なのか、市場の力なのか。答えはあきらかに、どちらも重要だというものである。アジアの成功は、政府の介入と市場の力のバランスによって実現されたものであり、この点は国によってさまざまな違いはあるが、アジアに特有で、独特である。市場と国、企業と政府が、共通の目的に向かって調整をはかりながら、「ハングリー精神」と呼ばれる勤労意欲を背景に、それぞれの役割を果たした。日本でこの方式がはじまって以来、市場と政府のバランスは進化し、状況に適応してきた。基本的な要因は共通しているが、外形にはさまざまな違いがあり、工業が発達した都市国家から農業を基盤とする大国まで、文化が同質な社会から多民族・多宗教の社会まで、性格が大きく違う国がそれぞれの必要に応じた形態を採用している。また、当初から政府の介入をあまり使わず、市場の力に任せる方法をとってきた国もある。

東アジア各国に共通する要因のなかでとくに重要な点は、国内経済を成長させる方法として、輸出を増やす方針（したがって、厳しい国際競争に加わる方針）を明確に選んだことである。とはいえ、東アジア諸国は「国外で競争する」一方で、「国内を保護する」方針をとり、程度に違いはあるが、国内経済を外国との競争から遮断してきた。やはり程度に違いはあるが、政治面でも経済面でも、規制と強制に基づいて全体のシステムがつくられてきた。東アジアの成功物語では、ほとんどの場合、独裁制、権威主義か、少なくとも政治に対する規制や事実上の一党支配の時期を経過して

いる。しかし同時に、経済には生き残りがかかっており、経済が成長すれば目に見える成果が得られるという国民の合意が形成されてきた。そしてたしかに、東アジアの経済成長は、幅広い国民に成果が分配された点が特徴になっており、貧富の格差が縮小して、平等な社会が築かれてきた。東アジアのほとんどの国で、政府は経済に介入しており、ときには思い切った介入を行なっている。しかし、介入は市場が生みだす結果に影響を与えようとするものであって、政府が市場に取って代わったり、市場を押さえ込もうとするものではなかった。つまり、東アジアの成功には逆説めいた性格があり、政府の知識の力が政治構造によって強化され、「市場に友好的な結果」が生まれたといえる。

それでも、アジアの奇跡の基礎になった政府と市場の関係は、ひとつの概念にまとめることができる。それは「一国株式会社」という概念である。国を会社に見立てる論法は、東アジアの指導者が頻繁に使っており、輸出の重視、生産性向上への努力を強く促すとともに、組織による統制に頼る傾向を生みだしている。しかしそれだけでなく、「一国株式会社」では、普通の企業でもめったにみられないほど、全員が共通の目的を目指しているという意識が強かった。植民地化、占領、分裂、内戦、破壊活動、戦争の記憶が生々しかったことから、ナショナリズムが強烈だったためだ。

一九九七年から九八年にかけての混乱と、それが経済に与えた打撃によって、頭の痛い問題が生まれてきた。これらの努力は意味があったのだろうか。どこがおかしくなったのだろうか。危機が進むにつれて、この問いに答える際の手掛かりがあらわれてきた。「奇跡」を達成してきた国のなかで、危機の影響に大きな違いがあったからだ。危機をきわめてうまく乗り切ってきた国もあれば、

困難な状況を直視して独自に解決策を見つけ出すのに苦労している国もある。この点から、東アジア各国が経済面で驚異的な成功を収めてきたといっても、その過程は一様ではなく、それぞれの国に特有のものであり、国ごとに社会への影響に違いがあるし、問題や変化に対応する能力にも違いがあることがわかる。

東アジア各国にはそれぞれの文化があり、歴史があるため、それぞれの一国株式会社は性格が違っている。しかし、どの国も当初参考にしていたモデルはおなじである。アジアではじめて欧米に匹敵し、ある意味では欧米を追い抜く工業化をなし遂げた国、日本がモデルになっていたのだ。(1)

日本——「所得倍増でいくんだ」

一九四五年、日本は敗戦に打ちのめされ、荒廃していた。指導者は逮捕されるか信頼されなくなり、産業は破壊され、都市部の住宅の三分の一は灰になり、国全体が生存レベルすれすれのところをさまよっていた。国民は意気消沈して目標を失い、生活は破壊されていた。食べ物すら満足になかった。子供たちは線路にむらがって、通りすぎる列車の窓からチョコレートを投げるよう、アメリカ兵に物乞いをした。

アメリカ軍と戦って、日本人は圧倒された。戦争中に空をおおいつくすB29の空襲を受け、敗戦の直前に原子爆弾で二つの都市を完全に破壊されたことで、アメリカの技術力の高さを思い知らされた。その後の占領時代には、アメリカの生活水準の高さをみせつけられた。いつかは達成したい

夢の対象を、自分たちの目で確認できたのである。しかし、その夢は自分たちにはまったく手の届かないもののように思えた。ほんとうに手が届かないものだったのだろうか。ラジオの英会話番組のテーマソング、「カム・カム・エブリボディ」が巷にあふれ、将来への夢をあおっていた。

戦後の数年間は極端に苦しい時期になり、広範囲な混乱、慢性的な物不足、猛烈なインフレに悩まされていた。一九四〇年代末になって、進駐軍はコスト負担の重さと冷戦の始まりを背景に、いわゆる「逆コース」をとるようになり、日本の経済復興を目標とするようになった。この政策の一環として、「ドッジ・ライン」が採用され、インフレ終息をもたらす大きな力になった。五〇年にはじまった朝鮮戦争で、日本は朝鮮半島への補給基地になり、特需景気が起こった。五〇年代前半が、経済復興の出発点になった。五二年にベスト・セラーになった獅子文六の『大番』に、当時の状況がよく描かれている。主人公は中古のダットサンに乗っていたが、やがてフォードを買い、つぎにはリンカーンの新車を買って神宮外苑を走らせながら、「フワフワや、フワフワや。まるで、雲の上を飛んでるようや」と叫ぶ。日本車がやがて、デトロイトでつくられた車より好まれるようになり、ステータス・シンボルになるとは、当時はだれも、考えることすらできなかった。

一九五〇年代半ばになってようやく、経済復興の時代から高度成長が続く時代に移り、経済成長が国の目標の中心になった。六〇年、首相就任を目前に控えた池田勇人通産相は、「首相になったらなにをなさいますか」との問いに、「それは経済政策しかないじゃないか。所得倍増でいくんだ」と答えている。そして、日本は所得倍増への道を歩んでいた。六四年、東京オリンピック開催の直前に、池田首相は、「戦後十九年の高度成長で日本の国民所得は西欧水準に接近しつつある。……戦前

八十年でできなかったことを戦後は二十年でやろうとしている……」と強調した。生活水準の向上が、この点を示している。六〇年代には、消費者はテレビ、洗濯機、冷蔵庫という「三種の神器」を買うようになった。七〇年代には、自動車、カラー・テレビ、クーラーの「三C」ブームになった。[2]

一九七〇年代にエネルギー危機が起こったとき、日本人は経済成長の時代がこれで終わると懸念した。高度成長は安い原油に依存したものであり、続けることはできないと考えた。当時は悲観論がきわめて強かったが、実際には、エネルギー危機は日本にとって、一時的な後退をもたらしただけであった。八〇年代初めには、日本経済は力強く回復するに至っている。技術面の急速な調整によって、エネルギー集約型の経済から「知識集約型」の経済に移行し、効率性が重視されるようになったからである。日本は経済大国になった。八〇年代末には、東京証券取引所が時価総額でニューヨーク証券取引所に並ぶようになり、世界の十大銀行のうち八行が邦銀になっていた。東京の中心に位置する皇居だけで、アメリカ西部全体よりも不動産価値が高いといわれた。帝国ホテルのロビーで、欧米と日本のビジネスマンが歩み寄り、お辞儀をし、名刺を交換しているのをみていると、ここが世界経済の中心地、世界的な事業や取引が集まる焦点なのだと思えたものである。

円高による購買力の上昇に刺激されて、日本は猛烈な勢いで買いあさりをはじめた。企業を買収したのはもちろん、あらゆる種類の富の象徴を買った。フランスのブドウ園、世界の名画、ニューヨークのロックフェラー・センターとエクソン・ビル、ハリウッドの五大映画会社のうちの二社などである。欧米の企業と経営戦略家は、日本の成功の秘訣をさぐり、真似をしようとした。そして、将来を象徴するかのように、メキシコの大統領が子供たちをメキシコ・シティにある日本人学校に

通わせるまでになった。

日本が戦後、成功を収めてきたのは、さまざまな要因が重なったからである。第二次大戦の前にすでに、日本はかなりの発展をとげていた。占領時代にアメリカの命令で農地解放が実行され、鉱工業と金融業にまたがる大規模な企業結合だった財閥が解体された。財閥に代わって銀行と製造企業が結び付いた系列が生まれたが、系列内のつながりはそれほど強くはなく、ソニーの盛田昭夫のような起業家が、小さな研究所を活気のあるグローバル企業にまで飛躍させる余地があった。経済の基礎的条件が整っていた。労働力が豊富で、教育水準が高く、インフレ率は低く、貯蓄率はきわめて高かった。アメリカの力をみせつけられて、技術の重要性を思い知らされている。このため、日本企業は猛烈なペースで欧米から技術を取り入れ、吸収するようになった。ソニーの創業者、井深大は一九五二年、アメリカ国務省が後援する視察旅行でアメリカをおとずれたとき、トランジスターの特許使用が可能になることを知り、すばやく契約を結んでいる。企業は競争力を高める手段として、品質をつねに改善していこうと努力し、市場シェアを獲得するために、大量生産の規模を拡大しようと投資していった。これらの動きを支えるものとして、信じがたいほどの勤労意欲、めったにないほど強烈な愛社精神、ナショナリズム、日本の危うい立場についての共通の認識、生活向上への欲求といった価値観があり、さらに、敗戦、戦争直後の苦しみ、占領という屈辱の強烈な記憶があった。

もうひとつ、きわめて重要な要因があった。輸出によって経済を成長させる方針である。一九五〇年代初め、日本では経済戦略に関して激しい論争が戦わされている。「貿易主義」対「開発主義」、

「自由主義」対「統制主義」の論争である。この論争で貿易主義が勝利を収め、日本は世界経済の発展に自国の将来を賭ける方針をとって、大きな利益を確保することになる。アメリカの主導のもとで国際貿易体制が開放的なものになっていった時点から、日本はきわめて大きな利益を、きわめて意識的に獲得してきている。七〇年代初めまで、その経済力を世界各国に無視されてきたことも、日本にとって有利にはたらいた。欧米では、日本は競争相手とはみられておらず、安価な粗悪品を供給する国だとされていた。大戦間の時代に、日本がアジアの輸出市場をイギリスから見事に奪っていった事実は、ほとんどだれも思い起こさなかった。国内市場保護政策も見逃された。日本は輸出品の構成を、繊維製品と軽工業製品から、船舶と鉄鋼へ、さらには複雑な機械、電子製品、ハイテク製品へと、高度な製品に移していった。

鉄の三角形――「五五年体制」

これらの要因を生かす枠組みになっているのが、政府と企業の協力関係を特徴とする市場制度である。この協力関係によって、経済成長と生活水準向上の目標を達成できた。日本企業の間の競争が熾烈になることは少なくないが、この制度全体が「日本株式会社」と呼ばれるようになった。この制度では、政府の官僚が支配的な役割を担うことが多く、その際には規制以外に、あいまいではあるが強力な「行政指導」も使われた。この制度を、四〇年体制とする見方が最近、日本にあらわれている。第二次大戦がはじまる直前、官僚が決定権を握る形で官僚と企業が密接に協力する総動員体制がつくられたが、それが現在まで続いているとする見方である。戦後になって、官僚の地位

がいっそう高まったとされている。しかし、五五年体制という名前の方が適切だとみられる。五五年には自由民主党が結成され、政界、財界、官界の「鉄の三角形」が確立したからだ。

日本の制度のもとでは、政府と企業の緊密な調整は自然なこととして受け入れられ、日本の立場の危うさを考えれば当然のことだとされていた。ある学者によれば、官僚も企業経営者の多くも、「政府が産業の問題に介入するのは、経済政策の自然な一要素だとみていた」。産業の規制は戦略的なものである。「産業の振興と一体になったものとみられていた」。海外で競争するためには、企業は国内で強力でなければならない。日本政府は、海外での競争を促す政策と、国内市場を強力に管理する政策との間に矛盾があるとはみていなかった。

この制度は生産者を支援することを狙ったものであって、消費者を支援するものではなく、消費者物価は高かった。これが、供給を保証し、企業の健全さを保つためのコストであった。この経済体制を運営するのは簡単ではなく、能力が高く、政治の影響を受けない官僚機構が不可欠であった。経済運営の手法は、「需給調整」と呼ばれている。

需給調整の中心には、対外経済戦略と対内経済戦略の双方を調整する強力な機関、通産省があり、戦後のほとんどの期間、中央統制型ではない日本経済の司令塔の役割を果たしてきた。海外では、MITIの略語で知られている。日本の元高級官僚がこう語っている。「日本には、少なくとも七〇年代末まで、管制高地にあたる言葉があった。それは通産省だ」

東京の中心の皇居にほど近い霞が関、一九五〇年代に建てられた灰色と茶色の官庁街にある通産省が、産業政策の制度全体の調整にあたってきた。企業が世界の輸出市場に適応できるよう支援す

るとともに、輸出市場を最大限に利用できるよう支援することを目的としてきた。情報と知識を企業に振り向け、新技術の導入を促進してきた。目標を達成するために、さまざまな手段を駆使した。価格の決定、輸入割当と市場シェアの割当、免許、品質基準、業界団体、学閥などの人脈、拘束力はないが明確な意向の表明、行政指導などの手段である。国内の産業構造に影響を与える世界市場の変化を読みといて、業界にたえず助言し、地方事務所を通じて地方の業界に介入した。国内の「過当」競争によって、海外で競争するのに必要な体力を日本企業が失わないように、つねに配慮した。企業買収や合併を仕掛け、設備過剰に陥らないように投資を調整し、中小企業が事業を特化するよう促した。また、さまざまな手段や障壁を使って、国内での外資系企業の動きを制限しようとつとめた。このように、貿易と国内産業が密接に結び付き、通産省が両者をともに調整する仕組みになっている。これは、日本が独創性を発揮した点のひとつである。権威と影響力で通産省に匹敵する(あるいは凌駕する)省は、大蔵省しかない。同省は金融と外国為替を管理している。しかし、大蔵省は管轄する業界に企業の数が少なく、通産省ほどは動きが目立たない。

通産省と大蔵省を動かしているのは、名門大学、とくに東京大学法学部を優秀な成績で卒業した人たちである。この人たちは「官僚」と呼ばれており、皮肉でもなんでもなく、自分たちでも「官僚」という言葉を使っている。しかし、アメリカとは違って、日本ではこの言葉に軽蔑の意味はこめられていない。儒教の影響を受け、責任、献身、力という意味をこめた褒め言葉なのだ。そして、日本の官僚はきわめて幅広い責任を負っており、きわめて高い能力を要求される。

日本の民間企業の力が強くなってくるとともに、通産省の役割は変化してきた。ある元高官が言

うように、通産省が運営してきた制度は、「先進国に追いつくためのモデルとして、きわめて有効であった」。通産省は日本経済の拡大の中心、日本株式会社の中心になった。ここから、ひとつの文化が生まれている。企業はほぼつねに通産省と折衝する必要があるので、通産省の近く、できれば短時間で通える距離に本社をおくようになる。経営者は審議会の委員になり、そこでは通産省に助言するのと変わらないほど、通産省から助言を受ける。そして経営者は、力のある通産官僚には、相手が一回り以上若くても、十分な敬意を示し、深く頭を下げることが多い。

通産省は業界団体と密接に協力し、助言を受け、業界全体を育成する方法を考えていった。しかしなかには、通産省の指導に抵抗し、独自の道を歩むことで有名になった企業もある。自動車業界の国際競争に備えて、通産省は規模の経済を確保できるよう、自動車メーカーの数を減らそうと努力した。その一環として、二輪車事業に専念するよう本田技研を説得しようとした。本田は通産省の強い助言を無視し、四輪車に進出している。また、日本にとってきわめて重要な消費者向けエレクトロニクス業界も、政府の支援はほとんど受けていない。典型的なのはＶＴＲである。ビデオ・レコーダーはアメリカで発明されたが、一台五万ドルもする機器であり、テレビ局しか買えないものであった。日本企業がこの技術を発展させ、一台五百ドルの消費者向け製品を開発した。通産省はひいき目にみても、わずかな役割しか果たしていない。しかし、いくつかの失敗はあったが、通産省を中心とする制度が日本経済の日々の動きを決める中核になり、この中核によって、日本は異例の成功を収めることができたのである。ほとんどの場合、この制度は意図された通りに機能した。一九八〇年代末には日本経済の卓越した力がさらに高まって、敗戦と占領の屈辱もいずれ、すべて

払拭できるように思えた。アメリカ兵が投げるチョコレートを拾おうと必死になっていた子供たちが、数十年たって国を指導する立場に立ったとき、日本は経済大国になり、アメリカを追い抜く勢いにあると思えた。

ところが日本経済は、巨大な投機ブームに酔うようになり、一九九〇年になってバブルが破裂した。九二年には、日本経済は深刻な不況に陥った。高度経済成長がはじまって以来、もっとも深刻な経済危機にぶちあたったのである。株価は六〇パーセント下落し、不動産価格は急落し、不動産関連の不良債権を大量に抱え込んだ銀行は、経営破綻の淵に立たされている。弱体化した金融システムが、景気回復の足をひっぱりつづけている。日本は国際競争力を失った。日本中が深刻な悲観論に陥った。消費者や企業の間で景況感が悪化した。それと時期をおなじくして自由民主党が分裂し、五十年間続いた一党支配が終わりをつげた。

こうした問題によって、日本株式会社が終わったのかどうか、激しい議論が起こっている。政府と市場の関係の公式を抜本的に見直し、政府の役割を縮小して経済の規制緩和を進めるべきなのだろうか。この議論はいまでも、言論界と政界で続いており、その結果がどうなるかが、日本経済の将来を決めることになろう。(3)

官僚の「自殺行為」

この戦いを象徴するのが、通産省で規制緩和をとくに強く主張した内藤正久元産業政策局長の悲運である。通産省の幹部のほとんどがそうであるように、内藤元局長も東京大学法学部をでている。

一九六一年に通産省に入った。六〇年代前半、経済協力開発機構（ＯＥＣＤ）加盟に関連する交渉に参加した後、当時の制度が長期にわたって有効なものかどうか、疑問をもつようになった。「計画がうまくいくには、すべての情報がひとつの中央に集まることが不可欠だと考えた。しかし、ほんとうに集まるとはきわめて考えにくい。そこで、次善の方法として、市場機構を活用すべきだと思った。六〇年代以降、政府と企業の関係がわたしにとって中心課題になってきた。当時、通産官僚の知恵に頼らなければ経済を導くことはできないという考え方が、通産省で主流になっていた。しかしわたしは、通産省が全知全能だとは思わなかった。アメリカの独占禁止と競争の理論を読んでいた。そして、消費者向けエレクトロニクス業界が政府の支援を受けないまま、きわめて好調なことをいつも考えていた」

通産省内で出世の階段をのぼっていく間、内藤元局長はこのような常識外れの考え方をあまり表にはださないようにしていた。そして、通産省の「エース」のひとりと考えられるようになった。自動車、テレビ、鉄鋼など、アメリカとの間の重要で微妙な通商交渉で活躍した。一九八〇年代後半には地位が高まり、規制緩和の利点を主張できるようになった。しかし、各方面から反対を受けた。「通産省の先輩は、規制緩和を進めれば自分たちの地位が脅かされると感じていた。企業経営者や政治家も反対した。わたしが現在の制度を『破壊』しようとしているとする怪文書がでまわった。しかし、こうした批判を受けて、わたしはますます確信を強めた。規制緩和を実行しなければならないと確信した」

通産省内の「国際派」が内藤産業政策局長のもとに集まった。産業政策局は強力であり、内藤局

長は官僚としては最高のポスト、事務次官の最有力候補であった。自分の意見をはっきりと主張するようにもなった。経団連の平岩外四会長を座長とする経済改革研究会で、日本経済の将来について証言した際には、低下してきた国際競争力を回復するために規制緩和が不可欠だと主張している。各省庁の幹部のなかで、規制緩和を主張したのは、内藤局長だけであった。「政府では、わたしの発言は喜ばれなかった。官僚は法を執行するだけの立場だという意見が強かった。官僚にとっての『自殺行為』を夢見ているといわれた」

一九九三年末、前代未聞のことが起こった。通産相が前例のない方法で介入したのだ。突如、内藤局長に辞任を迫り、事務次官への道を閉ざした。更迭劇は国内の話題の的になり、議論の焦点になった。内藤はワシントンに行き、大学で教え、本人によるなら「政治亡命者」になった。規制緩和に反対する勢力は、内藤前局長を攻撃する文書をマスコミに送り、アメリカ企業の経営者と秘密の打ち合わせをしていると非難した。

しかし、このときはすでに手遅れだった。規制緩和の動きが強まっていたのだ。株式と不動産の相場上昇を基礎とする好循環で膨らんだバブルがはじけ、日本は大きな打撃を受けていた。何年にもわたって景気が低迷し、経済成長率がゼロ近くまで落ち込んで、一九五五年体制のもとですべてがうまく動いていくという見方が、あらゆる面で疑問とされるようになった。この不景気によって、競争から保護され、高コスト体質になった生産者本位の経済の問題があきらかになった。金融面の影響が大きかった。産業に低コストの資金を供給することが金融システムの任務になっていたため、企業は財務基盤の健全さに基づいてではなく、政府が管理し、行政指導と人脈が大きな意味をもつ

仕組みに基づいて融資を受けてきた。この仕組みでは、強い企業と弱い企業がはっきりと区別されることがない。貯蓄の管理によって、この仕組みが支えられてきた。消費者物価の高さが、消費よりも貯蓄を促すインセンティブになっていた。そして、家計の貯蓄は銀行と生命保険会社に誘導され、利回りが低く抑えられていた。もっと活発な市場（リスクの高い市場でもある）に貯蓄を振り向ければ、利回りをもっと高めることができるはずである。グローバル化が進む金融市場で、日本だけは投資信託市場がきわめて小さくなっている。何重もの規制によって、銀行などの金融業界は業態の垣根で細かく分けられ、国内の金融機関も外資系の金融機関も、新しい金融商品を発売するのが難しくなっていた。社会の高齢化が急速に進み、年金の新規受給者の数が増加していくため、貯蓄の利回りの低さが、人口動態の変化に伴う時限爆弾の性格を帯びてきた。

輸出企業を助ける円安も、何回にもわたる経済対策で実施された公共事業への財政支出も、景気の本格的な回復をもたらすことはできない。不況が長引くとともに、経済を厳しい規制から解き放ち、競争力を回復するために構造改革を実施するよう求める声が強まっていった。

不況に突入した直後の数年間、何代かの連立政権がいずれも不安定だったため、政府は総合的な政策を打ち出すことができなかった。しかし一九九六年、自己改革を遂げた自由民主党の橋本龍太郎総裁が首相に就任して、規制改革への期待が高まった。橋本首相は当初、構造改革を主張するとは考えにくいように思えた。歴代の内閣で六つの閣僚ポストを歴任してきたが、一九九一年、金融スキャンダルへの大蔵省の関与が明るみにでたとき、蔵相を辞任せざるをえなくなった。しばらくは、過去の人とみられていたが、自民党が混乱した時期に姿勢を低く保ち、その後に自民党総裁に

なって九六年に首相に就任した。

橋本首相は規制緩和を政策の中心に据えた。しかし、規制緩和を促す力はひとつではなく、ふたつはたらいている。第一は比較的単純であり、いまでもはたらいている。海外の競争相手とのコスト格差が極端に広がりすぎた産業に関するもので、その一因は産業の構造が時代後れになっていることにある。安全保障の観点から、たとえば、国内で販売する石油製品はすべて国内で精製するよう長年にわたって義務づけられ、海外から低価格の石油製品を輸入することができなかった。このような規制は時代後れとされるか、変更されている。電力業界は独立系発電事業者によって、これまでの地域独占体制を外縁から侵食されるようになった。これは電力業界の変化を促す国の政策によるものである。航空業界にも、これまでより競争原理が導入されようとしている。こうした改革は重要だが、日本経済全体に及ぶものではない。コスト格差がそれほど極端ではない業界では、変革を求める圧力がはるかに小さく、労働慣行が硬直的なうえ、既得権益の力がはるかに強い。

第二の力はもっと複雑であり、金融業界に関するものである。金融業界の規制緩和は、日本の経済運営の方法に対して、それほど直接的ではないにしても、はるかに幅広い影響を与えるとみられている。これはいわゆる日本版ビッグ・バンによって遂行されることになっており、ロンドン証券市場の規制緩和を模範に、一九九八年に開始された。外国為替管理の規制緩和にはじまり、銀行、証券、保険の各業界にわたって、金融センターとしての東京市場を再活性化することを狙っている。悪名高いスキャンダルをいくつも生みだすもとになった金融業界と裏の社会の結び付きを絶つことも、目的のひとつである。それだけでなく、日本版ビッグ・バンは成功を収めれば、経済全体にも

幅広く影響を与えることになろう。貯蓄と投資資金をめぐって、これまでよりはるかに競争原理がはたらくようになるからである。家計は貯蓄を運用する機関に対して、利回りを高めるよう要求できることになる。日本企業は投資資金を獲得するために、国内企業とも海外市場とも競争しなければならなくなる。金融市場は企業に対して新しい形で節度を求めるようになり、日本企業の競争力が高まるだろう。この結果のひとつとして、市場が強い企業と弱い企業を区別することができるようになろう。

しかし、金融システムの危機が長引いていることで、それ以外の点はすべて背景にしりぞいてしまった。かなりの銀行が債務超過に陥っていることは、公然の秘密になっている。しかし、これらの銀行は大きすぎてつぶせないともみられている。破綻させれば、広範囲に深刻な影響が及びかねない。だが、巨額の不良債権をかかえた銀行業界を再編する全体的な計画はまとまっていない。金融システムの危機によって日本経済全体の足が引っ張られており、世界でもとりわけ競争力のある輸出志向型の製造業の強みをもってしても、相殺できなくなっている。

この結果、一九九〇年代の大半の期間、日本は不況にあえいでいる。国際資本市場は、日本政府に改革を実行する意思と能力があるとは信じなくなった。そして、日本の国民の間でも怒りが高まっている。国民は経済の先行きに不安をもつようになってきており、自信に満ちていた以前の見方が逆転している。日本国民の多くにとって、「経済の奇跡」が遠い過去の記憶として薄れてきていることを示している。

日本では数十年にわたって、経済への国の介入が異例なほどの成果をあげてきた。しかし、不況

が長引き、グローバル化の衝撃があり、政府の対応に行き詰まりと無力感があらわれてきて、政府と国民の間の信頼関係が損なわれてきている。橋本首相は一九九八年七月の参議院選挙での自民党敗北を受けて辞任した。後任には小渕外相が選ばれた。地味な政治家であり、国民や若手政治家からの支持は集めていないが、政界での経歴は長い。二十六歳のときに衆議院選挙に当選し、史上最年少の議員になった。それ以降、十二回連続当選を果たしている。

一九九八年十月になってようやく、小渕政権は何年にもわたって議論されてきた銀行改革のための法案を成立させることができた。これによって、六十兆円にも及ぶ巨額の公的資金枠を用意し、積年の問題の解決にあたることになった。この資金のうち一部は、日本長期信用銀行など、経営が破綻した銀行の清算また公的管理のために割り当てられている。一部は、銀行の資本基盤を強化するための資金枠になっている（政府は公的資金を注入する見返りに、銀行の経営に対する発言権を強化する）。この新たな制度に対しては、時期が遅すぎるし、穴が多すぎるとの批判が国内からだされている。しかし、日本の金融危機が金融システム全体の「崩落」にまで発展し、世界恐慌の引き金を引くことになりかねないと恐れていた人たちからは、欠陥はあるにせよ、金融安定化の枠組みができたのは前進だと歓迎されている。それでも、九〇年代の銀行危機によって政治制度に対する国民の信頼感が低下しており、かつては大きな成功を収めつづけてきた制度が失敗を重ねるようになったことを象徴するものだとされている。

政治家だけでなく、長年にわたって栄光の座にあった官僚も国民の信頼を失っている。規制緩和を推し進める国内の力としては、通産省と大蔵省の一部が大きな部分を占めている。しかし、いく

つものスキャンダルが発覚して、官僚制度の価値すら疑問を呈されるようになった。

内藤正久元産業政策局長は通産省から放逐されてかなりの年数をへた一九九〇年代末近くに、市場を導く国の力に対する信認が失われており、自己改革すらできないとみられるようになったと語っている。「政府の政策策定の過程と決定は、もはや国民に信頼されていない」という。それはなぜなのか。「政府の政策が効果をあげていないからであり、デフレの悪循環と金融システムの危機を防ぐ点でとくにそういえる」。そのために失望感が広がっている。「経済の先行きがみえなくなっており、政府が国民の経済的利益を守れなくなったと国民は感じている」

だからといって、日本国民がもっと開かれた市場、競争の激しい市場を受け入れようとしているとはかぎらない。そうした市場のもとでは、不確実性がさらに高まり、安全が脅かされかねないからだ。五五年体制によって、日本はおそるべき競争力をつけてきたし、当初には考えられもしなかったほど生活水準が高まった。しかし、国が市場を「指導」した時代、通産省が「管制高地」そのものであった時代はあきらかに、はるか以前に終わっている。将来はどうなるのだろうか。国と市場の戦いが、今後何年かにわたって、日本の社会にとって中心的な課題になるだろう。この戦いは、政治の場で繰り広げられるだけにとどまらず、国民の心をめぐっても繰り広げられることになるだろう。(4)

韓国——勝者を選ぶことの長所と短所

一九八三年十月九日のよく晴れわたった朝、ビルマのラングーンにあるアウンサン廟には、韓国人の一群が列をつくって、大統領を迎える準備をととのえていた。韓国の全斗煥大統領がアジア太平洋五か国訪問の最初の国としてビルマをおとずれ、廟に花輪を捧げる予定になっていたのだ。このとき、韓国大使を乗せたリムジンが、韓国の国旗を掲げ、白バイの先導のもとに到着した。大使は急いでなかに入った。ビルマの兵士がラッパを構えた。一節を吹き終わらないうちに、大爆発が起こり、屋根は吹き飛び、なかにいた人たちは吹き飛ばされ、一キロ以上も離れた建物まで揺さぶられた。韓国の閣僚五人、次官三人をはじめ、多数が死亡した。そのひとり、金在益秘書官はスタンフォード出身のエコノミストであり、韓国の経済開発をつぎの段階に進める計画の中心になっていた。しかし、犯人は最大の標的を逃している。全大統領は数分後に到着の予定だった。白バイの先導とビルマ兵のラッパとで、韓国大使を全大統領だと勘違いし、遠隔操縦で爆弾を爆発させてしまったのだ。

爆弾をだれが仕掛けたのかは、疑問の余地がなかった。共産主義の北朝鮮である。目的は朝鮮半島の南半分を混乱させることにある。韓国軍はただちに、南北朝鮮をへだてる非武装地帯に沿って高度の警戒体制に入った。終わったようにみえて終わっていない戦争で、またしても戦闘が起こったのだ。しかし、一九五〇年代初めの全面的な戦争以降、大きく変わった点がひとつあった。韓国

は経済大国への道を歩み、独裁体制の北朝鮮は面目を失うようになったのだ。しかも、この過程はきわめて急速であった。

一九四五年、朝鮮半島が南北に分かれたとき、韓国側に残ったものはきわめて少なかった。日本が鴨緑江につくった水力発電所とその近くの化学プラント、肥料プラントなど、鉱工業のほとんどは北朝鮮側にあった。五〇年、十三万五千人の北朝鮮軍が韓国に侵攻した。共産中国も北朝鮮を支援して戦闘に加わった。北朝鮮軍が進撃していた当初、韓国はとうてい生き残れないとすら思えた。首都のソウルは四回も争奪が繰り返された。五三年に戦争が終わったが、平和協定ではなく、休戦協定が結ばれたにすぎない。この点は韓国にとって、自国の存続がいかに危ういか、北朝鮮の脅威がいかに危険かをつねに思い起こさせるものになっている。北朝鮮の誇大妄想的な指導者、金日成主席は韓国に厳しく敵対する政策を変えることがなかった。したがって、韓国は休戦の後、経済力を築かなければ生き残れない状況にあった。中国と北朝鮮が共産主義型の急速な工業化を進めていただけに、なおさらこの点が重要になっていた。しかし、韓国は悲惨な状況にあり、戦争によって完全に荒廃していた。人口の七パーセントが殺され、とくに若い男性の戦死が多かった。工業生産能力は、もともとみじめなほど小さかったが、その三分の二が破壊されている。

第二次大戦の終了時点から一九六〇年まで韓国を支配した李承晩大統領にとって、出発点はこのように、なんとも不運であった。朝鮮半島は一八九五年、日本の事実上の植民地になった。李承晩は、独立運動を行なったとして一八九八年から一九〇四年まで投獄されている。出獄後はアメリカにわたり、プリンストン大学でウッドロー・ウィルソン教授の指導を受け、一九一〇年に博士号を

取得した。合計四十五年間を国外ですごし、独立を訴えてきた。韓国の政権を握ったとき、経済開発よりも、政治とアメリカとの関係強化にはるかに関心をもっていた。李承晩大統領の強みは経済ではなく、民族主義にあったのだ。

工業化への動きが本格化したのは、一九六一年のクーデターの後である。朴正熙将軍が強力な指導者になり、六二年から七九年まで韓国を支配した。高姿勢で、独裁的で、経済開発をなによりも重視した朴大統領が「韓国株式会社」の創業者になり、断固とした態度で最高経営責任者の役割を演じていった。大統領を支えたのは、活気に満ちた若手士官、優秀で経験を積むようになってきた官僚、勤労意欲が高い多数の国民、経済開発に対する国全体の熱意である。北朝鮮の脅威があったことが、これらすべての原動力になった。

アジア諸国のなかで、韓国は複雑な感情をもちながらも、日本のモデルをもっとも意識的に採用した国になった。その結果、経済学者のドワイト・パーキンズによれば、「政府が経済に極端に介入するが、輸出しなければならないことで、節度のある」経済体制が生まれている。韓国が日本に注目する際にはもちろん、屈折もあった。韓国は日本の植民地であっただけでなく、日本の支配に長く抵抗してきた。日本の支配は厳しく、独立から長い年月を経た後にも恨みが残っているほどである。独立を達成し、民族の独自性を確立しようと、韓国人は戦ってきた。しかし、日本による支配の結果、韓国人の多くは日本語で教育を受け、通産省のモデルと日本の文化から強い影響を受けてもいる。それに、海の向こうをみれば、日本が経済大国として勃興してきたことが明白だった。朴大統領は日本の陸軍士官学校を卒業後、第二次大戦中の二年間、満州で士官として勤務しており、

経済開発戦略の一環として、日本との関係強化に動いた。

通産省に似た官庁をつくれば、韓国にとって緊急の課題を追求できるはずだ。当時、韓国は極端に貧しかった。人口一人当たりGNPがようやく百ドルに達したのは、一九六三年のことである。軍事政権の当初十年間、政府はアメリカの援助の減少を輸出で埋めることに焦点を合わせた。当初、輸出振興制度はすべての企業を対象にし、各種の補助と保護をどの企業にも与えていた。しかし、朴政権の経済計画担当者はすぐに、きわめて大きな意味をもつ結論に達した。国際市場で競争し、国内市場で輸入品と競争するには、大企業が必要だという結論である。この目標を達成するために、当局はチェボルと呼ばれる国策企業を育成していった。チェボルは広範囲な企業を傘下におく財閥である。朴大統領は政策担当者とともに、精米、不動産、建設などのひとつの業界で成功を収めている企業を選びだしていった。選ばれたのは通常、強烈な自信をもった意志の強い起業家が経営する企業である。政府は低利の政策金融、税制優遇措置などの手段を使ってこれらの企業を育成し、多角経営の強大な財閥に育てていった。こうして生まれたのが、いまでは世界中で名前を知られるようになった現代、サムスン、LG、大宇などの財閥である。

一九七三年、朴政権は経済への介入をいっそう強め、重化学工業化宣言を発表して、韓国経済を世界的な地位に高める基礎を築いた。この政策は、主に安全保障の観点から実行されている。北朝鮮は軍事国家であり、その目的は疑う余地がない。したがって、韓国にとって、問題はきわめて基本的であり、国としての生き残りがかかっていた。ベトナムで共産勢力の勝利が間近に迫っていたため、朴大統領と政府首脳はアメリカによる軍事的な保護がなくなっていくのではないかと恐れて

いた。そして韓国は、自力で自国を防衛できるような状況にはなかった。もっている大砲は第二次大戦当時のものだけであり、アメリカで部品生産が止まっていたため、使用できなくなっている。北朝鮮のＴ62戦車に対抗できる対戦車用の武器がない。戦争になれば、武器弾薬はわずか三日でつきてしまう。七六年の選挙で、カーター候補が朝鮮半島からのアメリカ軍撤退の意向をあきらかにしたことから、韓国では安全保障に関する不安がいっそう強まった。当選後のカーター大統領は説得に応じてなんとか態度を和らげたが、今度はアメリカ軍駐留を継続する条件として人権問題を取り上げ、権威主義的な朴政権との溝がいっそう深まった。

重化学工業化宣言のもとで、政府当局が投資の基本的な決定をくだし、信用の管理によって決定の履行を企業に迫った。この結果、政府と少数の大手メーカーとの密接で強力な関係を基盤に、経済力が少数の財閥に集中する経済体制ができあがった。朴大統領自身が第一線で指揮にあたり、育成する企業を選び、計画の進捗状況を監視し、企業や官僚機構の力を背景に脅しをかけ、ヘリコプターで全国各地へ行き、みずから現場を見て歩いた。「目標による管理」を独特の方法で実行している。毎年正月に、すべての閣僚を訪問して、目標とその達成方法について話し合う。翌年の正月にも閣僚を訪問し、前年の約束を「一文ごとに細かく」検討していく。前年の約束のうち八〇パーセントを達成できなかった閣僚は更迭された。全員がメッセージを受け取った。朴大統領が求めているのは、高度成長の持続なのである。

政府は七つの産業を「重要産業」に指定して育成をはかった。鉄鋼、石油化学、非鉄金属、造船、電子、機械、自動車の各産業である。財閥に対して、最先端の技術だけを積極的に導入し、規模を

拡大するよう求めた。たとえば自動車産業で十分な規模を達成するには、年間三十万台の乗用車を生産しなくてはならない。しかし当時、韓国には国全体でわずか十六万五千台しか乗用車がなかったので、これだけの需要がないのはあきらかだ。したがって、国内市場を作り上げると同時に、輸出市場をできるかぎり早く開拓することが不可欠であった。

財閥は潤沢に資金を供給され、政府の支援によって景気後退による打撃から保護されていた。国内市場では外国企業との競争から保護され、さらに、国内企業との競争からも保護された。各社は製品の専売権を与えられており、新しい産業の第一段階には、財閥のうち一社だけに国内市場で販売する権利が認められた。政府は、幅広い製品分野にわたって、厳密に決められた計画にしたがって国際競争力を達成するよう財閥に強制した。達成できない場合には、経済的、政治的に厳しい罰を受けることになる。計画の遂行には類をみないほどの熱意が注がれており、勤労意欲の高さにそれがあらわれていた。ある企業幹部が語ったように、韓国人は「勤勉と規律によって貧困を克服した」のである。もっと極端だったといえる場合も少なくない。労働法規はきわめて厳しく、労働者は軍隊式に組織され、週労働時間は六十時間に近かった。財閥にはさまざまな利点があり、そのひとつはグループ内で相互に補助できる点である。財閥の経営者は莫大な資産を蓄積したが、それでも熱心に攻撃的に事業を進めることに変わりはなかった。そして、だれが命令をくだす立場にあるのかは、疑問の余地がなかった。財閥の経営者は頻繁に大統領官邸の青瓦台に呼ばれ、国益のために行動していない点があると、朴大統領に叱責された。大統領の言葉には、だれもさからえなかった。[5]

一九七〇年代の末になると、政府は重化学工業化宣言による大がかりな経済への介入を緩めるよ

うになった。その一因は、国内の反対と、朴政権に対する不満の高まりにある。インフレを抑制し、工業化の成果をもっと幅広く分配して国民の不満をなだめるために、安定化政策への転換が必要だとみられるようになった。あきらかな転機になったのは、一九七九年十月、韓国中央情報部（KCIA）部長による朴大統領の暗殺である。その後に権力を握った全斗煥将軍は、経済安定化をさらに重視していた。財閥とその影響力の大きさを敵視する傾向すらあった。

金在益はきわめて優秀なエコノミストであり、韓国の方向転換をみちびく大きな要因になった。一九三八年に生まれ、ソウル大学を卒業し、スタンフォード大学で博士号を取得した。まずは大きな力をもつ経済企画院で頭角をあらわし、七九年に安定化計画の立案と自由化の推進にあたるようになった。経済成長を抑え、政府の介入を減らし、中小企業が繁栄できるように競争条件をもっと均等にすることが目標であった。

金在益は全大統領の経済担当首席秘書官になった。「陰気な軍人とアメリカで教育を受けた陽気なエコノミスト」の取り合わせはなんとも奇妙だという見方もあった。しかし、大統領との関係はきわめて密接だった。韓国政府のある高官によれば、「全将軍に経済を説明したのは金在益」なのだ。それまでの工業化戦略が大成功を収めてきたことを認識しながら、戦略を変えなければならない時期にきているとも確信していた。変更しなければ、韓国は大きな問題にぶつかるとみていたのだ。財閥の多くは極端に非効率になっており、政府が救済しつづけなければ、事実上倒産しかねない状況にある。銀行システムは、かなりの部分国有になっていたが、事実上だれに対しても責任を負わないようになっている。農業はきわめて非効率的だ。これらの問題に直面して、金秘書官が書いた

処方箋はこうだ。国の経済への関与を後退させる。国営企業の少なくとも一部は売却する。金融業界の規制を緩和する。貿易障壁を低めて、非効率な産業を外国企業との競争にさらす。そして、外資の投資が経済でもっと大きな役割を果たすようになることも望んでいた。経済が複雑になり、政府が管理できる限界を超えてしまったことを認識していた。そして、最高権力を握っている将軍たちを説得して防衛支出を削減することにもある程度成功し、他の政府高官を驚かせてもいる。

一九八三年十月にラングーンを訪問した代表団に加わっていなければ、金在益首席秘書官はその控えめな笑顔で、どこまでの仕事をなし遂げていただろうか。アウンサン廟のテロ事件は、韓国がいかに危うい状況にあるかをあらためて示すものになった。なかでも金在益が死亡したことが、「最大の損失」だと評された。当時まだ四十四歳だった金在益は事件後、「伝説の人」として人びとに記憶されるようになった。

韓国はその後、金在益の遺産を基盤に、介入の程度を弱めた誘導的計画を目指し、市場の役割を拡大し、金融と輸入を自由化するようになった。政策の変更は容易ではなかった。強力な官僚機構からも、保護に慣れきってきた企業からも、強い反対を受けた。ある官僚によれば、自分たちの権限を失いたくない官僚の手によって、一九九〇年代後半まで「隠れた規制」がかなりの部分残っていたという。

韓国はもはや低賃金の社会ではなくなった。軍隊式の労働組織をめぐって、繰り返し緊張が起こっている。緊張がとくに激化するようになったのは、一九七九年に各地で起こった暴動からであり、これが朴大統領暗殺につながった。その後も、労働争議が頻発している。韓国の労働者の多くは、

労働の成果が自分たちには分配されていないと感じていた。しかし、八〇年代になると賃金は大幅に上昇し、職の安全も保障されるようになった。八七年からは、政府の抑圧と管理を受けることなく労働組合を組織できるようになった。しかし最近になって、問題を複雑にする要因として、労働市場の柔軟性を高める必要が強まっている。アジアの新しい虎と競争する必要があると同時に、経済協力開発機構（OECD）加盟の条件として、労働法を国際基準にあわせる必要があるからである。労働組合は激しいストライキとデモによってこれに抗議している。

財閥は国内経済の見通しを懸念して、海外に投資することで競争力を維持しようとしている。五大財閥だけで、今後十年間に総額七百億ドルを海外に投資する計画である。韓国経済は、大規模な産業を築き上げるために貸し出された融資の不良債権化と、一九七〇年代につくられた産業の再編合理化の必要が重荷になって、低迷を続けている。また、韓国には、日本経済の安定をもたらしてきた大量の中小企業の基盤がない。そのうえ、東西ドイツの統合のコストが巨額にのぼったのをみて、韓国は北朝鮮が突如崩壊して、長年の念願である南北統一が達成されたときの経済的、社会的なコストを心配するようにもなっている。とはいえ、さまざまな浮き沈みはあっても、韓国はめざましい経済成長を続けてきた。アジア研究の専門家、エズラ・ボーゲルのつぎの言葉は、過去三十年間に韓国が達成してきたことを、しっかりした研究に基づいてまとめたものとして際立っている。「韓国は、日本すらしのぐ他に例のないペースで、産業技術がほとんどない状態から、世界の工業国の一員になるまでになった。……手工業から重工業に、貧困から繁栄に、経験のない指導者から現代的な計画立案者、管理者、技術者に、ここまで短時間に変身をとげた国は、他にない」

韓国は現在、経済の成功がもたらした政治面の巨額のツケを支払っている。国が大がかりに経済に介入してきたことから、大規模な汚職の機会が生まれていた。韓国型の産業政策では、政府は選ばれた企業に巨額の補助を与え、選ばれた企業はその対価をしかるべき筋に支払わなければならなかった。「政府との関係が密接でなければ、韓国市場では生き残れない。事業の拡大に熱心な韓国企業は、事業を生みだすために、資金の流れに関する非公式のルールにしたがってきた」。普通の表現を使うなら、謝礼、賄賂、政治献金である。

一九八七年の大統領選挙では、野党が分裂していたため、全斗煥大統領が後継者に選んだ盧泰愚候補が当選した。しかし、世論は権威主義と抑圧に怒りを表明するようになり、不平等と腐敗に憤慨するようになった。韓国株式会社の「経営陣」にあたる将軍と政治家が、利益を独り占めにしすぎてきたのであり、透明性を求める声を抑えることができなくなった。九三年の選挙で選出された金泳三大統領は、不正腐敗の一掃を掲げた。摘発はきわめて広範囲にわたり、政治的にも世論の大きな支持を受けた。その結果、全元大統領と盧前大統領が起訴され、七九年のクーデターと八〇年の民主化を求めるデモ隊の虐殺で果たした役割で有罪判決を受けた。同時に、大財閥の八人の会長が盧前大統領に秘密資金を提供したとして、実刑を含む有罪判決を受けた。前大統領に提供された「非公式の資金」は巨額にのぼり、起訴状によれば六億五千万ドルにも及ぶ。九六年八月、二人の大統領経験者は収監服を着せられ、手を握りしめて、判決に聞き入った。盧前大統領は懲役二十二年六か月、全元大統領は死刑であった。盧前大統領は拘置所に収監された夜、サッチャー回顧録を読んですごしたと伝えられている。自由市場の思想と、国の介入に反対する主張とに思いをめぐらせ

ていたに違いない。

ある意味で、この判決は、韓国を世界経済の最先端にまで押し上げたシステム全体を告発するものであった。「韓国の経済開発のひとつの段階で正常であり、必要であったものが、いま、疑問視されるようになった。経済が成熟し、経済開発のつぎの段階に進むには、市場、政府、工業化の関係を見直す必要がある」と、韓国の経済改革を担当する委員会の中心メンバーのひとりが語っている。その後、事態はさらに悪化した。東アジアの危機が韓国にも波及すると、銀行と財閥は弱点をさらけだし、経営が極端に苦しくなった。企業の倒産と合併が相次ぐようになり、韓国流の経済成長の方法が大きく変わらざるをえなくなっている。政府にとっても、これまで保護してきた企業を破綻させ、経営困難に陥った企業を外資が買収するのを許容するという苦しい選択を迫られることになった。しかし、危機の頂点で実施された大統領選挙で野党の長老、金大中候補が当選し、そのような政策を採用できるようになった。長年にわたった軍事独裁政権への抵抗運動の象徴ともいえる金候補が大統領に就任して、政治面でも経済面でも軍事政権時代の遺産を克服する第一歩になった。このような背景から、これまでの経済面の成果を維持しながら軍隊式の財閥構造を緩めていく改革が、韓国にとって当然の政策になるだろう。韓国経済はきわめて発展してきており、崩壊することはないだろう。危機が発生してから半年のうちに、金融業界の改革と再編が大きく進展している。しかし、改革を進める韓国にとって、企業と労働組合の既得権益が根強いなか、もっと柔軟な経済構造への移行をはかるのは、難しい課題になるだろう[6]。

台湾——儒教的資本主義

台湾中央の山に囲まれ、霧におおわれていることの多い湖、日月潭(リーユエタン)は長年、新婚旅行向きの観光地として親しまれてきている。近くの山の上に立ったとき、太陽や月の形に見えることが、湖の名前の由来である。湖のほとりには、荘厳な廟があり、文の神の孔子と武の神の関羽、岳飛が祭られている。一九四九年、蔣介石総統は休暇をとろうと、日月潭をおとずれた。毛沢東主席が率いる共産党軍の進撃を逃れて、大陸から台湾にわたってきた直後のことである。この湖のほとりで、総督は最悪の事態を知らせる電報を受け取った。大陸に残っていた最後の国民党軍がついに崩壊したのである。総督は押し黙り、身動きひとつしないまま座り込んでいた。それから一時間、ようやく立ち上がって、息子をつれ、林のなかを散歩した。長い沈黙の後、なにか気晴らしを求めて、魚をとろうと言った。息子が近くの年老いた漁師を雇い、小舟で湖にこぎだした。絶望のなかで、ほとんどなにも考えないまま、総統は網を投げた。引き揚げた網には、仰天するほど大きな魚がかかっていた。日月潭でこんな大きな魚がとれたのは見たことがない、これは吉兆ですと、漁師は言った。しかし、吉兆なんかではありえないと思えた。最後の砦の台湾が陥落するのも、時間の問題だと思えたからだ。長年のライバル、毛沢東主席が完全な勝利を収める寸前になっていた。蔣介石総統にはもう逃げ場がない。

蔣介石総統と毛沢東主席は、現代中国の歴史を形作ってきた好敵手である。一九四九年には、二

人の力関係はきわめてはっきりしているように思えた。毛主席の軍隊が最終的な勝利を収め、ベトナムとの国境にいたるまで、中国大陸のすべてを支配下に収めたからだ。しかしそれから二十五年ほどたって、二人が死亡したとき、力関係はまったく違ってみえた。蔣総統は七五年に八十七歳で、毛主席は翌七六年に八十三歳で死亡した。この時点で、蔣総統が台湾に経済の奇跡を実現し、世界有数の工業国にまで発展させていたのに対して、毛主席は経済の大混乱をもたらし、大陸中国は経済が悲惨な状況になっていた。

韓国と同様に、台湾も冷戦の産物であり、戦後の歴史は「赤貧から大金持ちへの成功物語」であったと、経済計画の立案者のひとりが語っている。台湾は一八九五年から五十年間にわたって日本の植民地であり、「米びつ」であった。第二次大戦の後、短期間は中国の省のひとつになった。一九四九年、蔣介石総統をはじめとする国民党の将兵と民間人、約二百万人が大陸から逃れてきて、大陸とは別の政権を樹立した。大陸から逃れてきたいわゆる外省人は、人数では台湾省籍のいわゆる本省人の三分の一にすぎないが、台湾の社会を支配した。外省人と本省人の対立がその後、長期にわたって、経済、政治、社会に影響を及ぼすことになる。

台湾にとって、なによりも重要な課題がひとつあった。それは生き残りである。大陸を支配した共産党政権にとって、台湾はあくまでも中国のひとつの省であり、台湾解放を達成しなければ、内戦は終わりにならない。蔣介石総統らの国民党も、台湾独立を拒否し、長年にわたって大陸反攻を主張しつづけてきた。しかし、年月がたつにつれ、蔣介石総統にとって、大陸反攻は「固い決意」から「抱負に、神話に、やがては単なる標語に」変わっていった。それでも、生き残りがもっとも

緊急の課題であることに変わりはなかった。当初は、文字通り、大陸からの大規模な攻撃に耐える力をつけなければならなかった。やがて、国際社会での孤立のなかで生き残ることが課題になった。中華人民共和国に国際社会での地位を奪われ、外交関係のほとんどを失って、アメリカとの外交関係すら失ったからである。台湾はつねに、正統性をめぐって国際社会で他の例がないともいえる戦いを続けてきた。しかし、このような不安定な状態（サムエル・ジョンソンなら宙ぶらりんと表現したはずの状態）にあったために、台湾は全神経を集中し、国の統一を強め、生き残りに不可欠な経済基盤を築くことに焦点を絞り込んだ。

一九四〇年代末から五〇年代初めにかけて、状況は明るいとはいえなかった。資源はほとんどなく、実業家はほとんどおらず、貯蓄はなく、戦争中に大きな被害を受けていた。それに、中国人は近代的な資本主義には適さないという見方が強かった。一族でできる以上には事業を拡大しようとしない。貯蓄もしない。疑い深すぎる。新しいものを取り入れようとしない。そういわれてきた。偉大な社会学者のマックス・ウェーバーが資本主義の勃興の研究で、儒教は資本主義と両立しえないと断じたほどである。四九年には、国民党が敗北した一因として、儒教の伝統から抜け出せなかったことをあげる見方があったほどだ。今日の感覚で読めば、なんとも奇妙な見方である。アジアの奇跡をもたらしたものが、「儒教的資本主義」と呼ばれるようになっているのだから。

それでも、台湾にはいくつか、強固な基盤があった。五十年にわたる日本の植民地支配によって、教育が重視されていた。一九四九年には、国民の半分が読み書きができるようになっていた。また、大陸で完敗したことが、逆に強みになった。悲惨な敗北をもたらした要因はなんなのか、国民党が

深く苦しい反省を徹底して行なったからである。いくつもの要因がみつかった。ハイパーインフレ、腐敗、貧富の格差、農業改革を実行しなかったこと、権力の濫用、科学技術の軽視などである。国民党はこれらの教訓を、台湾というはるかに小さな舞台で組織的に生かしていこうとした。国民党政権はまず農地改革を実行し、農業基盤を強化するとともに、貧富の格差の是正をはかった。新たな官僚組織には、腐敗を嫌う倫理をたたき込んだ。ごく初期から、政府の役割はなによりも起業家が活躍できる環境を整えることにあり、政府の役割は徐々に縮小していくべきだという考え方が確立されていた。経済計画は、市場制度へと経済を導くためのものであった。経済計画にあたった高官のひとりによれば、計画の目的は「経済制度への政治の影響を徐々に薄めていく」ことにあった。「徐々に」という言葉はまさに的確であった。一九五〇年代のほとんどの期間、当時よくみられた輸入代替化戦略が政策の中心になり、この戦略に基づいて、インフラストラクチャーに巨額を投資し、保護関税と税制優遇措置によって労働集約型の生産に焦点を当てた。企業の国有化の政策もとった。日本が残していった国有企業を経営していく必要があったことがその背景のひとつになった。ごく少ない人材と資源を集中的に活用するには、国有企業が不可欠だという認識もあった。ヨーロッパで国有企業の活躍が目立つようになったことからも、影響を受けている。

当時、アメリカの援助がきわめて重要な役割を果たしており、設備投資を続けながら、輸入代金を支払えたのは援助があったからである。しかし、一九五〇年代後半になると、アメリカがいずれ援助を打ち切ると予想されるようになり（実際に、六五年に打ち切られた）、外貨の獲得が緊急の課題になった。当時、輸出品の第一位は砂糖であり、これでは輸入はとてもまかなえない。このため、

台湾は新しい段階へと進路をはっきりと切り換えた。世界市場に工業製品を輸出する段階に入らなければならないのだ。これには、国内市場の開放が必要になるし、当時はそれほど明確にはなっていなかったが、国内産業に対する政府の管理を緩めていく必要もあった。輸出を担いうる新しい産業に対して、政府は低利の政策融資、輸出品の原材料の輸入関税引き下げ、技術の積極的な導入といった支援を与えた。技術移転と品質の向上を促すために、対内直接投資を奨励する政策もとった。結果はめざましかった。輸出は六三年の一億二千三百万ドルから、七二年には三十億ドルにまで増加している。八〇年には新しい段階がはじまり、技術と研究開発に焦点が当てられるようになった。この後、自由化への動きがはっきりととられるようになった。

政府は、実業家という新しい階層の登場を促す政策を一貫してとってきた。ときには、政府がみずから、個別の事業を任せられる実業家を探し出して、「登場」のお膳立てをしなければならないこともあった。たとえば、アメリカの援助資金で建設された国営の塩化ビニール・プラントを引き継ぐ実業家を探し出す必要があった。広く候補者を探した結果、王永慶がようやく有力な台湾人候補者として浮かび上がった。日本で木材を販売していた王は、政府の説得に応じて台湾に帰国し、台湾プラスチックを世界最大の塩ビ樹脂メーカーに育て上げ、台湾で第二位か第三位の資産家になった。しかし、台湾は韓国とは大きく違う道をとり、経済開発にあたって多数の中小企業の役割がはるかに大きくなっている。これらの中小企業は同族経営のものが多く、ネットワーク型の経営になっていることも少なくない(7)。

スーパー・テクノクラート

蔣介石総統がとった手段のうち、とくに賢明だったもののひとつに、経済政策の立案と遂行をいわゆるスーパー・テクノクラートに任せた点があげられる。きわめて優秀な幹部（科学者や技術者が少なくない）が、政治の干渉をあまり受けることなく、経済政策を担っていったのだ。これらの幹部は、アメリカで経済学者として優れた業績をあげている人たちなど、海外にわたった中国人からも協力を受けることができ、やがて、海外に留学した大量の台湾人の協力を受けるようになった。こうして、「頭脳流出」と呼ばれて恐れられていた現象を、「頭脳の宝庫」に変えることができた。海外で学び、はたらいている中国人が大きな資源になり、とくに、技術移転を促進する点できわめて効率的な人脈になった。

一九五〇年代初めから八〇年代半ばまで、わずか五人のスーパー・テクノクラートが経済政策で圧倒的な発言権をもっていた。この五人は古くからの伝統と新しいものとを組み合わせた。ある学者によれば、「昔ながらの儒者のような役割を果たしたが、仕事のスタイルと内容は、中国の歴史にはみられなかったものだ。いずれも、科学者や経済開発関係者の世界的なネットワークの一員であり、成長と進歩を信じていた」。その後四十年間に、この五人のうち二人が主要なポストを歴任し、経済政策をほぼ取り仕切ることになる。

その筆頭は尹仲容であり、輸出段階への移行を指揮して、「台湾の経済開発の父」と呼ばれるようになった。もともとは電気技術者であり、第二次大戦前には中国各地で活躍している。戦争中は、中国政府の対外貿易協会の一員として、アメリカに駐在した。そして、一九四九年から六〇年代初

めまで、経済改革の立案を指導している。尹仲容は技術者の流儀で経済をとらえた。「技術者は科学者であり、経済を理解することができる」と語っている。経済学の古典や教科書をむさぼるように読んでいた。アダム・スミスの理論を詳細に、細かな点にいたるまで論じることができ（政府には果たすべき役割があり、それは防衛だと論じた）、ケインズの誤りを指摘することもあった。台湾の経済開発を計画するにあたっては、ウォルト・ロストーの経済離陸の概念と、アーサー・ルイスの輸出主導型成長の理論を信奉していた。また、市場原理に基づくものに経済を移行させていくべきだとみていた。一九六三年に尹が死亡したとき、先進工業国に輸出される高品質の製品につけられた「メイド・イン・タイワン」の文字こそがその功績を示す記念碑だといわれている。

尹仲容の後を継いだのは尹に協力してきた李国鼎であり、一九八〇年代後半まで経済政策を統括し、「台湾経済の奇跡の父」と呼ばれるようになった。中国の名門大学で物理学を学び、三〇年代初めに奨学金を得てスコットランドに留学し、つぎにケンブリッジ大学で原子物理学を学んだ。日本軍が中国に侵攻した後、抗日運動に参加するために中国に帰って軍需産業ではたらいた。李国鼎も技術者の流儀で経済をとらえていた。「経済の現代化は巨大な工学システムであり、細心の注意を払って綿密に計画する必要がある」と語っている。しかし年月をへるにつれて、国が市場から段階的に撤退し、「政府の恣意的な政治力」から「市場の自動調整機構」に移行していく政策をとるようになった。

李国鼎がなによりも重視したのは、起業家が成功を収めることができ、企業が一族経営の枠を超えて拡大できるようになる環境を整えることであった。このためには、政府はインフラストラクチ

ャーを整備し、合理的な制度と法律の枠組みを発展させ、起業家の立場からものごとを判断していかなければならない。「事業環境を改善する方法を説いた教科書はないので、わたしは投資家になったつもりで考え、科学的な方法で答えをみつけだしていった」と語る。

テクノクラートは日本の事例を繰り返し、注意深く研究した。尹仲容はとくに明治維新に強い関心をもち、一八六八年以降、日本が近代化を達成していった過程を研究して、教訓を引き出そうとつとめた。李国鼎は戦後、台湾に逃れる以前の最初の仕事として、日本が旧満州に築いた産業を研究し、それ以来、生涯にわたって日本の方法を熱心に学ぶようになった。尹仲容と李国鼎は、日本の官僚機構のいくつかの側面、とくに通産省の方式を取り入れたが、日本の制度の特徴になっている永続性の感覚はもっていなかった。二人は台湾も日本と同様に、生き残るためには輸出しなければならないとの結論に達した。これには、品質をたえず改善し、価格競争力を維持していかなければならない。それには、新しい技術をつねに効率的に吸収していく必要がある。また、幼稚産業の育成をはかり、外国の進んだ企業との競争に耐えられるようになるまで、国内市場を保護する必要もある。要するに、二人は日本の方式にならって、「国外で競争し、国内を保護する」方針をとったのだ。しかし、国内市場の保護は徐々に撤廃し、国内企業が国内市場で国際競争の厳しい試練を受ける状況を意識的に作り出した。

国内企業は製品の品質を世界水準まで高め、製品の価格を世界水準まで低めるよう強く求められた。国内企業に力がないとみられた場合には、外国企業の投資を促して輸出能力を拡大する政策がとられた。しかし、李国鼎のいう「開放性志向」の政策を進めるにあたっては、強い反対があった。

尹仲容と李国鼎は何人かの実業家と癒着していると非難された。国内産業の保護を続けるよう求める声が強かったのだ。李国鼎はこう語る。「一九五〇年代の見方から抜け出せない人たち、国有企業を賛美し、植民地主義の復活だとして日本企業の進出に憤慨する人たちにとって、八〇年代の動きは苦痛に満ちたものだった。八〇年代にとられた新しい政策はすべて、それまできわめて大切にされてきた考え方、漠然とではあるがナショナリズムと関連付けられてきた考え方を捨て去ることにつながるものだったからだ」。しかし、それまでの考え方では、世界市場の現実に対応できなくなっていた。

一九九〇年代後半には、台湾はアジアで高度成長を達成してきた第一世代の諸国とおなじ問題にぶつかっている。もはや低賃金を武器にすることはできない。一方では、低賃金の新興工業国（大陸中国もそのひとつだ）に追い上げられており、その一方で、ハイテク製品では、既存の工業国との競争が厳しくなっている。台湾はハイテク産業を強化して、この状況に対応しようとしている。また、台湾の実業家は低賃金の生産拠点を求めて、対外直接投資を増やしており、大陸にも巨額を投資している。第二の課題は、権威主義から民主主義への移行であり、経済開発の進展と中産階級の拡大に伴って、政治体制が変化してきている。国民党は長期にわたって権力を握りつづけ、総統は選挙ではなく、指名によって選ばれてきた。蔣介石総統の子息の蔣経国が、十年にわたって総統の地位を維持した。一九八八年になって、国民党はコーネル大学卒の元農業経済学者、李登輝を次の総統に選んだ。李登輝総統は国民党の党員ではあるが、大陸出身ではなく、本省人である。九六年、中国軍が台湾海峡で大規模な演習を行なって牽制するなか、自由な直接選挙が実施され、李登

輝総統が再選された。

そして、なによりも大きく、複雑な課題は、中華人民共和国政府との関係である。経済の力で、両者の関係は密接になってきた。台湾企業は過去十年間に数百億ドルを大陸に投資しており、中国にとっては、対内直接投資が二位以下を大きく引き離してもっとも多い地域になっている。しかし、毛沢東主席が大陸で勝利を収めてから五十年間、政治の対立によって両者は切り離されてきた。中国政府はいまでも台湾をひとつの省とみており、再統一すべき対象とみている。台湾の学校でも、中国の地理を詳しく教え、過去の王朝の名前を記憶するよう生徒に求め、台湾を中国のひとつの省とする地図を使っている。しかし、台湾には中華人民共和国に吸収されることを望む見方はない。一九九七年の香港返還の後、台湾の地位が問題の中心になり、前面に押し出された。香港が新しい地位でどのような命運をたどるのか、特別行政区の地位がどこまで尊重されるのかを、台湾の人たちは細かい点まで見守っていくだろう。中国政府と台湾政府が近い将来に問題解決で合意できるとは思えない。しかし、時間がたてば、答えがでてくるだろう。中国で一人当たりの所得が上昇しており、中国型の社会主義は資本主義にますます近づいてきているので、両者の溝はそれほど大きくないと思えるようになっていく可能性もある。

赤貧から大金持ちへの成功物語のなかでも、台湾の成功はめざましい。一人当たりの所得は、一九四九年の百ドルから現在では一万四千ドル近くにまで達した。台湾の中央銀行は何年にもわたって、世界一の外貨準備高を誇ってきた。現在、台湾は世界のノートブック・パソコンの三〇パーセントを生産し、コンピューター用キーボード、ディスプレー、スキャナー、マザーボードの半分を

生産している。それでも、ここまでの道のりは決して平坦ではなかった。

台湾では当初、政府が経済のなかで圧倒的な役割を果たしていた。それ以外に方法はなかった。その後、政府の活動の境界が徐々に後退する一方、マクロ経済の基礎的条件を整えることが引き続き強調されている。貯蓄率をきわめて高い水準に誘導する政策がとられた。高インフレと大陸での敗北が一体のものとして、政府高官にとってぬぐいがたい悪夢になっていたため、財政節度を保ち、金融政策を引き締め気味にして、インフレを押さえ込む姿勢をつらぬいてきた。教育、科学技術の発展、人材の育成を重視する姿勢も変わらない。貧富の格差と所得の分配にも注意しつづけている。世界経済に深く関与しようとしている。そして、政府にとってもっとも絶ちがたい誘惑、権力の行使を放棄する意思をもっている。

李国鼎は語っている。「中国文化の伝統を受け継いでいる国は、官僚制度と中央政府が強力で根強いとみられることが多い。たしかに、歴史的にみてもそうだし、台湾の現状もそうなっている。それでも、台湾の政策担当者がやってきたのは、経済のさまざまな部分がまずは立ち上がれるように、つぎに歩けるようにすることだ。その後は、自力でやっていくように求めている」。今後、アジアのエコノミストと政治家は、これまで以上にこの考え方を詳しく検討するようになるだろう。東アジアの危機にあたって、台湾はあまり打撃を受けておらず、政治の開放性、均衡のとれた経済成長、国民の自信の高まりを維持できているからである(8)。

シンガポール——ベンチャー・キャピタル国家

もう八十歳に近く、弱々しくみえるゴー・ケンスイ博士が由緒あるラッフルズ・ホテルのレストランに入ってくると、人びとは一斉に顔を向ける。シンガポール人にとって、父のような存在だからである。リー・クアンユー上級相が同国の長老だとするなら、ゴー博士はその右腕であり、同国経済の設計者である。博士が設計した制度は、シンガポール経済の奇跡をもたらし、三十年近くにわたって毎年、七パーセントから九パーセントの成長をもたらしてきた。しかし、奇跡の源泉については大きな誤解があると博士は言う。「大学で教えられていることはすべて間違っている。決定的な要因は、学校で理科と数学を重視したこと、母親たちが子供に理科と数学を勉強するよう言ったことだ。奇跡をもたらしたのは、母親なのだ」

ラッフルズ・ホテルでゴー博士を見かけることが多いが、考えてみれば、ここは博士にふさわしい場所である。一八一九年にこの島に到着し、マレー人の小さな村があっただけの島をイギリスの植民地にし、地域の物流の中心地にしたのは、サー・トマス・スタンフォード・ラッフルズなのだ。また、一九三〇年代、現地人の優秀な少年にエリート教育をほどこす当時の政策にしたがって、ゴー少年はスタンフォード・ラッフルズの名前を冠した学校に入学し、官吏になるための教育を受けている。その後、ゴーはイギリスに留学し、ロンドン大学経済学政治学部で博士号を取得した。シンガポールに帰って官吏としてはたらくようになった後にはじめて、リー・クアンユーと協力する

ようになった。

リー・クアンユーもやはりラッフルズ校を卒業し、ケンブリッジ大学に留学したが、帰国するときには独立運動に身を投じる決意を固めていた。この戦いの過程で、敵はイギリスだけではなかった。独立運動の主導権をめぐって、共産主義者との厳しい戦いにも勝利を収めなければならなかった。リー首相の夢は、マレーシアとシンガポールがひとつの国として発展していくことであったが、統一後わずか二年で実験は失敗に終わっている。リー首相は国民の前で涙を流した。活躍の舞台ははるかに小さくなり、人口が三百万人にも満たない都市国家、シンガポールを率いることになった。そして、新しい国を建設するには、当時の状況はいかにも心細かった。国民は貧しく、教育をろくに受けていない。七五パーセントは中国系で、残りのほとんどはマレー系とインド系であり、自分たちがシンガポール国民だという感覚はほとんどなかった。ギャング、犯罪者、共産主義者の暗躍で国民の生活はつねに危機状態にあり、見通しはきわめて暗かった。

シンガポールが将来への道を見つけだすには、頼ることができる資源は二つしかなかった。国民と指導者である。シンガポールにとって、リー・クアンユー首相がきわめてめずらしいほど、多様な才能をもっていたことは幸運だった。カリスマ的な指導者であり、熟達し抜け目のない政治家であり、視野がきわめて広い優秀なテクノクラートであり、先見性のある指導者である。「国を築くには、情熱が必要だ。冷静な計算だけでは、長所と短所、貸しと借りを合計するだけは、なにもできない」と語ったことがある。リー首相には情熱があり、自分の判断や権威を疑うそぶりもみせなかった。また、後に語っているように、説得の技術もきわめて優れていた。

ゴー博士という現実主義のエコノミストがいたことも、シンガポールにとって幸運だった。「われわれが経済面で先駆者になったといえるとすれば、それは、純粋に経済上の必要があったからだ。成功の秘訣は計画ではなく、状況の変化に適応する能力だ」と語っている。シンガポールは一九六〇年代に一度だけ、五か年計画を立てたことがある。しかし、「連休の間に作文したもの」であり、世界銀行のご機嫌をとるためのものにすぎなかったと博士は語る。計画があったにせよなかったにせよ、ゴー博士が作り上げた制度では、国が経済を強力に指導する役割を担っている。その結果には、「経営者的国家」「ベンチャー・キャピタル国家」「社会主義の性格をもった資本主義」などの名前がつけられている。

こうした動きはすべて、状況に対応したものであった。独立後の何年間か、シンガポールは周囲を敵に囲まれていた。繁栄はおろか、生き残りを確保できるかどうかすら、確信がもてない状況にあった。国内には協力できる起業家がほとんどいなかったので、リー首相、ゴー博士らの政府首脳は、起業家の能力をそれほど信頼してはいなかった。それに、戦後のイギリス労働党の政策と、企業国有化の流れから大きな影響を受けてもいる。リー首相らは公職についたとき、社会主義を強く信奉していたのである（やがて、政府の強い発言権を維持しながらも、市場原理を信頼していると語るようになった）。同国の制度は、ほとんど自力で開発したものである。外部から影響を与えた人物がいたとすれば、オランダの経済学者で、当初はアイスクリームの経済分析を専門にしていたアルバート・ウィンセミウスがあげられる。ウィンセミウスは国際経済への案内役になり、どの産業を振興すべきかを決める際に助言を与え、見通しがつかない絶望的な時期に励ましの言葉をかけた。

経済開発を達成できる、港と小規模な農業しかない島国に自立した経済を建設できると励ましたのだ。

リー首相とゴー博士は経済開発庁を設立して、現代的な経済の建設を指導することにした。国有企業を設立し、できるかぎり優秀な人材を送り込むように努力した。公務員には実業家のように考えるよう求め、経営にあたった国有企業の収益性が高ければ昇進できるようにしている。健康保険、住宅などの社会保障を政府が提供したが、保障の行き過ぎによって自分と家族に対する責任の感覚を国民が失わないようにつねに注意した。シンガポールのある閣僚が語っているように、政府の全額負担ではない社会保障制度で、「シンガポール国民は将来の見通しが立てやすくなった」

そして、貯蓄を重視する華人の性格を生かして、貯蓄率をきわめて高い水準に誘導している。この目標を達成するために、中央積立基金をつくり、賃金所得の最高五〇パーセントをここに積み立てた。この資金が、インフラストラクチャー、産業、住宅への投資にあてられている。インフラ投資でとくに有名なのは、ゴー博士の主張によって、なにもない湿地帯だったジュロンを広大な工業団地に造成したことである。当初はなんともくだらない事業で、失敗するに決まっているという見方が強く、ゴーの道楽だといわれた。いまでは、シンガポール経済の成功を象徴するものになっている。

政府は教育もきわめて重視している。しかし、教育は無料ではなく、少なくとも大学では授業料をとっている。シンガポールではどんなものでも、無料で政府が提供することはないのだ。一九六八年には、技術者教育はなかったが、いまでは年に二千人の技術者を生み出している。経済開発の

過程を通じて、政府がきわめて積極的な役割を果たしてきている。課題を掲げ、長期計画を策定し、みずからも戦略的な事業に関与し、資源を管理してきた。能力本位で選ばれる少数のエリート官僚が、全体を動かしてきた。国自体がいつつぶされても不思議ではないという感覚、小国という特徴、成功を積み重ねてきた実績、国民を鼓舞し計画を着実に実行していくリー首相のたぐい稀な能力によって、国民の合意が形成され、共通の目的のもとに効率的な調整がはかられ、シンガポールは求心力のきわめて強い企業のようになった。なにしろ、労働組合会議の書記長が閣僚になっている国なのである。

とはいえ、国の圧倒的な力は、経済開発の成功をもたらした要因のひとつでしかない。この時代、輸入代替と国内産業の保護が世界の常識になっていたなかで、シンガポールは国際取引と貿易を重視する決定的な決断をくだしている。リー首相とゴー博士は国の規模が小さい点を十分に意識していた。国が小さすぎて、自国に閉じこもっていては経済が成り立たないとみていたのだ。このため、世界経済にしっかりと根づくことを目標にした。「輸出向けに生産する以外に道はなかった。国内市場が小さすぎるし、当時の国内企業は技術力が低すぎた」とゴー博士は語る。

シンガポールはまず、経済成長に有利な環境を作り出そうとした。インフレ率を低く抑え、国内・国外の企業が事業を進めるにあたって依拠する「ゲームのルール」を安定した予測可能なものにし、貯蓄率を高水準にし、腐敗を嫌う精神を確立し、企業経営がしやすい環境を整えたのである。ある経済学者が語っているように、「シンガポールでは、企業は善とされている」。第二に、当時の風潮にさからって、多国籍企業を誘致する政策をとった。技術、技能、資本、市場へのアクセスなど、

貴重な持参金をもってくるからである。誘致する企業は、なにをもちこむのか、どの産業の企業なのかを詳しく調べて選んだ。技術力があり、長期的な視野で投資する意思のある安定した企業を誘致しようとした。ある閣僚によれば、世界の注目を集める投資案件によって、シンガポールを「ブランド」として確立する一助にすることを望んでいた。対外投資を希望する外国企業にとって、質が高く、信頼性があり、他の国より安心して進出できる国として、シンガポールがブランドになるように努力したのだ。ごく初期に誘致に成功した企業に、テキサス・インスツルメンツがあり、一九六八年に半導体の製造を開始している。当時、シンガポールにとって、毛沢東主席の指導による文化大革命の混乱が大きな好材料になった。多国籍企業が香港や台湾より、中国本土から遠い利点のあるシンガポールに引き寄せられたからである。政府は外国企業の事業を促進するために、インフラストラクチャーの整備から外国企業のニーズに沿った教育内容の変更にいたるまで、あらゆる努力を惜しまなかった。

一九九〇年代半ばには、シンガポールは、低コスト生産の拠点として新たに登場してきた国との競争に負けるのではないかと心配し、みずからを守る手段として、付加価値連鎖の階段をあがってハイテク分野に進出し、国外に新たな経済活動地域を開拓するようになった(たとえば、中国で「第二のシンガポール」を建設している)。経済戦略のこの変更は一九七〇年代にはじまったが、その緊急性が高まった。九〇年代後半にアジアが金融危機に陥ったとき、シンガポールは動揺したものの、安定を維持している。東アジアの金融センターであり、資金の避難先になっていることがその一因であった。近隣諸国の多くが金融危機の後に不況に突入したなかで、シンガポールは、ゴー博士と

その後継者のテクノクラートが進めてきた慎重な経済運営、保守的ともいえる経済運営の伝統によって救われたともいえるだろう。経済運営の能力がとくに必要とされる時期に、この伝統が真価を発揮したように思える。しかし、アジアの不況が終わった後にならなければ、確かなことはいえない。[9]

マレーシア——土着の民

はじめに登場した四頭の「虎」のうち台湾、シンガポール、香港の三頭はいずれも、中国系の社会であった。つぎに登場してきたインドネシア、マレーシア、タイでも、華人が経済の原動力になっている。そのなかで、マレーシアの場合には、経済開発の政策のすべてが、「華人問題」の解決に向けたものになっている。商人として長い伝統をもち市場を握っている華人が経済を支配し、人口の過半数を占めるマレー人が農村で貧しい生活を送っているという問題である。同国経済を詳しく調査してきた経済学者によれば、「マレーシアのその後の成功は、人種問題解決のための努力による部分が大きい」。この努力は大きな成功を収め、わずか二十年のうちに、天然ゴムとパーム油の輸出国から、世界でも上位に入る半導体生産国に変身した。経済は輸出に大きく依存しているが、多角化し、深みがましている。一時期は株式市場の時価総額が世界で十三位になった。生活水準は急速に向上している。「歴史のごみ箱に真っ先に入るだろう」とみられていた国にしては「悪くはない」と、マハティール首相は語る。

転換点になったのは、一九六九年の人種暴動である。選挙で華人系が躍進したのをきっかけに、

マレー人（四分の三が貧困層であった）が、ようやく握っていた政治権力まで華人に奪われると恐怖し、暴動にまで発展した。民主主義は停止され、新経済政策（NEP）が導入されて、急速な成長を目指すとともに、決定的な点として、富の再配分を目指すことになった。積極的差別是正措置、割当て、マレー人優先主義の大がかりな政策がとられ、ブミプトラ（土着の民を意味し、マレー人などの土着民族がこれに入る）を貧困から引き上げ、学校教育を受けさせ、大学に入れ、中産階級にすることを目標にした。この政策には独創的な部分がいくつもあった。すべての企業はブミプトラの持ち株比率を三〇パーセント以上にするよう求められ、政府はブミプトラに対して、非ブミプトラに対するよりも低利で住宅ローンを提供し、その他にも多様の手段がとられている。

しかし同時に、政府は人種間の緊張を緩和する措置をとり、新経済政策に対する幅広い支持を取り付けた。富の再配分を続けるためには、なによりもまず、富を創出しなければならない。その結果、すべての国民が経済開発の恩恵を受けるようになり、華人もきわめて大きな恩恵を受けた。この政策のもとで、国が企業のかなりの部分を保有し、規制が強化され、官僚機構が大きくなった。また、教育に巨費が投じられた。一九五七年に独立したとき、マレー語で教える学校はひとつもなかった。「マレー人教育の目的は、農民、漁民としての能力を高めることにある」と、植民地時代のイギリス人教育当局者が語っている。この見方に反論するかのように、教師の息子だったマハティール首相は、「稲作農家や漁民の息子が数十億ドル規模の企業を所有し、経営して成功を収めている」と誇りをもって指摘している。外資を誘致する政策もとられた。マレーシアは高度経済成長の軌道に乗り、一九七〇年代には平均七・八パーセントの成長になった。国民一人当たりの所得は、七〇

年の三百九十ドルから、八二年には一千九百ドルにまで達した。国としての一体感も高まった。経済が十分に成長して、国民全体に成果がゆきわたった。

しかし一九八〇年代初めになって、新経済政策は壁にぶつかるようになる。政府は国有企業の規模を拡大し、重工業に巨額を投資したが、うまくいかなかった。損失がふくらみ、非効率性が目立つようになっていった。GDPに対する国有企業の赤字の比率が大幅に上昇した。この時点でマハティール首相とダイム・ザイヌディン蔵相は市場重視の方向に政策を大きく転換した。

マハティール首相がこの転換をはかった理由としては、経済思想よりも、首相がつねに重視しているナショナリズムの方が強かった。首相の父親は、イギリスの植民地だったマラヤでマレー人としてはじめて、英語で教える学校の校長になった。第二次大戦のころ、マハティール少年は露天で果物を売っていたが、マラヤを占領していた日本人には売らないように工夫した。戦争が終わるとすぐに、反イギリスの独立運動に加わり、シンガポールのエドワード七世医科大学に入ったのはその後である。二十一歳のとき、独立運動組織の統一マレー国民組織（UMNO）に入り、これがいまでも与党の地位を維持している。一九六九年に『マレー・ジレンマ』を執筆した。この本で、マレー人と華人の経済力の格差を解決する政策をとっていないと政府を批判したため、UMNOから除名され、本は発売禁止になった。人種暴動から三年たって、この本で提案された政策のいくつかが実行された後、ようやく復帰を求められた。いくつものポストを歴任した後、八一年に首相に就任した。『マレー・ジレンマ』はこのときにようやく、発売禁止を解かれている。

首相に就任したマハティールは、効率性と現代化を重視することをいくつかの手段で明確にして

いった。姿勢の変化を象徴する手段として、公務員全員にタイム・レコーダーの利用を義務づけ、議員にも利用するよう求めた。そして、日本をモデルに、その重要な要素をマレーシア経済に適用する動きに着手した。数週間にわたってお忍びで日本を旅行し、日本経済の「精神とルーツ」を見つけ出そうとつとめたこともある。マレーシアでは日本に関する本がベスト・セラーになることが多く、首相はそれらの本を読み、重要な部分には線を引き、側近にじっくりと読むように求めている。

ナショナリストとしての戦いが、首相の世界の見方を決める要因になってきた。マレーシアは世界経済への統合を強めているが、欧米からの恩きせがましい意見や、批判や、頼みもしない助言が寄せられると、首相は怒りをあらわに反論することが少なくない。首相は国内での批判を制限しており、外部からの批判は植民地主義のあらわれだとみている。ドイツの環境保護団体が森林伐採に反対したとき、「世界の人びとの命運を決めるのが白人の役割だという傲慢な考え方をやめるべきだ」と書いている。欧米の出版物をいくつも発売禁止にし、特派員を何人も追放しており、「欧米が支配するいわゆる自由な報道」を攻撃している。マレーシアのナショナリズムは、いまではアジア主義に拡大した。「アジアの勃興を止めることはできない」と語る。経済成長がいつまで続くのか疑問だとする意見に対しては、皮肉っぽくこう答えている。「アジア人には物事に失敗する能力が無限にあり、物事に成功を収める能力は限りがあるという確信には恐れ入るしかない」

しかし一九八〇年代初めになって、マレーシア経済の方向転換を指揮したとき、その理由は経済が危機に陥っていたこと、経済が強くなって国の支配を緩めても耐えられるようになったと判断し

たこと、そして、ここまでのナショナリストにしては驚くべき点だが、外国からの投資をもっと自由化しても耐えられるようになったと判断したことにあった。マレー人の経済のジレンマを解決するには、経済をさらに成長させ、国民所得を増やさなければならない。首相はこう語る。「八〇年代初めになると、マレーシアには経営のノウハウと経験が蓄積され、起業家も育っていた。六〇年代や七〇年代にはこうした条件がなかった。このため当時は、国の強い管理が必要だった。しかし、こうした条件が整ってくれば、国は手を引いていき、民間企業と市場に任せることができるようになる」。サッチャリズムがもてはやされていたことも一助になった。「ある意味で、われわれはサッチャー首相とその実績を利用し、動きを速めることができた。サッチャー首相の実績が触媒になって、動きを強化できた。ほんとうに懸念していた点は、政府の資源が流出していくこと、政府の資源に限りがあることだった。政府が資金を供給するにしては、巨額すぎる投資案件が多かった。こうした案件につぎ込んでいた資金は、教育、保健、貧困対策など、政府の本来の仕事にまわせば、もっと有効に使える」

一九八四年から八六年まで、マハティール首相の任命を受けた政府委員会が民営化の根拠を検討していった。首相はこう説明する。「事業に関与するのは政府の本来の仕事ではない。この点をはっきりさせた。民間企業こそが、経済成長の主要な原動力なのだ」。しかし、その後の民営化は、自由放任の原則に基づくものではなかった。政府が大株主の地位を維持している企業が多く、株式の過半数をもちつづけている場合も少なくない。売却の方法も、透明とはいえない。与党との結び付きが強いマレー人の有力実業家が利益を得たとの批判がでている。政府は、「勝者」を選びだしただけ

だと反論している。半民営化された企業を成功に導ける実業家を選んだのだ。そして、マレー人が幅広く利益を得られるようにもなっている。国営の年金基金や信託基金を通じて、これらの企業の株式を取得したからである。これらの基金が一種の大衆資本主義の原動力になり、関係者だけにとどまらず、庶民までが株式を保有するようになった。

首相は戦略の変更を、国家開発政策とビジョン二〇二〇にまとめた。この政策では、経済成長率の目標を年七パーセントとしており、十年ごとにGDPを倍増させることを目指している。民間企業は政府と密接に「提携する」ともうたわれている。

しかし、この方針は間もなく、ふたつの点で破綻するようになった。政府と企業の密接な協力によって国民が信認と自信を強めていったのは、経済面で素晴らしい実績をあげてきたことが背景になっていた。だが、東アジアの金融危機が深まって不況に突入したとき、マレーシアの国民は意表をつかれ、衝撃を受けた。今後、どのような進路を選ぶべきか、これまでの経済体制をどこまで見直すべきか判断できないまま、もがき苦しんでいるように思える。この苦悩の核心には、国際的な投機筋や投機資金に対する疑問にとどまらず、さらに深い疑念があるのだろう。マレーシア国民には守るべき貴重な成果がある。三十年近くにわたって経済成長の恩恵を配分してきた結果、社会の一体感をもたらし、民族間の緊張を解決してきたからだ。

危機が深まるとともに、マハティール首相とアンワル副首相兼蔵相の対立が深まった。何か月にもわたって、マレーシアは国際投機筋を非難する方針と、「IMF型」の政策を約束し、大型の投資案件を延期する方針との間で揺れ動いてきたが、一九九八年八月になって対立に決着がついた。マ

ハティール首相は厳しい為替管理を導入し、アンワル副首相を解任したばかりか、逮捕している。[10]

アジア株式会社になるのか

マレーシア、シンガポール、台湾が変容をとげたのと同様に、東アジアのほとんどの国でも経済見通しと生活水準がおどろくほど変化している。アジア各国が輸出主導型の経済成長を続けたことで域内貿易の好循環が生まれたように思えるようになり、高度な製品に対する需要が増加し、経済がさらに成長して、東アジアに地域経済が生まれるようになった。東アジア経済には、近隣の各国がつぎつぎに加わり、経済的なつながりが強化されていった。これらの国は人口構成、社会、経済に大きな違いがあるが、どの国もなんらかの意味で「輸出主導型で、幅広い国民に成果が分配される経済成長の奇跡」とされるものを達成してきている。「一国株式会社」から「アジア株式会社」への移行が進んでおり、東アジアに地域統合経済が生まれて、長期的にみるなら、これが二十一世紀に重要な役割を果たすようになるだろう。

とはいえ、東アジアの各国には歴史と政治文化の違いがあり、資源と人口構成にも違いがあって、「一国株式会社」のあらわれ方に違いがでている。困難な状況に直面して、適応性、柔軟性、将来の成功の見通しにも、各国ごとに違いがある。インドネシアでは、政府と市場の基本的な関係は、テクノクラートのふたつのグループの長年の対立のなかで形作られ、見直されてきた。「技術者」は注

目を集める大型の投資案件を実行するよう望んでいる。「エコノミスト」は政府による管理と介入を減らすよう望んでいる。台湾とは違って、インドネシアはこの対立を長く解決できなかったが、一九八〇年代後半になってようやく国際市場と規制緩和の方向に大きく転換した。東アジアの近隣諸国が国内市場を開放する政策をとったことから影響を受けたのはたしかだ。この政策転換の大きな目的は、原油と天然ガスの輸出への依存度を引き下げることにあった。インドネシアの著名なエコノミスト、アリ・ワルダナが当時、こう語っている。「官僚は新しい役割を担わなければならない。民間の経済活動を管理するために介入するのではなく、介入を避けて、民間の活動を促進するようにする必要がある」

この政策も一因になって、インドネシアは高度成長国になり、輸出基盤の拡大に成功し、原油と天然ガスへの依存度をそれまでの極端な高水準から引き下げることができた。しかし、二億三百万人の人口が一万七千の島に分散しているため、アジアの小国とは違って、焦点を絞り込むのが難しくなっている。地域開発、教育と経済開発の結び付き、華人実業家の圧倒的な地位、平等と所得の分配、腐敗といった大きな問題に直面している。政治制度は国際人権団体の新しい標的になった。

一九九八年前半には、批判勢力と活動家がなかば勝利を収め、スハルト大統領が退陣した。同大統領は一九六五年に共産党によるクーデターの動きを押さえて権力を握り、それ以降、事実上の一党支配制度を通じて、同国を支配しつづけていた。アジアの金融危機と経済危機によって独裁的な支配体制に対する不満（さらには一族の資産蓄積に対する不満）が限界を越えて爆発するようになった。以前にも不満が沸騰することは何度かあったが、今回の金融・経済危機によって生活水準が

急速に低下したことから、ジャカルタ市内には学生と中産階級のデモ隊がこれまでになかった規模で繰り出すことになった。数週間にわたって支配者層が方針を検討している間、スハルト政権は持ちこたえていた。一九九八年五月、スハルト大統領はついに三十二年にわたった政権を、長年の側近、G・J・ハビビ副大統領に譲り渡した。ハビビ新大統領は政権基盤をかためようと苦闘するなかで、スハルト前大統領に近い人たち(ほとんどは親族)があらゆる種類の独占や優遇措置によって築いてきた財産と企業を攻撃しようとしている。しかし、ハビビ大統領自身、スハルト体制の「技術者」派の中心人物として、財政や政府の健全性ではなく、大型のインフラ・プロジェクトなど、国の威信を高めることを狙った大型案件にかかわってきたことは、だれも忘れていない。

タイは一九八〇年代半ば以降、外国からの投資、とくに日本企業の投資に刺激されて、高度成長をとげてきた。さまざまな党派や軍の派閥の間での権力闘争によって、国内の政治的対立が何度かきわめて厳しくなっている。しかし、タイは東アジアにはめずらしい王国であり、さまざまな危機に見舞われながらも、プミポン・アドゥンヤデート国王が五十年以上にわたって安定性と正統性を維持し、良識を代表する役割を果たしてきた。タイは、道路、環境保護などのインフラストラクチャーの発展が経済の急激な拡大に追いついていない国の典型でもある。

一九九〇年代初め以降、政府は大規模な民営化によって経済に果たす役割を縮小しようとしてきた。アナン・パンヤラチュン元首相がこう述べている。「民営化の政策は二つの理由でとられた。必要と節約だ。国有企業が生き残り、成長していくには、政府がもっと資金を投入しなければならなくなった。国有企業が利益をあげていても、政府にはそこまでの資金力はない。世論は小さな政府

を求め、贅肉を削るように求めている。国有企業が生産性を向上させず、長期的な見通しもないまま国営の雇用機関として存続することは望んでいない」。もうひとつ、民営化への動きをもたらす力があったと元首相は語る。「共産主義体制が崩壊した時期も、自由市場への世界的な流れを加速する大きな要因になった。資本主義が失敗するのではないかという恐れも、国が中心になるべきだというわたしの信念も、共産諸国の崩壊によって脇に押しやられ、それとともに国による管理という考え方も薄れてしまった」

共産主義がいまでも中心になっている国にベトナムがある。台湾、韓国、マレーシア、シンガポールを合計したより人口が多く、高度成長国の仲間入りをする態勢も整っている。国民の教育水準は高く、成長をもたらすさまざまな要因も揃っているからだ。しかし、東アジア諸国のなかでは、高度成長への移行がとくに難しいともいえる。現在の体制を支えている正統性とイデオロギーが、ベトナム戦争に基づいており、資本主義と欧米に対する抵抗に基づいているからである。市場主義を信奉すれば、現在の体制の根本に疑問符が付きかねず、ベトナムの指導層がそれを望んでいないのはたしかだ。このため当面、ベトナムは国の支配と民間の活力の間を揺れ動くことになろう。市場制度はあるが、民間セクターはまだ厳しい規制を受けており、国有企業の改革もまだ本格化していない。

東アジアの成長が地域全体にわたる現象であることを確実に示すものとしては、フィリピンの動きがもっとも重要である。フィリピンは数十年にわたって、経済成長率が潜在力をはるかに下回る状態を続けてきた。社会の不平等が極端になっていた。大地主が政治を牛耳り、悪名が高く金遣い

があらいフェルディナンド・マルコス大統領が舵を握っていた。東アジアの他の国の独裁的な指導者とは違って、マルコス大統領は不正な手段で蓄積した富を国内に振り向けようとはしなかった。大統領もその取り巻きも、資産をスイスの銀行に隠し、海外で浪費した。イメルダ夫人の数千足の靴が、旧体制の腐敗ぶりを象徴している。

マルコス政権は一九八六年、コラソン・アキノが率いる民衆の力で倒された。アキノ大統領の夫、ベニグノ・アキノ元上院議員はマルコス批判の先頭に立っていたが、その三年前にマニラ空港に帰国したところをマルコス配下の兵士によって射殺されている。当時のフィリピンは貿易相手国としても投資先としても好ましくない国とされ、近隣諸国が高度成長を続けるなかで、腐敗と混乱が慢性化していた。しかし、アキノ大統領とその後継者のフィデル・ラモス大統領のもとで平和的に政治改革が達成され、フィリピンは東南アジア諸国の結び付きに加わる基盤を築き上げた。アキノ、ラモスの二代の大統領は、東南アジア諸国連合（ASEAN）の他の加盟国と同様の経済政策を採用した。為替市場を自由化し、貿易障壁を低めた結果、それまではびこっていた闇市場が縮小した。首都のマニラはいまでも、犯罪と公害と貧困の街として有名である。しかし、何年にもわたって急速な経済成長を続け、慢性的な電力不足とインフラ不足の解消に向けて前進し、最近の危機を比較的うまく乗り切っている。同国は「文化の違い」によって近隣諸国のようには成功しないという見方も一部にはあったが、現在では、フィリピンは近隣諸国との差を縮めている[11]。

これらの点をみていくと、「アジア株式会社」ともいえる東アジア経済は、それぞれの国よりも多様性があるが、それでも地域のすべての国が経済という共通の糸で結ばれており、共通の脅威を受

けていることがわかる。地域の経済統合をもたらした最大の要因は、おそらく、一九八〇年代半ばにコスト引き下げを求める日本企業の投資が、アジアの各国で増加したことである。日本企業は巨額を投じた欧米での買いあさりが失敗に終わった後、アジア向けの投資を加速させるようになった。これによって、東南アジアは日本企業にとって輸出基地になり、市場にもなった。タイのアナン・パンヤラチュン元首相がこう語っている。「日本の投資が変化をもたらす触媒になった。タイは、日本企業の投資がマレーシアやインドネシアなど、東南アジアの他の国ばかりに向かわないように、日本企業にとって魅力のある環境を整備する決定を下した。日本企業の投資資金を引きつけ、外国からの投資に経済をもっと開放する政策は、決定的な意味をもつものだった。タイはこれによって、東アジアに地域市場を作り出し、自国がその一部になる方向に向けて、意識的に動きはじめた」

日本の資本輸出は東アジア各国の経済を結び付ける点で大きな役割を果たしたが、韓国、台湾、香港も日本と同様に、コスト引き下げのために地域全体に巨額を投資するようになった。地域内各国が相互に重要な市場になり、地域内貿易が急速に増加した。企業や実業家は地域内の各国で事業を展開するようになり、地域内に本拠をおく多国籍企業が勃興して、地域の結び付きを強化しようとつとめている。また、急速な経済成長によって、数億の人たちが消費者として重要になってきた。消費者が生活の質の向上と選択の幅の拡大を求めるようになり、経済に関する社会の見方で、これまでの生産者の論理に代わって、消費者の論理が重要になってきている。一国株式会社の多くは人口が比較的少ないので、アジア地域の経済統合が進めば、はるかに大きな市場（国内市場もその一部になる）を確保できるようになり、規模の経済を確保する一助になろう。

アジアにはもうひとつ、地域経済の結び付きをもたらす独特の要因がある。華人が地域各国に住み、事業を行ない、投資し、協力しあっているのである。華人の力は大きく、各国経済の結び付きを強め、政府の管理を弱める役割を果たしている。東南アジアには合計二千五百万人の華人がいると推定される。マレーシアでは人口の三二パーセントを占め、タイでは一五パーセント、インドネシアでは四パーセント、フィリピンでは一パーセントをそれぞれ占めている。起業家、実業家としての役割は極端に大きい。資産が五十億ドルを超える一族が十二あり、華人全体では、少なくとも二兆ドルを動かしていると推定される。取引にあたっては、数十億ドルの規模のものであっても、契約や弁護士や銀行やコンサルタントを介在させないことで有名である。欧米なら契約法に頼る部分を、血縁や地縁という人間関係に頼るため、貿易、投資、資本移動が容易になっている。比喩的な意味しかもたないともいえるが、華人社会全体の経済規模をGNPで示すなら、四千五百億ドルに達すると推定されており、これがひとつの国であれば、世界で第九位の経済国になる。

アジア地域の経済開発は、一国株式会社の成功を示すものではあるが、同時に、一国株式会社として国が経済を運営していく能力を弱めるものにもなっている。投資、提携、貿易、市場の拡大など、経済活動の範囲が国境を越えるようになり、経済が現在より単純だった時代のようには政府が経済を管理し、経済に介入することができなくなって、政府の知識を生かして経済を導くのが難しくなってきた。この結果、政府と経済の関係が変化し、民営化と規制緩和が進み、ルールが少なくなり、管理と保護が減少している。同時に、政府は、地域各国間の経済関係の調整という新しい役割を担うようになった。現在、地域協力の枠組みになっているのは東南アジア諸国連合（ＡＳＥＡ

N）であり、一九七〇年代から八〇年代にかけて、共産主義国の中国、そしてなによりもベトナムの攻勢に対抗する砦として、政治面の地域協力を目的に設立され、強化されてきたものである。現在の役割は政治協力だけではなくなっている。皮肉なもので、最近、ベトナムが新規に加盟しているのだから。

奇跡の終わり

地域統合は新たなリスクももたらしている。一九九七年後半には東南アジア全体に深刻な通貨危機が広がり、地域全体が深刻な不況に陥って世界各地に大きな衝撃を与え、楽観的な見方が揺さぶられ、アジアも世界も、地域統合がもたらす新たなリスクを思い知らされることになった。危機の始まりは外貨準備高が不足したタイ政府が通貨を切り下げたことであった。タイの銀行と企業は対外借入がきわめて高い水準に達しており、そのかなりの部分が不動産バブルをもたらす要因になっていたが、この借り入れを支えていた通貨のドルへの連動がこれでくずれた。通貨切り下げで投機のバブルが破裂し、国内の銀行や金融会社の弱点があらわになった。海外から借入れた資金はブームになっていた建設部門に投じられていたが、通貨切り下げによって元利返済額が急増したからである。金融危機の影響はタイ全体に広がり、企業倒産と解雇が急増した。

この危機はまたたく間に、恐ろしい勢いで東アジア全体に広がった。数週間のうちに、マレーシア・ドル、フィリピン・ペソ、インドネシア・ルピアが売りを浴びた。海外からの借入が多かった

韓国も打撃を受けた。アジア各国の株式市場では、株価の暴落がはじまった。危機をもたらしたのは、外国からの短期の借入、それもかなりの部分は担保が不十分な借入が積み上がっていたことである。各国の金融制度には、動きの速い世界資本市場への統合のために必要な監視と規制の仕組みが整備されていなかった。このような仕組みがなかったために、想像すらできなかったほどの脆弱性が生まれていたのである。不況が深刻になって、恐慌と呼ぶべきほどになった国も少なくない。

この危機の背景には、賃金の上昇と競争の激化によってこれら諸国が競争力を失っており、「中技術国」という成立しえない立場に追い込まれるという認識がある。金融危機によって、さまざまな非難の声があがった。とくに強硬だったのは、マレーシアのマハティール首相である。マハティール首相は国際的な投機筋の動きを「悪辣な破壊行為」であり、「国際犯罪の極致」だと非難した。言葉はなんとも激烈だが、マハティール首相の発言は、統合を強めた世界金融市場の資金移動に極端なまでに依存していたこと、その資金移動の変動性（ときには劇的なまでの変わりやすさ）に振り回されることに気づいて、アジアの数多くの人たちがいかに大きなショックを受けたかを示している。自国通貨への投機筋の攻撃によって、数十年にわたって苦労して蓄積してきた富が、二〇パーセントから三〇パーセントも吹き飛んでしまったのだ。

しかし、国際金融システムの別の側面である国際機関と各国政府が、東南アジア諸国の救済に乗り出している。アジア各国の政府が介入し、日本政府の主導のもと、中国などの地域各国の政府も加わって、タイに総額百七十二億ドルの支援を提供し、タイ・バーツを安定させ、新型の「ドミノ危機」の封じ込めに乗り出した。金融の安定を取り戻すために、国際通貨基金（ＩＭＦ）にも支援

を要請せざるをえなくなった。支援は奏功せず、将棋倒しが続いた。つぎにインドネシアに総額二百三十億ドルの支援が提供された。各国政府は国際収支を改善し、金融システムの信頼性を高めるために、巨額で派手な投資案件の削減をすばやく発表した。楽観論者は通貨の下落によって、世界市場での競争力を回復することができると指摘した。そして、この危機によって過熱していた景気を冷やすことができたとする見方もある。マレーシアのある実業家はこう語っている。「弁護士や会計士や技術者は、株式市場への投資が失敗だったことを認めている」

しかし、期待された回復の足取りは重く、予想よりもはるかに難しかった。その一因は、地域各国の政治に大きな影響が及んだことにある。長期的な経済成長が突然止まり、ひとつの世代全体がはじめて不況を経験することになって、幻想が揺さぶられ、政治指導者に対する信頼が揺らいだ。経済の奇跡をもたらしてきた要因として長年誇りのタネであった政府と企業の密接な協力が、突然、「仲間内資本主義」と呼ばれるようになった。政治的な反発がとくに大きくなったのはインドネシアである。しかし、危機が深まっていく時期に、韓国でも大統領選挙があり、タイでも新たな連立政権が登場して、政治が変化している。危機のなかで政権を握った新指導者は、この機会を生かして企業合併、倒産、金融業界の再編を推し進めており、ＩＭＦと世界の投資家がその過程を注意深く見守っている。マレーシアでも権力闘争が激化しており、国民も市場も、その結果がどうなり、経済政策にどのような影響を与えるかを見守っている。

危機が二年目に入って、それぞれの国が政治面でも経済面でも独自の対応をとるようになった。韓国とタイでは、トンネルの向こうに薄明かりがみえてきたといわれるようになった。その他の国

についてはまだ悲観的な見方が一般的であり、景気指標の低迷が続き、政策が逆戻りしていることが背景になっている。自由市場を信奉する香港特別行政区政府が、株式相場を押し上げるために株式を買っているほどである。そのなかで、台湾とシンガポールはほぼ無傷で危機を乗り切っており、両国の実績によって、今回の危機の教訓を学べば、東アジアの経済が回復するとの期待が生まれている。

アジアの危機は、ひとつには金融市場のパニックの結果である。しかし、構造的な問題によるものでもあり、これには危機に見舞われた諸国の経済構造の問題と、新しい世界資本市場の構想をめぐる問題とがある。危機を終わらせる重要な要因には、日本の経済回復、中国経済の動向、世界の輸出市場の強さがある。しかし、それにもまして、国内投資家と国際投資家の信認が回復すること、そして、危機による打撃の大部分を受けた各国の国民の信認が回復することが重要である。それには政治が安定し、銀行・金融業界の改革が進み、産業の再編が進む必要がある。同様に重要な点は、過去三十年の工業化、社会と経済の発展をもたらす大きな力になってきた価値観と姿勢を再活性化することであろう。成長と移行にはさまざまな痛みが伴ったとはいえ、過去三十年の実績はまさに奇跡的なのだから[12]。

第7章

黒い猫と白い猫

中国の変貌

chapter 7

THE COLOR OF THE CAT:

China's Transformation

一九二〇年十二月、フランスの定期船がマルセイユに入港したとき、乗船していた中国人留学生の大半は、どうしていいかわからず、茫然と立ちつくしていた。しかし、そのうちの一人がすぐに、荷物を取りまとめ、下船の順番を決めるのに忙しく立ち回った。わずか十六歳のこの少年こそ鄧小平であり、六十年後に中国を指導することになる統率力を、このときすでに発揮している。鄧小平は、二十世紀の最後の二十年間に、共産主義の政治体制のもとで資本主義経済を軌道に乗せ、中国を世界経済の主要国にした。最高指導者となり、中国を改革の時代に導いたとき、すでに七十四歳になっていたことを考えれば、特筆に値する業績である。もうひとつ特筆すべきは、大きな後退、困難、名誉剥奪、失脚を繰り返しながら、最後に権力の座についた並外れた不屈の精神である。

鄧小平は、中国内陸部の人口が集中する四川省で、裕福な地主から地方の役人となった父のもとに生まれた。幼少期には昔ながらの儒教を教える私塾に学んだが、一九一一年の辛亥革命後の混乱と分裂のなかで、フランスとつながりがあり、現代的なカリキュラムで教える学校に移った。フランスに留学したのは、このつながりがあったためだ。フランスでは、勉強だけしていたわけではなく、いくつかの仕事についている。ルノーの工場や鉄鋼、ゴム工場などではたらいた。レストランの皿洗いやウェイター、汽車の機関助手としてはたらいたこともある。フランスで夢中になったものがふたつあり、その情熱は生涯変わることがなかった。ひとつはクロワッサンで、もうひとつは共産主義である。ふたつは、まったく無関係というわけではない。フランスで一番おいしいクロワッサンが手に入る場所を教えてくれたのは、後に北ベトナムの指導者となるホー・チ・ミンだったからだ。

ヨーロッパで学ぶ少数の中国人留学生の間に共産主義が広がったのは、ベルサイユ条約後の帝国列強の支配に抗議して、一九一九年五月四日に北京の天安門広場ではじまった五・四運動に刺激を受けたからだ。共産主義は、中国のナショナリズムの強力な手段となり、鄧小平にとっては天職となった。鄧小平の指導者であり、後見人のひとりの周恩来は、日本に留学中にマルクス主義を学んだ後、フランスに渡り、ヨーロッパでの細々とした中国共産主義運動を指導した。数十年後、鄧小平は周恩来を「わたしの兄」と呼び、良き兄、周恩来は、六〇年代の文化大革命の混乱の時期に鄧小平を守ることになる。フランス留学中、周恩来から共産党の機関誌の発行を任された鄧小平は、ガリ版博士のニックネームをつけられた。二六年、フランス当局は鄧小平の下宿に踏み込んだが、時すでに遅かった。その前日、当人はモスクワに向かっていた。

モスクワでは、極東勤労者共産主義大学と中山大学で学んでいる。当時は、国共合作の時期であり、国民党と共産党は敵対していなかった。中国の現代化と刷新という共通の目標があった。スターリンが指導する共産主義インターナショナル（コミンテルン）が、国民党に革命的な党の組織方法を指導し、中国共産党の党員も国民党員として活発に活動していた。資金力の豊富な国民党は、中国の尊厳を取り戻そうと、モスクワで訓練を受ける若き革命家に資金を援助していた。鄧小平と共に学んだ学生には、国民党の指導者、蔣介石の息子、蔣経国もいる。一九八〇年代になって蔣経国は、父の跡を継いで台湾の総統となっている。

鄧小平は筋金入りの共産主義者になって帰国した。革命に人生を捧げる準備は万全だった。統率力ですぐに頭角をあらわし、二十三歳で共産党中央委員会の秘書長になっている。その後、地方の

工作を担当した。中国は、激しい混乱期にあった。軍閥が各地を占拠するなか、国民党と共産党は主導権を争い、国共合作は崩壊した。共産党内部も派閥の溝が深まり、血で血を洗う抗争となった。鄧小平は、周恩来にしたがい、毛沢東が率いる派閥に所属した。共産党内部で毛沢東と敵対するグループが、鄧小平を監禁して拷問にかけ、政治的「罪」を自己批判するよう、繰り返し迫ったこともあった。

鄧小平は、一九三四年から三五年三月にかけて、国民党軍の包囲を突破するために毛沢東が率いた一万二千キロの長征に参加している。この苦しい行軍で、多数の共産党員が殺されている。出発したとき九万人だったが、目的地にたどり着いたときには、わずか五千人になっていた。しかし、この長征で、共産党に神話が生まれ、結束が固まり、十五年後には中国全土を支配する勝利につながった。

一九三七年の日本の中国侵略で、共産党は勢力を盛り返し、国民党との新たな協力関係が生まれた。抗日戦争は、鄧小平を兵士に変えた。ここでも、統率力を発揮して、最初は日本軍と、四五年以降は国民党軍との戦いで、前面に立つことになった。卓越した軍の指導者となり、四九年、国民党軍の主力部隊を破った淮海の戦いでは、中心的な役割を果たした。五十万人の国民党軍を壊滅させたこの戦いは、二十世紀でもとくに重要な陸上戦だといわれている。こうした軍功で鄧小平は指導者としての信望を集め、人脈を築いており、それが政治的な地位を支え、苦しい時期には身を守る盾になった。

中国北西部の太行を根拠地につくられた戦時政権で、鄧小平は現実的な経済政策を打ち出してい

るが、これは、一九八〇年代から九〇年代の経済政策の前身だともいえる。経済的なインセンティブは適切だと考えていたのである。戦争中、幹部にこう語っている。「行きすぎだという同志もいるが、わたしはそうは思わない。不正ではなく労働によって得たものであれば、まったく正当なものだ。怠けている者、熱意のない者は、それなりの報いを受けるべきだ」。経済の変化は徐々に進めるべきであり、国民が直接、恩恵を感じるようにすべきである。そして、きわめて重要な点は、社会主義が適切な組織と経済力に依存しており、「資本主義の生産力」のうえに、築かねばならないということだった。言い換えれば、資本主義は社会主義と真っ向から対立するわけではない。しかし、共産党が現代化に必要だという点については、鄧小平は、考えを変えなかった。(1)

鼠を捕まえる

一九四九年、国民党を倒し、中華人民共和国が成立した後、鄧小平は、共産党中央の指導者のひとりとして頭角をあらわした。その後、党中央秘書長となった。五七年、毛沢東は代表団とともにモスクワを訪問した際、ソ連のニキータ・フルシチョフ首相に、鄧小平をこう紹介している。「身体は小さいが、頭脳明晰で、将来はきわめて明るい」

鄧小平は毛沢東に変わらぬ忠誠をつくしたが、「大躍進」政策をはじめたときは脇にしりぞいている。「大躍進」は、「大衆」の熱意を引き出し、資本主義国が百五十年かかった経済成長を十五年で達成し、地方を完全に掌握することを目指した政策だ。全国の農民は、厳しく統制された人民公社

のもとに置かれた。各地に建設された土法高炉が「大躍進」の象徴となった。しかし、それは破滅への大躍進であることがあきらかになる。経済の基礎的な条件をまったく考慮していない試みで、経済成長になんら貢献しなかった。それどころか、農業、工業、流通が完全に混乱し、生産が大きく落ち込んで、数千万人が餓死した。

鄧小平は、この事態を収拾した中心人物のひとりだ。大衆動員に代えて、漸進的な投資を促進し、教育や専門知識をふたたび重視した。「鼠を捕りさえすれば、黒い猫でも白い猫でもかまわない」というもっとも有名な発言は、この時期のものだ（鄧小平は、この種の警句が得意だというわけではない）。後に本人は、どういう意図だったのかは覚えていないと語っているが、熱狂的な大躍進の余波のなかで、現実的な経済政策を明確に容認したものだ。後に世界各地で共感を呼ぶ発言でもあった。

この現実路線は、一九六〇年代半ば、毛沢東が文化大革命を開始した際に、攻撃の材料となった。毛沢東は、国民がイデオロギーへの情熱をもっていないことにきわめて不満で、最高指導者として尊敬されてないことに怒ってもいたようだ。鄧小平らのグループが、「葬式に出される死んだ親のように扱った」と語っている。毛沢東は、若者を動員して、確立した秩序を容赦なく攻撃して報復に出た。文化大革命の第一の標的は党だった。鄧小平にとっては、とんでもないことであった。共産党の団結が中国再生の基礎になると考えていたからだ。文化大革命による混乱で、二〇年代初めから、鄧小平が命を捧げてきたすべてのものが、脅かされていた。文化大革命の聖書になった毛沢東語録を勧められたとき、黙ったまま受け取らなかったことがある。鄧小平は「走資派」と攻撃され、

激しく非難され、二年間を独房で過ごした。妻とともに、トラクターの修理工場で労働もさせられている。息子は紅衛兵に拷問を受け、下半身麻痺になった。鄧小平を救ったのは、軍隊で築いた人脈と、「兄」と慕う周恩来との個人的な友情だった。

一九七〇年代はじめ、文化大革命が終わった後、鄧小平は指導部に復帰した。幽閉されていた間、中庭を何時間も歩きながら、なぜ現代化が失敗したのか、どうすれば再建できるのかを自問自答していた。経済再建を指揮する立場にたって、苦しみのなかで得た結論を実行に移すことができるようになった。イデオロギーや教化ではなく、教育と経済的インセンティブを重視するという、かつて掲げた原則に戻った。しかし、資本主義にへつらっているという批判が高まり、ふたたび毛沢東から攻撃を受けて失脚する。周恩来の死去によって、その立場はきわめて危うくなり、またもや自己批判を余儀なくされた。反革命的であり、輝かしい革命をむしばむ「毒草」であり、あらゆる悪の象徴だといわれた。しかし、ふたたび、軍時代からの同志によって救われた。

一九七六年に毛沢東が死亡し、鄧小平は解放された。文化大革命の中心になった「四人組」(毛沢東の妻、江青女史もそのひとりだった)が逮捕された後、権力の中枢に返り咲いたが、すぐに、毛沢東の死去に伴う激しい権力争いに巻き込まれる。毛沢東は、華国鋒に「あなたが責任をもつなら安心だ」と語り、後継者に指名していた。しかし、鄧小平は、「毛沢東忠誠派の代表」だとみられていた華国鋒主席を攻撃した(華国鋒は、「毛沢東主席の決定ならなんであろうと支持する。毛主席のいかなる指示にも、忠実にしたがう」と語ったことがある)。決断のときがあるとすれば今しかないと考え、あらゆる力を動員して、華国鋒への戦いを挑んだ。一九七八年末には、華国鋒は失脚し、

鄧小平が最高指導者になった。こうしてまたしても、混乱を収拾する立場につくことになった。そのなかで、中国のほんとうの意味での大躍進のための基礎をつくった。

その後の歴史のなかで、一九七八年十二月は、一一年の辛亥革命、四九年の共産党の勝利と並んで、二十世紀の中国の歴史の大きな転換点になった。第十一期中央委員会第三回総会が十二月に開かれ、基本的な方針が打ち出された（もっとも主要な決定は、この前後の数か月間に下されている）。中国を市場経済化の方向に転換するのだ。

壮大な計画ではなく、現実的な手順が示された。全体としては、毛沢東路線に訣別を告げる内容だった。路線の転換は、鄧小平の承認を受けたものである。鄧小平は、党が指導する体制が守られている限り、経済面で効果のある政策ならどんな政策でも受け入れた。重要なのは結果である。ユートピアでも救世主の楽園でもなく、豊かで強力な国にすることを望んでいた。ナショナリストであり、共産党員である鄧小平にとって、党はこの目的を達成するための手段だった。その背景にあったのは、単純明白な決断である。鄧小平はこう語っている。「選択肢はふたつある。貧困を分配することもできるし、富を分配することもできる」。貧困の分配は、毛沢東のもとで嫌というほど見てきた。[2]

改革はじまる

改革は当初、農業を中心に進められた。毛沢東による農業の集団化は、悲惨な結果を招いていた。

共産党が勝利した三十年前にくらべて、生産量が増えていない地域が少なくなく、逆に減った地域もあった。集団農業制度の下で、投資を行ない、新しい技術を導入したにもかかわらず、生産性は、旧制度下にくらべて高まったとはいえなかった。

しかし、旧制度の改革が進められることになったのは、地方の危機があったからだ。中国の経済改革は、雨とともにはじまった。正確にいえば、雨の不足からはじまった。一九七八年、安徽省は、百年に一度といわれるほどの大旱魃に見舞われた。地面は乾燥し、トラクターでも鍬でも耕すことができなくなった。飢餓が広がり、赤痢、脳炎、肝炎などの病気が地域全体に蔓延した。安徽省から脱出した数十万人が上海に流入するのを阻止するため、軍隊が動員された。苦しむ人々を撮した映像を見た共産党政治局員は、「叫び声をあげ、顔を手でおおい、すすり泣いた」。乾燥した大地を耕すには、人手に頼るしかない。しかし、農民は労働の成果を得られないのであれば、耕そうとはしない。「旧来の方法」に戻るよう要求した。これは、農業生産責任制と呼ばれるようになる制度で、中華人民共和国の建国以来、何度か試みられたものだ。労働によって得られる成果の一部を、家計が所得とする制度だ。農民の要求は受け入れられ、制度は実行に移された。絶望が決断を促した。しかし、当初に参加した農民は、新制度に参加したことで逮捕される「悲劇」に備えて、互いの子供の面倒をみるという誓約に署名している。

文化大革命の時代に起こったことを考えれば、農民が不安に思うのも無理はなかった。しかし、今度ばかりは違った。実験は成功し、広く支持された。その後、生産責任制度は、中国全土で採用され、毛沢東主義の厳しさに代えて、物質的なインセンティブが使われるようになった。人民公社

と集団農業は解体され、各農家が自分が耕す農地に責任を負うことになった。農民は、収穫高の一定量を政府に納めなければならないが、それ以外は、貯蔵して自家用にしても、売ってもかまわない。これによって、自由企業が認められるようになった。

成果は驚くべきものだった。十六年間で、生産量は五〇パーセント以上も増加した。毛沢東体制下では、達成しえなかった成果だ。農産物に市場制度を導入したことで、流通の仕組みができあがった。農民自身が作物を運び、店を建て、修理し、食料市場を開設し、従業員を雇うようになった。要するに、こうした変化によって、起業家精神が巻き起こった。市場で販売される農産物は、一九七八年には全体の八パーセントにすぎなかったが、九〇年には、八〇パーセントに達した。七八年から八四年の間に、農家の実質所得は六〇パーセントも増加している。

農業の急速な改善が、中国の経済改革の始まりになった。農村での成功で、農民ばかりでなく、都市の住民の間にも改革を支持する声が広がった。都市の市場では、農産物の種類が増え、大量に出回るようになった。これでつぎの段階へ進む勢いがついた。段階的な価格統制の解除がはじまったのも、この時期である。鄧小平が求めたのは教訓ではなく結果だが、ここから、きわめて重要な教訓が導き出せた。経済学者のドワイト・パーキンズが指摘したように、「将来、改革を行なおうとする政治家にとって、中国の改革の教訓は忘れられがちだが、あきらかである。はっきりと勝てる部分から、改革に着手すべきである[3]」

「かごの鳥」

農業は、工業や都市型経済にくらべて改革が容易であったことがあきらかになる。農業は、本質的に地方の問題である。「石をつたって川を渡る」方式で、状況に機敏に対応していけばいい。工業部門ではこうはいかない。産業は相互に連関し、規模が大きく、中央政府が管理しており、政府の収入の大半を生み出していた。政府の財政のカギを握っている。このため、制度を少しでも変更すると、国全体が経済的混迷に陥りかねない。そのうえ、マルクス主義経済では、工業生産が中心に据えられている。ソ連でも中国でも、農業部門を収奪し、重工業化を支えてきた。

それでも、きわめて非効率な工業部門の改革は不可欠で、その結果、政府と市場の関係について、激しい論争が大々的に展開された。制度の非合理な点が、率直に議論された。たとえば、政府が企業から税金を徴収する方法は、「一番速い牛をむち打つ」ものだと主張された。効率のよい企業ほど多額の税金が徴収されており、利益が増加するほど、税率が高くなるのだ。企業の自主権の拡大や、社会主義市場経済制への移行に関して、活発な議論が行なわれた。ユーゴスラビアの自主管理企業がモデルとされたが、政府が統制し、「計画」で管理すべきだと考えられた。一九七九年、無錫に経済学者や党幹部が一堂に会し、この問題を話し合った。二人の経済学者が、当時の一般的な考え方を、つぎのような言葉で総括している。「アダム・スミスの『見えざる手』に、経済開発を任せるわけにはいかない。市場で個々の消費者が、自己の経済的利益に基づいて下す決断は、かならずしも

公共の利益と一致しないからだ」。計画のいっそうの効率化をはからなければならない。しかし、それは資本主義の「盲目」や「無秩序」にゆだねることではなかった[4]。

企業の自主権の拡大を認める動きがある程度はあったが、工業部門の改革は、いわゆる保守派のために、数年にわたって阻まれた。保守派のリーダーは、鄧小平とおなじく党の長老の陳雲だ。陳雲は、一九二五年、二十歳で入党した。上海の農民と労働者を組織し、コミンテルンの中国代表団の一員として、モスクワに滞在したこともある。鄧小平と違って、政治ではなく経済を得意としていた。一九四〇年代後半から、経済計画の要職を歴任し、指導部のなかで毛沢東主席の経済政策に何度か異議を唱えた数少ないひとりだが、党内きっての経済通とみられるようになった。スターリンの経済モデルを批判し、経済学に代えて大衆の熱意を用いようとする毛沢東の政策を批判した。鄧小平とおなじように、文化大革命で失脚したが、先に復権し、鄧小平を指導部に復帰させるべきだと主張したうちのひとりでもある。文化大革命での体験から、ますます着実を好み、「急進」を嫌うようになった。テクノクラートであり、社会主義者であり、計画を熱心に信奉している。重工業にできるかぎりの資源を注ぎ込もうとする「石油派」の幹部を、「生産のための生産」に熱中する社会主義者の典型的な病だと激しく非難した。しかし、陳雲は、全面的な市場システムを導入しようとしているわけでも、外国資本を引きつけることに熱心なわけでもなかった。「外国の資本主義者は、あくまで利益を追い求める資本主義者である」と警告し、「こうしたことにきわめて鈍感な同志もいる」と嘆いている。外国によって中国の社会主義が「汚染」されるのではないかと恐れ、市場志向の経済に移行し、高度成長を目指して急ぎすぎると、モノ不足、インフレ、混乱が生じると主張し

ていた。

陳雲は、それまでの中央計画に満足しているわけではなかったが、中国ほど大きく、貧しく、資源の乏しい国が、計画を捨てることができるとは考えていなかった。計画を改善し、科学的でバランスのとれたものにするよう望んでおり、改革より「再調整」に関心を抱いていた。陳雲によれば、「国土は基盤」であり、中央政府の陳雲らの計画者が、石を合理的に秩序だって打っていく責任を担っている。要するに、計画経済が「基本」であり、今後もそうありつづけるべきだと考えていた。重要性の低い領域を担う市場経済にも役割はあるが、その役割は、間違いなく「二次的」なものであり、補完的なものである。市場は有益だが、危険でもあると考えたのだ。

一九八二年末、陳雲は自宅を訪ねてきた来訪者に、自分の考え方を語っている。経済改革と経済計画の関係は、鳥と鳥かごの関係に似ている。「鳥はきつく握りしめると、窒息してしまう。ゆるめなければならないが、かごの中での話だ。そうでなければ、鳥は逃げてしまう」

これは鳥かご理論として有名になり、陳雲ら保守派は、鳥をかごのなかで飼いつづけようと腐心した。「再調整」を主張する保守派が一九八〇年代初頭に主流になったが、その背景には気がかりな事態があった。第一は、八〇年にポーランドで突然「連帯」が出現したことであり、これで指導部の警戒感が高まった。陳雲は、指導部が慎重に動き、「情報宣伝と経済のふたつの問題に注意を払わなければ、ポーランドとおなじ問題が中国でも起こりかねない」と語っている。第二は、毛沢東主義をめぐって、党内が論争に揺れたことだ。それに、変化があまりに大きくなれば、制度全体が維持できなくなる。鄧小平は、再調整を主張する保守派の意見を取り入れた。党の「安定と団結」と

揺るぎない支配がみずからの政策の根幹であり、それが脅かされかねなかったからだ。現代化という目的を達成するには、こうした党が不可欠である。「党の団結と安定がなければ、中国は分裂し、なにも達成できないだろう」と鄧小平は語っている。

しかし、一九八〇年代半ばには、「ゆっくりと進む」べきだとする主張は、信頼されなくなった。陳雲が予想した深刻な問題に陥ることもなく、経済が予想をはるかに超えるテンポで急成長したからだ。農業がめざましい成功を収めていた。農業の改善と変わらぬほど意外だったのは、これが大きな刺激となって、地方の産業や商業が発達したことだ。改革は、国民の支持を集めるとともに、実績をあげていた。さらに、中国は、経済が苦境に陥っていたユーゴスラビアや、連帯が非合法化されたポーランドではなく、積極的に市場経済を実験していたハンガリーに注目するようになった。そして、ハンガリーの経済学者、コルナイ・ヤーノシュの著書を読んだ。コルナイは、ロシアの若手改革派にも大きな影響を与えはじめていた。

しかし、もっとも衝撃的な教訓は、ごく近くにあった。日本が経済大国となった事実に目覚めはじめたのだ。日本を訪問し、その活力を目のあたりにして、中国の共産党員は、衝撃を受けた。中国共産党の宣伝部長までが、報告書で驚きを書き記している。日本では、二世帯に一世帯が自動車を保有し、九五パーセント以上の世帯がテレビ、冷蔵庫、洗濯機を保有している。服装のデザインの豊富さと清潔さにも驚いている。「ある日曜日、にぎやかな通りを歩いた。行き交う女性は、だれひとりとしておなじ服を着ていなかった」。さらに、もっと驚くべきことを書き記している。「われわれに同行した女性は、毎日、違う服を着ていた[5]」

「中国的特色をもつ社会主義」

一九八〇年代半ばが転換点となり、これ以降、中国経済は高度成長期に入った。鄧小平の指導のもと、政治的支配を維持する一方で、経済改革と自由主義が信奉された。鄧小平はこう語っている。「資本主義者になるのではないかと懸念する同志がいる。社会主義と共産主義のために生涯を捧げた後、資本主義が突然、台頭するのを恐れており、こうした光景には耐えられないと考えている」。鄧小平は、こうした同志を安心させようとした。現状を、「中国的特色をもつ社会主義の建設」だと説明した。この言葉は、八四年末に出版された著書の題名になっている。

鄧小平が、陳雲を念頭において批判したのは間違いない。鄧小平と陳雲は共に長老であり、共産党の草創期に入党したベテランだ。共に党中央の幹部に昇進し、文化大革命で失脚し、汚名を着せられた。毛沢東主義の禍根を癒すため、手を組んで復活した。しかし、二人は次第にライバルになっていった。陳雲は、鄧小平が功績を自分のものにしすぎており、当初の改革案での自分の功績が認められていないと考えていた。二人の対立で、改革をどこまで進めるかが決まるようになった。両者の意見の対立は、農家が労働者を雇うことができるか、といった問題からはじまった。鄧小平にとって、これは実利的な問題にすぎず、雇うことができると考えた。陳雲は、地方が資本主義に逆戻りすることになると考え、これに反対した。鄧小平の主張が通ったが、「雇用労働力」という言葉は、マルクス主義では搾取を意味するので、「請負労働力」という言葉を用いた。最終的に両者の

論争は、中国の将来がどうあるべきか、という問題にまで及んだ。

しかし、「中国的特色をもつ社会主義の建設」とは、なにを意味しているのだろうか。一九八四年以降、中国経済の将来に関する論争は、マルクス主義の領域を超え、いかに市場経済を建設するかに移った。これが決定的な転換点になった。計画よりも、市場の方が資源の配分をうまく進められると主張するグループもでてきた。マルクス主義の理論よりも経済指標の数値が、論争で重視されるようになってきた。

その結果、中央計画の信奉者や伝統的な社会主義者と改革派の間だけでなく、改革派同士の間に、複雑で激しい論争が続いた。論争は激しさを増し、一九七〇年代後半には改革派だった者が、八〇年代半ばには保守派になるケースもでてきた。鄧小平が改革派の最高指導者だとすれば、陳雲は改革批判の急先鋒だった。問題はきわめて入り組んでいた。どのように、巨大な経済を変えていくのか。指令型経済と市場型経済が併存し、ふたつの異なる価格体系をもつ経済を、いかに成長させるのか。改革と高度成長によって、景気の過熱とインフレ率の上昇が避けられなくなるのか。そして問題の中心が、政府と市場のあるべき関係であったことは言うまでもない。

保守派が危険視していたのは、秩序の崩壊とインフレだけでなく、混乱が起こり政治的統制が失われることであり、この点は鄧小平も懸念していた。保守派は、中央集権化、安定化、強制的な計画の復活を望んでいた。一方、改革派は、中央政府と共産党中央の統制を縮小し、企業が市場のシグナルへの対応に責任をもつことを望んでいた。改革派は、「請負経営責任制」の導入によって、目的を半ば達成した。「農業生産責任制」と同様に、利益が目標を超えた部分の留保を国有企業に認め

た制度である。一九八七年十二月には、中企業・大企業の八〇パーセントが、この制度を採用している。

しかし、これだけでは十分でなかった。国有企業は依然として非効率だった。地方の農村や町で郷鎮企業が設立され、競争が激化するなかで、国有企業は敗北していた。価格の二重制度によって、インフレが昂進し、腐敗が増加した。有名な経済学者の呉敬璉は、ルードビッヒ・エアハルト（そして一九四八年のドイツの通貨改革）とミルトン・フリードマンを例にひいて、大規模な価格改革を提唱した。しかし、呉は同時に、中企業・大企業が経済の「柱」であるという一般的な考えを支持しており、政府が経済活動を指示するべきだと主張した。中国が、「十九世紀のマンチェスターの資本主義を彷彿とさせるような経済制度」を導入すれば、「歴史的な後退になるだろう」と語っている。(6)

もうひとりの著名な経済学者、厲以寧は、政府の支配という大前提に異議を唱えた。厲は、ポーランドの経済学者で、政府の所有制度のもとでの社会主義市場経済を唱えたオスカー・ランゲを支持していた。しかし、文化大革命の間に、ハイエクとランゲの論争について熟考し、ランゲよりハイエクの方が正しいと考えるようになった。ソ連の経済モデルは、機能しなかった。もっとも重要で必要な改革は、財産権を創設することだ。財産権ができてはじめて、物事の決定に責任が生まれ、動機づけられると考えたのだ。経済論争の焦点は、マルクスとスターリンから、フリードマンとハイエクに、大きく変わっていた。

改革と調整

鄧小平の関心は、結果にあった。つまり中国が豊かになり、国力を強化することにあった。無駄にした歳月を取り戻そうとした。改革を強く主張する胡耀邦総書記を後押ししていたが、自由主義すぎると見る陳雲の圧力を受けて、辞任に追い込んだ。改革を受け継いだのは、首相に就任し、その後、総書記になった趙紫陽である。趙紫陽は、改革を進めても、社会主義を否定するわけでも資本主義を肯定するわけでもないと納得させるため、「新しい技術革命」の必要性を強調した。情報技術の衝撃について書かれたアルビン・トフラーの『第三の波』を読み、周囲の人たちにも、中国になにが欠けているかを理解するために読むべきだと勧めている。

趙紫陽は、鄧小平の故郷の四川省で改革に成功し、党中央に抜擢（ばってき）された人物だ。総書記になると、「国際大循環」を先頭に立って主張するようになった。沿海部を中心に、輸出志向の新産業を早急に建設するという政策である。これは、周辺のアジア諸国で成功を収めている輸出主導型の成長の戦略を採用することを意味した。この政策によって、いくつかの問題が一挙に解決すると考えられた。新産業によって外貨を獲得し、内陸部から都市に流入する余剰労働力を吸収できる。趙紫陽は、こう語っている。「中国は、この好機をとらえ、国際的な競争に参加し、沿海部を国際的な市場にするべきだ」[7]

改革開放政策の中心に据えられたのは、経済特区である。経済特区は、なににも増して、中国を

世界経済と結び付ける役割を果たした。最初の経済特区は、一九八〇年、香港に隣接する深圳など広東省に三か所、台湾の対岸の福建省に一か所作られた。あらゆる面で外向きの性格をもっている。輸出加工区であり、外国資本を引きつける磁石の役割を果たした。中央政府は、貿易や投資決定に関して、かつてないほどの自主権を各経済特区の政府に与えている。経済特区の制度は、一九八〇年代半ば、いくつかの市に拡大され、これ以降、沿海部が中国経済を牽引するようになった。

経済特区は成功したものの、インフレの加速で保守派が勢いづき、一九八八年末には、趙紫陽総書記ら改革派は守勢に立たされた。保守派は、開放路線を攻撃した。保守派のひとりがこう語ったことがある。「外国の月が、中国の月より満ちていると考えるべきではない」。別の保守派はこう非難した。「ブルジョワ民主主義社会の月が、中国の太陽よりも明るいかのように考え、ブルジョワ民主主義を目指す者がいる」。改革派や指導者層への批判と、古い秩序への懐古が結び付いて「毛沢東ブーム」が起こる事態になった。

資本主義型の犯罪と腐敗、物質主義と不平等が表面化するにつれ、改革への反対も高まった。ある経済学者は、「正直な人は生活が厳しく、ご都合主義の人間や腐敗した人間は贅沢に暮らし、羨ましがられている。これほど、社会のモラルを堕落させるものはない」と断じている。さらに別の重要な経済問題が起こり、保守派は勢いづいた。大型の国有企業が赤字を出していたのだ。経済の変化に適応するのはきわめて難しく、損失が拡大していた。これは政府の収入が激減することを意味する。

鄧小平は、相変わらず、改革派の第一の支援者であり、大規模な価格改革を後押しした。「われわ

れは嵐を恐れていない。風や波をものともせず、あらゆる障害を乗り越えるだろう」と語った。しかし、一九八八年八月、情勢が一変した。価格改革が実施されるとの思惑から、銀行の取り付け騒ぎと、商品の買い占めが起こり、パニックとなったのだ。鄧小平をはじめ、政府は強い衝撃を受け、突如として、方針を変更した。改革を進めるのではなく、経済の安定化と調整を目指すことになった。(8)

天安門広場

しかしこの方向転換で、政治面に予想もしない影響があらわれた。経済混乱、保守派の巻き返し、抑えがたい民主化への欲求を背景に、学生の「民主化運動」が盛り上がったのだ。一九八九年四月、失脚した改革派、胡耀邦の死を悼む数千人の学生が、北京の天安門広場を占拠した。保守派にとって、学生の行動は暴動であり、改革を進めすぎ、統制をゆるめた十年の結果だと思えた。鄧小平らにとっては、無秩序や混乱を防ぐ防波堤である共産党の指導という神聖な教義を脅かすものだった。文化大革命時代の紅衛兵を思い出させるものでもあった。鄧小平は指導部の中核であり、現代中国の中核が危機に瀕していた。こうなれば、改革ではなく、生き残りと秩序を優先させるしかない。東欧諸国で共産主義が崩壊しつつあり、中国の危機はあきらかだった。「ポーランドでは、ひとつの譲歩が、さらなる譲歩へつながった。譲歩すればするほど、混乱に陥る」と鄧小平は、怒りをあらわにした。混乱は敵である。天安門広場は、人目につきやすく、北京の中央に位置しているうえ、現代中国の歴史で重要な位置を占める場所であり、ここの占拠は体制への真正面からの攻撃だ。四

十年前の四九年、毛沢東が共産党の勝利と中華人民共和国の建国を宣言したのが、まさに天安門広場だった。さらにその三十年前の一九年五月四日、共産党の誕生のきっかけとなったナショナリストの学生のデモが、ここで行なわれている。八九年六月初め、天安門広場を制圧するよう、解放軍に命令がくだされた。約一千人が、この衝突で死亡したとみられている。

調整と統制が強化された。東欧では共産主義政権が崩壊し、ソ連ではゴルバチョフ大統領が複数政党による民主制を唱え、クーデター未遂事件が起こり、エリツィンが登場していた。こうした状況を背景に、保守派は、改革の引き締めと統制の強化に向かった。経済成長率は低下し、意見の違いは封じ込められた。鄧小平は最高指導者の地位を維持したが、改革は後退し、影響力も低下している。長年のライバルの陳雲がふたたび優勢になり、市場を弾劾し、中央計画の推進を強く主張した。計画経済と市場経済の「適度な比率」は、八対二であると語った。「陳雲思想」がもてはやされ、かつての毛沢東思想崇拝を想起させるほどになった。陳雲は、毛沢東から「哲学の学習について三度も話を聞き」、マルクス、エンゲルス、レーニン、スターリン、そして毛沢東自身の著書を読むよう勧められたと、懐かしそうに語っている。そして、経済の過熱と天安門事件をもたらす風潮を生んだ責任は鄧小平にあると、名指しで批判した。陳雲らの保守派は、沿海部の経済特区を最大の標的にし、資本主義的な性格をもち、中国の共産主義を破壊する勢力の窓口になっていると、激しく非難した。(9)

南巡講話——鄧小平の最後の戦い

しかし、鄧小平はあきらめなかった。過去十四年にわたって成し遂げようとしたことすべてが、危機に瀕しているように思えた。共産党入党以来、過去に三度、失脚し、汚名を着せられ、自己批判を余儀なくされたが、今度ばかりは違う。保守派が非難するまさにその分野で応戦した。一九九二年一月、保守派が地盤を固めているかに見えたころ、八十八歳の最高指導者は、専用列車で戦いに出かけた。南へと向かった。これは「南巡」と呼ばれ、一か月続いた。鄧小平の最後の戦いである。

保守派は、鄧小平が推進した経済特区を攻撃していた。その経済特区にみずから出向いて擁護するのだ。とくに重要な目的地は、広東省の珠江デルタ地帯にあり、香港と接する深圳経済特区だった。鄧小平は、ここで演説し、地元の役人や企業関係者と会い、記念撮影を行なった。建設現場ではシャベルすら握っている。一九八四年に視察したときとは、様変わりしていた。当時、深圳は建設途中で、きわめて不便だったが、いまや、現代的で高層ビルが立ち並ぶ都市になっていた。ここまで変わるとは思わなかったと述べ、「深圳の状況を見て、自信が深まった」と語っている。たしかに、非難が集中した八四年から八九年にかけての成長期には、いくつも問題が生まれた。しかし、成長の結果は驚くべきものだ。「飛躍」であり、ほんとうの意味での大躍進だ。深圳は、もはや実験ではなく、将来のモデルとなった。

鄧小平は、黒い猫と白い猫の区別をつけなかったように、資本主義と共産主義の教条主義的な区別を退けた。「市場経済に、資本主義という名前をつける必要はない。社会主義にも市場がある。計画も市場も、繁栄と豊かさを広めるための手段、経済を発展させるための手段にすぎない」と語っている。もうひとつ、きわめて重要なメッセージを送っている。社会主義を破壊するのは、改革派ではなく、陳雲ら保守派だというのだ。共産党員に向けて行なった『右』も警戒しなければならないが、主として『左』を防止しなければならない」という警告は、南巡講話のなかで、もっとも有名な発言となった。変化に反対する長老については、人間は年齢を重ねると頑固になる、考え方を柔軟に、開放的にしなければ、ほんとうに「眠りにつく」べきだと語っている。陳雲が推薦した共産主義の古典の読書リストについては、驚くべき告白をしている。マルクスの『資本論』を読んだことがない、時間も忍耐もなかったというのだ。

鄧小平の南巡に対する反応は、改革派と保守派の対立がいかに根深かったかを物語っている。最初の一か月、なんの反応もなかったのだ。新聞やテレビでの報道はなく、論評もいっさいない。保守派は、なにもなかったかのように装うだけの力をもっていた。しかし、情報が深圳から香港に伝わり、中国本土に戻ってきた。一か月遅れで、無視された出来事が、決定的な出来事に変わった。鄧小平の南巡は、マスコミで大きく取り上げられ、活発な議論の対象になった。不況が続いていたので、鄧小平の発言への支持が広がり、国の政策を変えることになる。鄧小平の最後の勝利である。陳雲への支持は、後退しはじめた。副首相のひとりは、経済特区に厳しい制限を導入するよう主張する陳雲を皮肉って、強硬なマルクス主義者を送る「左派の特別区」を導入するよう主張した。「左

派が支持する政策を実行する地区を設けよう。外国資本の投資や外国人の立ち入りを禁止する。地区の住人は、海外に渡航することも、子弟を海外に留学させることもできない。あらゆる事柄を政府が計画する。生活必需品は割当制にし、住人は食料や日用品の配給を受けるため、行列しなければならない」。改革に反対する左派に、すぐさま特別区をつくるよう促した。

鄧小平の巻き返しは、一九九二年秋の第十四回党大会で最高潮に達した。この大会で、さらに改革を進めることが再確認された。中国は「社会主義計画経済」から「社会主義市場経済」に移行すべきだとする鄧小平の「輝かしい理論」が、歓呼して迎えられた。改革は、軌道に戻った。鄧小平の最後の勝利である。八十八歳にして、最高指導者としての地位をいまいちど確固たるものにしたのだ。[10]

ふたつの経済

鄧小平は南巡で、中国の将来に関する特別なメッセージを伝えようとした。広東省は、中国の改革の先頭に立っており、原動力である。改革を促進し、二十年以内に韓国、台湾、シンガポール、香港の四頭の虎を追い越すべきだ、というものだ。これは、中国の将来の経済開発の基本的な方向を示している。中国全体の経済成長はめざましい。一九七八年から九五年の間の年平均成長率は、九・三パーセントだった。この間、ソ連型の指令経済から市場の力に支配される経済へと大きく移行している。

しかし、この数値の裏には、政府と市場の間の深い溝が隠されている。溝の一方にあるのは、国有の中堅企業と大企業だ。これらの国有企業は、従業員にあらゆる社会・福祉手当を支給する総合的な社会制度でもある。国有の大企業は約一万あり、従業員数は、五千人から五十万人にのぼるものもある。なかには社会・福祉手当を廃止したり、負担を軽減する方針をとって、話題になった企業もあるが、大部分の大企業は無駄が多く、非効率だった。ニーズに合わない製品をつくり、政府に税金を納めるどころか、財政資金を湯水のように使っていた。債務の返済もしていない。しかし、国有企業は、政治力が強く、社会的な役割を担っていることから、改革は容易でなかった。国有企業の四分の三が赤字だという推計もあった。財務に節度がなく、市場のシグナルには無頓着だ。ある鉄鋼会社の幹部によれば、国有企業の幹部は、「従業員の住宅や、従業員の子供の学校を世話し、従業員の祖母の面倒までみなければならず、疲れていて、事業どころではない」。インフレが繰り返し起こるのはかなりの部分、与信の基準が不健全なまま、国有企業が政府から信用を引き出す能力に長けていたためだとされている。国有企業と結び付いているのが国有企業であり、巨額の不良債権を抱えている。

深い溝のもう一方には、成長と活力の源である新しい経済がある。すべてが民間企業だというわけではない。村、地方政府、軍が所有し、起業家が経営する「集団」企業が、経済成長の牽引役のひとつとして台頭してきた。こうした集団企業は、起業家、地方の当局者、軍、企業の経営者の協力の象徴であり、農業の生産性の向上や、国有企業の引き締めによって過剰になった労働力を吸収している。補助金はほとんど受け取らず、他の省の企業と競争し、市場のルールにしたがう。国有

の大企業ではなく、こうした集団企業が、中国の経済成長のほんとうの支柱であることがあきらかになった。地方で、改革開放政策への草の根の支持を生み出してもいる。

中国では、外国資本が重要な役割を果たしている。一九九〇年には年間三十七億ドルだった対内投資は、九五年には三百八十億ドルになり、五年間で十倍に膨らんでいる。外資導入制度がかならずしも魅力的でない点を考えるなら、この伸びはすさまじいといえる。制度自体が、完全には整っていないのが実状なのだ。文化大革命で、弁護士制度や商法の大半が廃止されており、外資系企業のほとんどが求めるような契約と法の枠組みもなければ、明確な意思決定の仕組みすらない。しかし、このような不安があるなかで、中国への投資は増えつづけている。「十億人の消費者の魅力があるので、懸念すべき点が多くても、投資が進められている」とドワイト・パーキンスは指摘する。

外資のかなりの部分は、華人によるものであり、大半は、中国の国内市場向けではなく、輸出向けである。投資が十分に保護されていない点は、華人の投資に有利になっているとすらいえる。華人の投資は、回収期間が短く、規模が小さいものが多い。二十年の契約期間になにが起こるかを心配する必要はない。状況が変わりやすく、法律が整備されていないことから、海外在住の中国人、華人がもつ「関係」、つまりコネが重要になっている。華人は中国本土の友人、親戚との間にコネがあり、政府高官だけでなく、地方の末端にまでコネをもっている。欧米や日本の経営者は、中国要人から最高のもてなしを受けるとしても、ビジネスのうえでは、華人にかなわない。この点がもっとも顕著にあらわれているのが広東省だ。

「新しい虎」

鄧小平が、南巡講話で強調したように、広東省南部の沿海地方、なかでも珠江デルタ地帯は、他に例をみない急成長を遂げている。広東省と隣接する福建省に、最初の経済特区がつくられたのは、開発が進んでいたからではない。それどころか、このふたつの省は、ほとんど工業化されていない停滞した地域だった。沿海部は外国からの軍事攻撃を受けやすいと考えた毛沢東が、沿海部から遠く離れた内陸部に資源を集中し、経済を開発したためだ。両省が経済特区に選ばれたのは、北京や上海など主要都市から遠く、外部からの「汚染」を一部に限定できると考えられたためだ。もちろん、海岸沿いにあるため、輸出が容易だという側面もあった。

広東省は外部に開かれ、過去とのつながりを取り戻すことになった。十六世紀に明朝が貿易を禁止するまで、広東商人は東南アジアの海上貿易を支配していた。一六八五年に貿易は解禁されたが、時すでに遅かった。貿易はふたたび活発化したが、ヨーロッパ人が支配し、広東は過去の栄光を取り戻すことができなかった。しかし、一九九〇年代、広東省の再生を決定づけるふたつの要因がある。三千万人の華人の八〇パーセントは広東省の出身で、何十億ドルも同省に投資しているのだ。もうひとつは、香港に隣接する深圳の戦略上の地理だ。この近さが、広東省の劇的な離陸に重要な役割を果たしている。

広東省の四分の一を占め、深圳や広州などがある珠江デルタ地帯は、「中国経済の真珠」、新しい

虎、「五番目の龍」と呼ばれている。一九七八年から九三年にかけて、広東省の経済は、全国平均を大きく上回る年率一三・九パーセントで成長している。珠江デルタの成長率はさらに高く、一七・三パーセントである。中国の輸出額の四〇パーセントは、広東省が担っている。そして、広東省の輸出額の七〇パーセントは珠江デルタに集中している。珠江デルタの人口は二千三百万人にすぎず、台湾やマレーシアとおなじ規模だ。香港を除いて、中国の全人口の一・四パーセントを占めるにすぎないこの地域が、国全体の輸出額の三〇パーセントを担っていることになる。

ここまでの長期にわたる高度成長は、「アジアの奇跡」の諸国にもなかった。この成長を示すのが、景観の変化だ。農業地帯が、いつまでも続くとも思える好況に沸く建設現場に変わり、現代的な高層ビルが立ち並ぶ都市へと変わった。一九九三年、フランスの大手電力会社、フランス電力が、爆発的に増加する電力需要をまかなうため、大亜湾に原子力発電所を建設したとき、周辺は荒涼としていた。しかし、発電所に通じる道路が完成すると、数十キロにわたる空き地に、工場がつぎつぎと建設された。人口三万人の国境の町、深圳も、二十年足らずで三百万人都市に成長した。しかし、国境は依然として、深圳と本物の虎である香港を隔てていた。

「一国二制度」

香港は、十九世紀半ば、イギリスの商人が中国の清朝と対立した阿片戦争で誕生した。一八四二年、香港島がイギリスに割譲され、一八九八年には、九龍半島などに一九九七年までの租借権が設

定された。一九一二年の革命で清朝が倒れ、その後、数十年間、中国南部では、国民党、共産党、軍閥が割拠した。香港は、安全な貿易拠点であり、実業家の資産の避難先になった。四九年の共産党の勝利で、中国経済の中心地、上海から、多数の商人や実業家がイギリスの植民地、香港に殺到し、香港の役割は強固なものとなる。この混乱以降、香港では、教育水準が高く、起業家のノウハウと中国本土とのつながりをもつ実業家層が活躍するようになり、長期的にみて、貴重な資源になった。

人的資源以外には、香港の強みは、戦略的に重要な位置にあり、とくに水深の深い港を抱えていることしかないといえるほどである。シンガポールと同様に、貿易に頼るようになった。共産党が本土を支配するまで、香港は、中国貿易の主要な窓口だったが、一九四九年以降、輸出に活路を求めた。本土から逃れた実業家と安価な労働力が結び付いて、組立工場や、縫製工場、軽工業の工場がつぎつぎに誕生した。創業者の起業家精神とともに、イギリス当局が認めた他に例をみない市場志向型の環境を背景に、こうした企業が繁栄した。香港の政治は、植民地に特有の閉鎖的なものだった。野党は、ごくわずかしか認められておらず、立法評議会の議員は、数十年にわたって、選挙で選ばれるのではなく、任命されていた。行政の最高責任者である総督は、ロンドンの外務省から派遣されたイギリス人だった。しかし、政治面できわめて厳しい規制が課される一方で、経済面は間違いなく自由だった。通貨はアメリカ・ドルに連動しており、資本取引は自由である。貿易や為替に制限はなく、中央銀行もない。労働法は緩やかで、税率はきわめて低い。どの点をとっても、アジアの他の虎、とくに香港とおなじ中継貿易経済のシンガポールとは対照的である。香港では、

地理的に有利な条件と、四九年以降、企業や投資を呼び込むことになった歴史の偶然が、政府による経済支配に代わるものになったようにみえる。もっとも影響力のある政府高官は財務長官であり、このポストには代々、自由放任の思想を信条とする行政官がついてきた。植民地、香港における古典的な自由主義制度は、皮肉なもので宗主国、イギリスで一般的となった混合経済と好対照であった。

一九六〇年代、香港は、繊維製品など軽工業品から家電製品や電子機器に生産を転換しはじめた。豊富な投資と安価な労働力を背景に、経済は完全な輸出志向型であった。香港製品が欧米市場に溢れ、地元の繊維産業などの軽工業部門を駆逐しかねなくなった。しかし、世界経済のなかで、香港がもてはやされるようになったのは、八〇年代になってからだ。鄧小平が中国本土で改革開放政策をとり、国境を越える旅行、貿易、投資が再開されたことと密接に結び付いている。鄧小平は、最初の経済特区を香港の隣につくり、労働力と資源が豊富な後背地に投資を呼び込もうとした。香港資本は、ただちにこの好機を利用した。製造業各社は、とくに労働集約的な工程を中国本土に移している。経済特区は急成長し、現代的な建物が立ち並び、珠江デルタは、香港と広東をふたつの極とするメガロポリスになった。

しかし、もっとも劇的で、香港の名を有名にした変化は、世界でも有数の金融センターになったことだ。その要因のひとつは、一九八〇年代に国際的な投資資金が爆発的に成長したことである。開放的で自由放任型資本主義の環境と、百年以上の歴史をもつ行(ホン)と呼ばれる大手商社や、有利な投資先を求める地元の財閥の存在も大きい。しかし、ここでも、中国での変化が大いに寄与している。

経済特区の規制緩和によって、特区内の企業が株式市場で資金調達できるようになった。九〇年代になって中国は、上海や深圳に株式市場を開設したが、株式を上場するのに最適な市場は、香港市場だと考えられた。さらに、中国の急成長で、外国からの投資が増加したため、香港は中国本土への投資を助言する専門知識の集積地となった。そして、もちろん香港はそれ以前から、「反逆の省」と呼ばれ、経済で成功した台湾から資金を本土に秘密裏に環流する役割を担ってきたし、公式にも非公式にも、華人の金融センターとしての役割を担ってきた。

政治のうえで香港が返還されるはるか前から、中国は香港の将来に関心をもち、経済上の利害関係をもちはじめた。一九八〇年代後半には、中国の国有企業が、高騰する香港の不動産市場に投資し、製造業のいくつかの株式を取得している。国営の中国銀行は、香港の港の近くに、ひときわ目立つ超高層ビルを建設している。返還の時点には、中国企業が、香港の主要なコングロマリットの多くや、公益サービスの大半を担う独占公益事業の株式を所有していた。返還への懸念が高まり、収束した九〇年代初め、資産を香港からアメリカ、カナダ、カリブ海のタックス・ヘブンに移そうと躍起になっていた香港人は、いわゆるレッド・チップに殺到するようになった。これは、香港市場に上場した中国国有企業系香港企業（財務、政治の両面で、中国本土と密接なつながりをもっている）の株式である[12]。

一九八四年の中国とイギリスの協定に基づいて、香港は、九七年六月三〇日、中国に返還された。深夜近くに行なわれた厳粛な式典は、モンスーンの雨のなか、イギリス国旗が下ろされ、中国の五星紅旗が掲げられて、最高潮に達した。式典会場になった新コンベンション・センターは、港に突

き出したような場所にあり、その遊歩道から見ると、海上に打ち上げられた花火が見事だった。歴史的な式典だった。同時に、香港の政治と生活の行方、中国との関係、世界との関係について、重大な疑問を投げかけるものでもあった。返還前の香港の一人当たり国民所得は、本国イギリスを二〇パーセント以上上回っており、中国本土とは生活水準が比較にならなかった。返還後、珠江デルタ地帯が急速に成長し、一体化が進んでいるが、経済思想、外観、規制の違いは歴然としている。香港の不動産価格は、現地では当然だと思われているのだが、他の国では考えられないほど高かった。十二棟のコンドミニアムの建設用地が、一億ドルもしていたのだ。そして、香港の株式相場は、この地価に支えられていた。

しかし、それほど時間をおかず、香港経済は苦境に陥った。原因は、中国政府の干渉ではなく、香港が長らく恩恵に浴してきた世界市場にあった。

香港が中国に返還された直後、アジアの経済危機がはじまった。当初、香港は安泰だと考えられていたが、一年半後、不況に陥った。成層圏に達するかと思われた不動産価格は下落を続け、自由市場を標榜する香港当局は、数十億ドル規模で株式市場に介入し、投機筋からの攻撃を防いだ。

中国はイギリスとの協定で、返還後、少なくとも五十年は、香港の経済制度を維持することを義務づけられている。この協定を意味あるものにし、遵守するために、鄧小平は後継者に「一国二制度」という指針を残した。円滑に機能するのであれば、ふたつの経済制度が併存するのは悪いことではないと考えたのだ。猫と鼠の実利的な考え方を拡大した論理だ。「一国二制度」という言葉は、イデオロギーがいまでもきわめて重視されている中国で、鄧小平が共産党のイデオロギーをどこま

で変えてきたかを如実に示すものでもある。

因襲を打ち破る

一九九二年の珠江デルタ地帯への鄧小平の南巡で、改革路線は堅持されることになり、「一国二制度」を実験する環境が整えられた。これ以降、香港返還までの準備期間、鄧小平は正式な肩書きこそなかったが、間違いなく最高指導者だった。健康状態は急激に悪化していたが、影響力をもちつづけた。鄧小平は、中国革命の路線をイデオロギーの追求から、富と国力の増強という実利的な目的の追求に変えた。そして、共産主義と中央計画から市場経済へ向かう、もうひとつの長征を指揮した。北京の中央党校では、以前からのマルクス主義、レーニン主義、ソ連共産党史に代わって、マーケティング、会計学、国際ビジネスが教えられるようになった。

長征はまだ終わっていない。進歩は一様ではない。中国は好況、不況、後退を繰り返してきた。しかし、その結果はめざましい。一九九七年の中国の国民総生産は、購買力平価でみてアメリカについで世界第二位だった。少なくとも現在の見通しでは、経済規模でアメリカを追い抜く可能性がある唯一の国だとみられている。

同時に、陳雲ら保守派の警告も、ある程度、正しかったことがあきらかになっている。腐敗が大きな問題になった。地方や都市には、数千万人の不完全雇用者や失業者がいる。経済全体が、頻繁にインフレに見舞われている。犯罪は日常茶飯事になった。新たに開設された株式市場では、他国

の市場より頻繁にパニックが起こり、ときには暴動すら起こっている。中央政府と各省の対立が続いている。人権問題が依然として、中国とアメリカの緊張をもたらす要因となっている。

最優先課題は、経済の変化と政治の変化のバランスである。鄧小平にとって、政治面では、共産党が唯一絶対だった。一党支配さえ維持できれば、それ以外のすべての点では柔軟に対応できると考えていた。党にすべてを捧げ、党がなければ混沌に陥ると考えた。政治の移行のためには、はっきりした仕組みはつくられていない。しかし、市場を育成し、世界に開放した社会で、一党支配が維持できるのだろうか。中国が市場経済への移行を進めるにつれて、政治制度に厳しい試練が待ち受けている。しかし、市場経済への移行と世界経済への統合の点では、中国は驚くほど進展してきた。いまでは、靴、セーター、おもちゃ、スポーツ用品で、世界第一位の生産国になった。これらのいずれも、毛沢東思想からは生まれない。こうした変化に適応するため、神話を大幅に書き換えなければならない。そして、これこそ、最高指導者が先鞭をつけ、中国が成し遂げたことなのだ。

鄧小平は、一九九七年初め、九十三歳でこの世を去った。香港が返還され、「一国二制度」の理論を実践することになるまで、あと半年であった。江沢民総書記は、弔辞のなかで、勝利と致命的だと思えた失脚から復活した鄧小平の足跡をたどった。総書記が述べた「三度の復活と三度の失脚」は、中国の二十世紀の歴史の大半を要約しているともいえる。しかし、最終的には勝利を収め、中国の改革路線に着手した。江沢民が語ったように、鄧小平は「因襲を断ち切った」のだ。鄧小平が政権を握ったとき、中国はきわめて貧しく、国民の六〇パーセントは、一日一ドル以下で生活していた。改革によって、中国は高度経済成長の軌道に乗った。一九七八年に三百六十億ドルだった貿

易額は、九五年には三千億ドルに増加している。一人当たり国民所得は、七八年から八七年の十年で倍になり、その後の十年で、さらに倍増している。現代史のなかで、稀にみる高度成長だ。一人当たり国民所得が倍になるのに、イギリスでは六十年、アメリカでは五十年かかっている。ここまでの効果のある改革をはじめて、鄧小平は、歴史上、だれひとり成し遂げていないことを達成した。わずか二十年で、二億人を貧困から救いだしたのだ。

鄧小平の死去から半年後の一九九七年九月、北京で第十五回共産党大会が開催され、市場化を進める方針が確認された。鄧小平の影響下で開かれた七八年の第十一回大会では、農業問題が取り上げられた。二十年後、鄧小平亡き後に開かれた第十五回大会では、残された半分の問題、国有企業の問題が俎上にのぼった。国有企業の財務状態は、緊急を要するほど悪化していた。効率的に経営され、利益をあげている企業もあるが、部門全体でみると、非効率的で赤字を垂れ流し、硬直的だった。国有企業向けの不良債権は、国有銀行の貸出残高の四〇パーセントに及ぶともみられている。しかし、国有企業の問題は、イデオロギー面でも、実務面でも、農業にくらべて解決がはるかに難しい。指導部の長老にとって、「民営化」という言葉は受け入れ難く、都市労働者の雇用と生活を保障する「鉄飯碗（親方五星紅旗）」体制こそが、基本原則だ。さらに、大胆な改革を行なうと、根深い既得権益集団を怒らせるうえに、社会的な混乱を招きかねない。改革によって、数百万人から数千万人の失業者が生まれるおそれがあるからだ。政府が資産を手放す際に、腐敗を招きかねない。しかし、それまでの制度は存続不可能で、政府部門の債務の増大によって、国の金融の安定性が重大な危機に瀕していた。

共産党大会では、十万社にのぼる国有企業の大部分を、政府から切り離し、民営(ミンイン)とも呼ばれる「人民所有制企業」に移行する方針が採択された。民営は、株式会社制度を含むあいまいな言葉である。江沢民総書記は、党大会で、意識してあいまいにこう演説した。「公有制度は、多様な形態をとりうるし、そうすべきである」。改革の手段には、合併や倒産、江沢民が指摘する「ダウンサイジング」などがある。あまり注目されていないが、この大会では、村から町にまで、直接選挙制を拡大することが決められている。

全国人民代表大会で、改革派の新リーダー、朱鎔基が首相に選出された。朱鎔基は、中華人民共和国が誕生した時期に、大学で電機工学を学び、学生運動のリーダーをつとめた。鄧小平と同じように、毛沢東思想と衝突して何度も失脚して、二度、辺境に飛ばされている。鄧小平と同じ時期に復活した後、国家経済委員会で昇進し、一九八七年に上海市長に任命された。北京を離れたくなかったため、いやいや市長に就任したのだが、四年の在任期間中、並外れた熱意をみせた。道路や橋を建設し、腐敗した官僚を追放し、投資と消費ブームの立役者となった。このブームは、上海が華やかなりし頃を思い出させるものだった。この手腕が鄧小平の目にとまり、副首相として北京に呼び戻された。九七年には、中国政府のテクノクラートのなかで並ぶ者のない存在になっていた。外国人投資家や市場は、朱鎔基の首相就任を熱狂的に歓迎した。

朱鎔基首相は、三年以内に国有企業を改革するよう求めた。「政府と企業の役割を、早急に……分離しなければならない」と発言していた。しかし、その直後、近隣諸国を襲った金融危機で、改革派の決意は揺れた。これまで、きわめて非効率な銀行部門を保護してきた金融市場と為替の規制に

よって、中国は金融危機の嵐から守られたのだ。この段階で、規制を撤廃することは危険に思えた。そして、世界的な混乱で、中国の輸出市場が縮小した。これが成長の足枷となり、国有企業を閉鎖して従業員を解雇することの危険が高まっている。朱鎔基首相は、難問に直面している。銀行が非効率な企業に安易に融資を増やすことになるとしても、成長を継続すべきか。それとも改革を推し進め、低成長に甘んじるのか。

「中国料理店」

しかし、こうした新たな困難を通して、鄧小平の政策は逆転できないものであることがあきらかになった。そして、鄧小平の遺産は、党の新しい思想となった。

共産党は、鄧小平の死去に際し、新たな栄誉を捧げた。江沢民総書記は、「われわれは、鄧小平の偉大な旗を掲げなければならない」と語っている。今後は、党の「行動指針」として、マルクス・レーニン主義、毛沢東思想に加えて、「鄧小平理論」が「指導思想」になる。毛沢東思想と鄧小平理論は、どのように両立できるのだろうか。この問いには、実利主義を通じて両立できると答える。鄧小平の旗を高く掲げることで、共産党幹部は、鄧小平の聖なる実利主義の原則を忠実に守ることを表明した。

鄧小平には、革命家、兵士、共産主義者、政治家、改革派、長老など、さまざまな役割が割り振られてきた。しかし、一九九〇年代、新しい役割がつけ加えられた。実業家である。上海の新聞は、

鄧小平に関するあまり知られていないエピソードを紹介している。二〇年代初め、パリで共産党員になった当時、中国豆腐店という食堂を開いたという。鄧小平を革命の地下組織に勧誘した「兄」、周恩来のたっての希望だった。ここでも、統率力を発揮した。豆腐はおいしく、食堂は盛況で、メニューを増やし、客席を増やしている。ここから得られる教訓はあきらかだ。模範的な共産党員であり、熱烈な愛国者であり、中国の統一と、それにふさわしい富と国力の増強を模索する指導者が、同時に、消費者が買いたいと思う品質の品物を提供する実業家にもなりうるのだ。この融合こそ、鄧小平が中国の最高指導者であった二十年の間に成し遂げようとしたことだ。[13]

1990, pp. 8-9.

10. Roderick MacFarquhar, "Deng's Last Campaign," *The New York Review of Books,* December 17, 1992, p. 22 ("confidence"); Baum, *Burying Mao,* pp. 342 ("surnamed capitalism" and "stepping stones"), 344 ("watch out"), 353 ("special Leftist zones").
11. Interview with Dwight Perkins. Yun-Wing Sung, Pak-Wai Liu, Yue-Chim Richard Wong, and Pui-King Lau, *The Fifth Dragon: The Emergence of the Pearl River Delta* (Singapore: Addison Wesley, 1995), pp. 23, 136; *Financial Times,* June 11, 1997, p. 4 (labor forces and "too tired"); Perkins, "Completing China's Move," pp. 24, 41, 43, 37; James Rohwer, *Asia Rising: Why America Will Prosper as Asia's Economies Boom* (New York: Simon & Schuster, 1995), pp. 103, 135.
12. Sung et al., *Fifth Dragon,* pp. 6 ("crown jewel"), 8, 13.
13. Susan L Shirk, *How China Opened its Door: The Political Success of the Prc's Foreign Trade and Investment and Reform* (Washington, DC: Brookings Institusion, 1994); Baum, *Burying Mao,* p. 390; Jiang Zemin, Oration at Comrade Deng Xiaoping's Memorial Meeting, February 25, 1997. On the Chinese bean curd shop: *The Shanghai Ximin Evening News,* cited in *Los Angeles Times,* October 19, 1992; World Bank, *China 2020: Development Challenges in the New Century* (Washington, D.C.: World Bank, 1997), pp. 1-4, 84-85; Jiang Zemin, "Report to the 15th Party Congress," Beijing, September 12, 1997; *Financial Times,* September 22, 1997 (Zhu Rongji); *Wall Street Journal,* September 18, 1997, p. 10.

Khrushchev, *Khrushchev Remembers,* vol. 1 (Harmondsworth, England: Penguin, 1977), p. 301 ("little man"); David S. G. Goodman and Gerald Segal, *China Without Deng* (Sydney: HarperCollins, 1995), p. 28; Richard Baum, *Burying Mao: Chinese Politics in the Age of Deng Xiaoping* (Princeton: Princeton University Press, 1994), pp. 51-55 ("I'm at ease"); Joseph Fewsmith, *Dilemmas of Reform in China: Political Conflict and Economic Debate* (Armonk: M. E. Sharp, Inc., 1994), p. 11 ("whateverist").

3. Fewsmith, *Dilemmas of Reform in China,* pp. 23 ("cry out"), 28 ("grief"); Dwight Perkins, "Completing China's Move to the Market," *Journal of Economic Perspectives,* vol. 8, no. 2, Spring 1994, pp. 26, 27 ("clear winner").
4. Fewsmith, *Dilemmas of Reform in China,* pp. 78-79 ("feeling the stones" and "fast ox"), 56, 76, 67 ("invisible hand" and "consumers").
5. Fewsmith, *Dilemmas of Reform in China,* pp. 89 ("rashness"), 92, 108 ("foreign capitalists"), 89 ("pollution" and "primary"), 63, 114 (Chen on the birdcage), 104 ("did not pay attention"), 108 ("stability and unity"), 102 ("Without such a Party"), 37 (report on Japanese standard of living), 110 ("chessboard").
6. Fewsmith, *Dilemmas of Reform in China,* pp. 135 ("our comrades"), 124 ("asked-to-help"), 211 ("contract"), 164, 188 (Wu Jinglian), 194 ("building").
7. Kenneth Lieberthal, *Governing China: From Revolution Through Reform* (New York: W. W. Norton, 1995), p. 244 ("technological revolution"); Goodman and Segal, *China Without Deng,* p. 25 ("cycle of development"); Fewsmith, *Dilemmas of Reform in China,* pp. 123, 214-215 ("China should seize"); Alvin Toffler, *The Third Wave* (New York: Morrow, 1980).
8. Fewsmith, *Dilemmas of Reform in China,* pp. 196 ("moon...is fuller"), 204 ("brighter...sun"), 231 ("Mao Zedong craze"), 220 ("Honest people"), 225 ("stormy weather").
9. Goodman, *Deng Xiaoping,* pp. 109 ("Concessions in Poland"), 110; Baum, *Burying Mao,* pp. 337 ("proper ratio"), 340; *Beijing Review,* June 11-17, 1990, p. 19 ("studying philosophy"); *Far Eastern Economic Review,* May 10,

10. Interviews with Mahathir Mohamad and Anwar Ibrahim. Mahathir Mohamad, "Toward an Asian Renaissance," speech, January 11, 1996 ("Not bad"); James Fallows, *Looking at the Sun: The Rise of the New East Asian Economic and Political System* (New York: Pantheon, 1994), pp. 304, 250 ("spirit"), 310 ("arrogant"); *Far Eastern Economic Review,* December 21, 1995, p. 27 ("Malay education"); Mahathir Mohamad, speech, Asia Society, September 25, 1996 ("rice farmers," and "The private sector"); also Mahathir Mohamad, *The Malay Dilemma* (Singapore: Times Books, 1970); Mahathir Mohamad, speech at World Bank Meeting, Hong Kong, September 20, 1997.
11. Interview with Anand Panyarachun. Ali Wardhana, "Structural Adjustment in Indonesia: Export and the 'High-Cost' Economy," speech, January 25, 1995 ("Bureaucrats").
12. Interview with Anand Panyarachun. James Rohwer, *Asia Rising: Why America Will Prosper as Asia's Economies Boom* (New York: Simon & Schuster, 1995), Chapter 11; United Nations, *World Economic and Social Survey 1995,* pp. 171-178; *New York Times,* July 29, 1997; Business in Asia survey, *The Economist,* March 9, 1996; *The Economist,* July 18, 1992; Sterling Seagrave, *Lords of the Rim: The Invisible Empire of the Overseas Chinese* (New York: G. P. Putnam's Sons, 1995); International Monetary Fund, Annual Report: 1998(Washington, DC: IMF, September 1998), pp. 1-50.

第7章　黒い猫と白い猫——中国の変貌

1. David S. G. Goodman, *Deng Xiaoping and the Chinese Revolution: A Political Biography* (London: Routledge, 1994), pp. 18 ("elder brother"), 27-28, 46, 43 ("Some comrades say"). Other biographies are Richard Evans, *Deng Xiaoping and the Making of Modern China* (London: Penguin, 1993), and Deng Mao-mao, *Deng Xiaoping: My Father* (New York: Basic Books, 1995).
2. Goodman, *Deng Xiaoping,* pp. 3 ("cat"), 76 ("dead parent"), 4; Nikita

Financial Times, October 17, 1983 ("dour soldier" and "explained economics"); *Financial Times,* July 12, 1984 ("biggest loss" and "legendary"); *Economist,* September 14, 1996, p. 63; Alice Amsden, *Asia's Next Giant: South Korea and Late Industrialization* (New York: Oxford University Press, 1989).

7. Hollington K. Tong, *Chiang Kai-shek* (Taipei: China Publishing Company, 1953), p. 477; Robert Wade, *Governing the Market: Economic Theory and the Role of Government in East Asian Industrialization* (Princeton: Princeton University Press, 1990), p. 246 ("fierce" and "myth"); K. T. Li, *Economic Transformation of Taiwan, ROC* (London: Shepheard-Walwyn, 1988), pp. 109, 227; Alan P. L. Liu, *The Phoenix and the Lame Lion: Modernization in Taiwan and Mainland China 1950-1980* (Stanford: Hoover Institution Press, 1987), pp. 24-25 ("Confucian capitalism"), 30, 48; Vogel, *Four Little Dragons,* pp. 21-31; K. T. Li, *The Evolution of Policy Behind Taiwan's Development Success* (Singapore: World Scientific Publishing, 1995), pp. 7 ("depoliticization"), 215, 240; World Bank, *East Asian Miracle,* p. 131 ("Gradual").
8. Wade, *Governing the Market,* pp. 207-208, 217; Vogel, *Four Little Dragons,* pp. 27 ("Confucian advisors"), 38 ("brain bank"); Liu, *The Phoenix and the Lame Lion,* pp. 52 ("father"), 60 ("An engineer"), 52-56 ("Made in Taiwan"), 61 ("modernization"), 58 ("textbook"); Li, *The Evolution of Policy,* pp. 95-96, 227, 102 ("arbitrary" and "openness"), 217 ("glorification"), 259 ("Chinese cultural tradition"); World Bank, *The East Asian Miracle,* p. 133; Glen Rifkind, "Nation of Notebooks," *Fast Company,* July 1997, pp. 153-154.
9. Interviews with Goh Keng Swee and Yeo Chow Tong. National Day Rally, August 20, 1989 ("passion"); Linda Low, "Privatization Options and Issues in Singapore," in Dennis J. Gayle and Jonathan N. Goodrich, eds., *Privatization and Deregulation in Global Perspective* (New York: Quorum Books, 1990), p. 291 ("cooked up"); Vogel, *Four Little Dragons,* pp. 77 ("administrative state"), 79 ("socialistic characteristics").

of Tokyo Press, 1986), pp. 27, 17 ("Come, Come"), 77 ("feather!"), 130 ("Isn't it all"), 153 ("19 postwar years"), 76 ("three C's").

3. Kosai, *The Era of High-Speed Growth,* p. 80; Yukio Noguchi, "The 1940 System," July 7, 1996, manuscript; Ezra F. Vogel, *The Four Little Dragons: The Spread of Industrialization in East Asia* (Cambridge, Mass.: Harvard University Press, 1991), pp. 51-52 ("natural component" and "promotion"), 52; Hugh Patrick, "Crumbling or Transforming? Japan's Economic Success and its Postwar Economic Institutions," Working Paper 98, Columbia Business School, September 1995; Steven Vogel, *Freer Markets, More Rules: Regulatory Reform in Advanced Industrial Countries* (Ithaca, N.Y.: Cornell University Press, 1996), p. 52 ("supply and demand adjustment"); World Bank, *The East Asian Miracle,* p. 101. For differing views of MITI's role, see Chalmers Johnson, *Japan: Who Governs? The Rise of the Developmental State* (New York: W. W. Norton, 1995); Raymond Vernon, *Two Hungry Giants: The United States and Japan in the Quest for Oil and Ores* (Cambridge, Mass.: Harvard University Press, 1983).
4. Interview with Masahisa Naitoh. On Japan's "bubble," see Christopher Wood, *The Bubble Economy: The Japanese Economic Collapse* (Tokyo: Tuttle Books, 1992); a description of Japan's economic model by an influential civil servant is Eisuke Sakakibara, *Beyond Capitalism: The Japanese Model of Market Economics* (Lanham, Md.: University Press of America, 1993).
5. Interview with Dwight Perkins. *Far Eastern Economic Review,* October 20, 1983, pp. 16-19, November 2, 1995, p. 48; Vogel, *Four Little Dragons,* pp. 44, 47-49, 61, 53; World Bank, *East Asian Miracle,* p. 309, 129; Joseph J. Stern, Ji-hong Kim, Dwight Perkins, and Jung-ho Yoo, *Industrialization and the State: The Korean Heavy and Chemical Industry Drive* (Cambridge, Mass.: Harvard University Press, 1995), pp. 24, 20.
6. World Bank, *East Asian Miracle,* pp. 97, 131; *Far Eastern Economic Review,* November 30, 1995, p. 66; Vogel, *Four Little Dragons,* pp. 9, 65 ("unrivaled" and "No nation"); Stern et al., *Industrialization and the State,* p. 33;

Warren J. Samuels, ed., *The Chicago School of Political Economy* (New Brunswick, N.J.: Transaction Publishers, 1993; originally Michigan State University, 1976).

9. Interviews with Milton Friedman, Gary Becker, and Rudolph Penner. Milton Friedman, "Receiving the Nobel Prize for Economics, 1976" (speech given January 29, 1977, Income Distribution Conference, Hoover Institution), p. 5 ("John F. Kennedy"); Milton Friedman, *Capitalism and Freedom* (Chicago: University of Chicago Press, 1982 edition, orig. pub. 1962), pp. vi-vii ("beleaguered" and "broader public"), 128 ("monopoly"); Gary Becker, *Human Capital and the Personal Distribution of Income* (Ann Arbor, Mich.: Institute of Public Administration, 1967), p. 81; Paul Krugman, *Peddling Prosperity: Economic Sense and Nonsense in the Age of Diminished Expectations* (New York: W. W. Norton and Company, 1994), p. 34 ("world's best known economist").
10. Interviews with Jeffrey Sachs and Lawrence Summers. World Bank, *World Development Report, 1991* (New York: Oxford University Press, 1991).
11. Interviews with Thomas Hansberger, Antoine M. van Agtmael, Vijay Kelkar, Valéry Giscard d'Estaing. Antoine M. Van Agtmael, *Emerging Securities Markets: Investment Banking Opportunities in the Developing World* (London: Euromoney Publications, 1984); International Finance Corporation, *Emerging Stock Markets Factbook, 1997* (Washington, D.C.: IFC, 1997).

第6章　奇跡を越えて——アジアの勃興

1. Interviews with Mahathir Mohamad and Anwar Ibrahim. World Bank, *The East Asian Miracle* (New York: Oxford University Press, 1994); José Campos, *The Key to the Asian Miracle: Making Shared Growth Credible* (Washington, D.C.: Brookings Institution, 1996).
2. Yutaka Kosai, *The Era of High-Speed Growth: Notes on the Postwar Japanese Economy*, translated by Jacqueline Kaminski (Tokyo: University

6. F. A. Hayek, *Hayek on Hayek: An Autobiographical Dialogue* (Chicago: University of Chicago Press, 1994), p. 48 ("eleven different languages"); Jeremy Shearmur, *Hayek and After: Hayekian Liberalism as a Research Program* (London: Routledge, 1996), pp. 26-34; Peter Klein, ed., *The Fortunes of Liberalism: The Collected Works of F. A. Hayek* (London: Routledge, 1992), vol. 4, pp. 136-139 ("civilization," "*Socialism* shocked," and "wrong direction"), 170; F. A. Hayek, *The Constitution of Liberty* (London: Routledge, 1993), p. 280; Robert Skidelsky, *John Maynard Keynes: The Economist as Saviour,* vol. 2, *1920-1937* (London: Macmillan, 1992), pp. 457-459 ("mistake" and "what rubbish"); W. W. Bartley and Stephen Kresge, *F. A. Hayek: The Trend of Economic Thinking* (London: Routledge, 1991), p. 40 ("too glad").
7. Interview with Gary Becker. F. A. Hayek, "The Use of Knowledge in Society," in Hayek, *Individualism and Economic Order* (Chicago: University of Chicago Press, 1980), p. 87 ("a marvel"); Richard Cockett, *Thinking the Unthinkable: Think-tanks and the Economic Counter-Revolution* (London: Fontana Press, 1995), pp. 89-90 ("a grand book" and "Don Quixote"), 96 ("ten or twenty years"), 105 ("contemporary observer"); Hayek, *The Constitution of Liberty;* Robert Skidelsky, *The World After Communism: A Polemic for Our Times* (London: Macmillan, 1995), pp. 78-83; *Hayek on Hayek,* p. 103 (popularity of *Road to Serfdom*).
8. Interviews with Milton Friedman, Gary Becker, and George Shultz. Melvin Reder, "Chicago Economics: Permanence and Change," *Journal of Economic Literature,* March 1982, pp. 1-38; Milton Friedman, untitled essay, in William Briet and Roger W. Spencer, eds., *Lives of the Laureates: Thirteen Nobel Economists* (Cambridge, Mass.: MIT Press, 1995), pp. 84-85 ("1932" and "actuary"); Milton Friedman and George Stigler, "Roofs or Ceilings? The Current Housing Problem," in *Popular Essays on Current Problems,* vol. 1, no. 2, September 1946; see also George J. Stigler, *Memoirs of an Unregulated Economist* (New York: Basic Books, 1988), especially Chapter 10. A thorough compendium of Chicago School perspectives is

18. Interviews with David Young and Christopher Beauman. On the regulation of privatized utilities, see M. E. Beesley, ed., *Utility Regulation: Challenge and Response* (London: Institute of Economic Affairs, 1995) and Matthew Bishop, John Kay, and Colin Mayer, eds., *The Regulatory Challenge* (New York: Oxford University Press, 1995).
19. Interviews with Margaret Thatcher and David Young. Young, *One of Us,* pp. 518 ("a bit of an institution"), 427, 574 ("Remember, George"), 587 ("it's all over"), 605; Geoffrey Howe, *Conflict of Loyalty* (London: Pan Books, 1995), pp. 637-652 (resignation), p. 691 ("great prime minister").
20. Interview with Margaret Thatcher.

第5章　信認の危機――世界的な批判

1. Elizabeth Pond, *Beyond the Wall: Germany's Road to Unification* (Washington, D.C.: Brookings Institution, 1993), pp. 132-133 ("hit" and "small mistake"); Charles Maier, *Dissolution: The Crisis of Communism and the End of East Germany* (Princeton, N.J.: Princeton University Press, 1997), p. 163 ("kaput").
2. Interviews with Valéry Giscard d'Estaing, Jesús Silva Herzog, and Paul Volcker. Paul Volcker and Toyoo Gyohten, *Changing Fortunes: The World's Money and the Threat to American Leadership* (New York: Times Books, 1992), pp. 194-202 ("Third World"); *World Debt Tables, 1992-1993,* p. 46 ("problem in history"); Daniel Yergin, *The Prize: The Epic Quest for Oil, Money, and Power* (New York: Simon & Schuster, 1991), p. 667 ("borrower of the year").
3. Interviews with Franco Bernabè and Vijay Kelkar.
4. Interviews with G. V. Ramakrishna and Gary Becker. R. H. S. Crossman, *The God That Failed* (New York: Harper, 1949).
5. Interviews with Gary Becker and Dani Kauffmann. On New Zealand, see M. A. Smith, "Deregulation, Privatization, and Economic Reform in New Zealand," *Fletcher Challenge Energy,* September 25, 1997; Graham C. Scott, *Government Reform in New Zealand* (Washington, D.C.: IMF, 1996).

-109; Alistair Horne, *Harold Macmillan,* vol. 2, *1957-1986* (New York: Viking Penguin, 1989), p. 70 ("Keynes always said to me").

13. Young, *One of Us,* pp. 147 ("not expect the state"), 207 ("The two great problems"); Thatcher, *The Path to Power,* pp. 26 ("Nanny State" and "philosophy in action"), 149 ("six strong men"); Halcrow, *Keith Joseph,* pp. 136-138 ("Talking to you"); Christopher Beauman, "The Turnaround: The British Steel Corporation from the Mid-1970s to the Mid-1980s—And Beyond," Centre for Economic Performance, London School of Economics, April 23, 1996.
14. Halcrow, *Keith Joseph,* pp. 136-137; Young, *One of Us,* pp. 157 ("We're all Keynesians"), 200-202 ("à la Professor Hayek"), 217 ("364 academic economists"), 240-242 ("rebel head"), 221 ("That Woman"); Thatcher, *The Path to Power,* pp. 122 ("The lady's not for turning"), 151 ("his housemaid"), 130.
15. Interview with Margaret Thatcher. Thatcher, *The Path to Power,* p. 234 ("a nation in retreat"); Thatcher, *The Downing Street Years,* p. 304 ("New Jerusalem").
16. Interviews with Margaret Thatcher, John Wakeham, David Young, and Christopher Beauman. For birth of privatization, letter from David Howell, October 22, 1996. Young, *One of Us,* pp. 358-359; Nigel Lawson, *The View from No. 11: Memoirs of a Tory Radical* (London: Corgi Books, 1993), pp. 203 ("zebra"), 202 ("no unique hot line," "bottomless public purse" and "What public ownership does"), 213 ("chain of shops" and "what a storm"), 198 ("from Siberia to Patagonia"); John Vickers and George Yarrow, *Privatization: An Economic Analysis* (Cambridge, Mass.: MIT Press, 1993), p. 127 ("be-all and end-all"). On the coal strike, see Jonathan Winterton, *Coal, Crisis and Conflict: The 1984-85 Miners' Strike in Yorkshire* (New York: Manchester University Press, 1989).
17. Interview with David Young. Lawson, *The View from No. 11,* pp. 198 ("dossier"), 217 ("too cheap"), 226, 222 ("East European style"), 219 ("'golden share'"); Beauman, "The Turnaround," LSE, April 23, 1996.

(London: Pan Books, 1993), pp. 94 ("unacceptable face"), 97 ("filly"), 269 ("destroyed Keith"); Halcrow, *Keith Joseph,* pp. 93 ("instinct"), 82 ("battle of ideas").

8. Cockett, *Thinking the Unthinkable,* pp. 241-243 ("mealy-mouthed" and "reverse the trend"), 248 ("over-governed"); Thatcher, *The Downing Street Years,* p. 255 ("generation's"); Young, *One of Us,* p. 103; Robert Skidelsky, *Thatcherism* (London: Chatto & Windus, 1988), p. 14.
9. Halcrow, *Keith Joseph,* pp. 104 ("It was lovely"), 72 ("We were haunted"), 100 ("indispensable base"), 104 ("moral case"), 112 ("more millionaires"), 105 ("free-for-all"); Cockett, *Thinking the Unthinkable,* p. 278 ("ambitious tutor").
10. Halcrow, *Keith Joseph,* pp. 87 ("re-somethinging"), 127 ("He crouches"); Cockett, *Thinking the Unthinkable,* pp. 245 ("practical people"); Bernard Donoghue, *Prime Minister: The Conduct of Policy Under Harold Wilson and James Callaghan* (London: Jonathan Cape, 1987), p. 190 ("sea-change"); Richard Coopley and Nicholas Woodward, *Britain in the 1970s: The Troubled Economy* (London: University College London, 1996), pp. 74-77 ("For too long"); James Callaghan, *Time and Chance* (London: Collins, 1987); Denis Healey, *The Time of My Life* (London: Penguin, 1989), Chapter 20; Tony Benn, *Against the Tide: Diaries, 1973-76* (London: Hutchinson, 1989), Chapter 5.
11. Interview with John Wakeham. Cockett, *Thinking the Unthinkable,* p. 265 ("the first hurdle"); Young, *One of Us,* pp. ix ("synonymous"), 4 ("I owe" and "integrity"), 5 ("homilies"), 21 ("age of 19"), 30 ("political career"); Thatcher, *The Downing Street Years,* p. 37 ("a starter").
12. Thatcher, *The Downing Street Years,* pp. 66 ("plastics"), 116 ("prevailing orthodoxy"), 163 ("his daughter"); Young, *One of Us,* pp. 37 ("Should a woman arise"), 19 ("natural path" and "New Deal Conservative"); Cockett, *Thinking the Unthinkable,* p. 174 ("This is what we believe"), 176 ("She's so beautiful"), 173 ("foundation work"); Alistair Horne, *Harold Macmillan,* vol. 1, *1894-1956* (New York: Viking Penguin, 1989), pp. 106

("myth"); Horne, *Macmillan,* vol. 2, pp. 397-399 ("greatest socialist monarch" and "risked my Queen"); Killick, *Development Economics in Action,* p. 45 ("establish factories").

11. Arthur Lewis, "Development Economics in the 1950s," in Meier and Seers, *Pioneers,* p. 128 ("ministerial speeches").

第４章　神がかりの修道士――イギリスの市場革命

1. Interview with David Young. Morrison Halcrow, *Keith Joseph: A Single Mind* (London: Macmillan, 1989), pp. 149 ("madman"), 152 ("*believe*").
2. Margaret Thatcher, *The Downing Street Years* (New York: HarperCollins, 1993), pp. 251 ("without Keith"), 405 ("torpid socialism"); Margaret Thatcher, *The Path to Power* (New York: HarperCollins, 1995), p. 26 ("political friend"); Lord Blake, quoted in Richard Cockett, *Thinking the Unthinkable: Think-tanks and the Economic Counter-Revolution, 1931-1983* (London: Fontana Press, 1995), p. 217.
3. Halcrow, *Keith Joseph,* pp. 14 ("increasing supply"), 132 ("unjustified fear"), 22, 26 ("any consolation"), 23 ("live interview" and "Minister of Thought").
4. Nicholas Timmins, *The Five Giants: A Biography of the Welfare State* (London: HarperCollins, 1995), p. 264 ("jingling"); Peter Hennessy, *Whitehall* (London: Fontana Press, 1990), p. 324 (vicar of Trumpington).
5. Halcrow, *Keith Joseph,* pp. 56 ("I had thought"), 67 ("our ruddy neighbors"); Cockett, *Thinking the Unthinkable,* pp. 236 (Heath), 142, 133-135 ("anti-Fabian"), 161 ("radical reaction"), 160, 139 ("trench warfare"), 146, 154-155 (Alan Walters), 173 ("bashing"), 145, 158 (Milton Friedman), 236-237 ("My aim" and "chemistry set").
6. Cockett, *Thinking the Unthinkable,* pp. 241, 237-238 (Alfred Sherman, *market economy* and "compassionate"); Thatcher, *The Downing Street Years,* p. 253 ("contradictions" and "thirty years").
7. Thatcher, *The Path to Power,* pp. 266-267 ("I am sorry" and "If you must"); Hugo Young, *One of Us: A Biography of Margaret Thatcher*

"Development: The Political Economy of the Marshallian Long Period," in Meier and Seers, *Pioneers,* pp. 240-245, 277 ("P. C. Mahalanobis"). On Keynes, see Edward Sagendorph Mason and Robert Asher, *The World Bank Since Bretton Woods* (Washington, D.C.: Brookings Institution, 1973), p. 2; Albert O. Hirschman, ed., *Essays in Trespassing* (New York: Cambridge University Press, 1981), pp. 20-23 ("not as narrow" and "backwardness").

6. Paul N. Rosenstein-Rodan, "*Natura Facit Saltum:* Analysis of the Disequilibrium," in Meier and Seers, *Pioneers,* pp. 207, 221 ("status quo" and "real moral crisis"); Jan Tinbergen, "Development Cooperation as a Learning Process," in Meier and Seers, *Pioneers,* pp. 317-318 ("poverty prevailing"); Sir W. Arthur Lewis, "Development Economics in the 1950s," in Meier and Seers, *Pioneers,* p. 130 ("My mother"); Jagdish N. Bhagwati, "Comments," in Meier and Seers, *Pioneers,* p. 201 ("together sail"); P. T. Bauer, "Remembrance of Studies Past: Retracing First Steps," Meier and Seers, *Pioneers,* pp. 27-43; Hirschman, *Essays,* p. 10 ("conviction").
7. Mason and Asher, *World Bank,* pp. 698 ("pattern and flow"), 201 ("essential precondition" and "emergency"), 692 (TVA as model).
8. Mason and Asher, *World Bank,* p. 473; Tinbergen in Meier and Seers, *Pioneers,* p. 326 ("quality of its management" and "stumbling block").
9. Alistair Horne, *Harold Macmillan,* vol. 2, *1957-1986* (New York: Viking Penguin, 1989), p. 195 ("wind of change"); Tony Killick, *Development Economics in Action: A Study of Economic Policies in Ghana* (London: Heinemann Educational Books, 1978), p. 34 ("If we get self-government"); Kwame Nkrumah, *The Autobiography of Kwame Nkrumah* (London: Thomas Nelson and Sons, 1961), p. x ("Capitalism is too complicated"); Crawford Young, *Ideology and Development in Africa* (New Haven: Yale University Press, 1982), p. 1 (Nkrumah's "political kingdom").
10. James Moxon, *Volta: Man's Greatest Lake* (London: Andre Deutsch, 1984), p. 115 ("Roumanian bonds"); *New York Times,* February 25, 1966, p. 1

George P. Shultz and Kenneth W. Dam, *Economic Policy Beyond the Headlines* (New York: W. W. Norton, 1977).

13. Daniel Yergin, *The Prize: The Epic Quest for Oil, Money, and Power* (New York: Simon & Schuster, 1991), p. 695 ("worst"); Stein, *Presidential Economics,* pp. 221 ("two decades"), 224 ("fanciful ideology"). On economic policy in the crisis, see Shultz and Dam, *Economic Policy Behind the Headlines.*

第3章　運命の誓い――第三世界の台頭

1. M. J. Akbar, *Nehru: The Making of India* (New York: Viking Penguin, 1988), p. 426 ("tryst"). A recent biography of Nehru is Stanley Wolpert, *Nehru: A Tryst with Destiny* (New York: Oxford University Press, 1996).
2. Akbar, *Nehru,* pp. 73 ("gambler"), 129 ("Indian sahib"), 130 ("shame and sorrow"), 122 ("Greatness").
3. Akbar, *Nehru,* pp. 132 ("Russian system"), 468 ("embody truth"), 465 ("chains of imperialism"); Jawaharlal Nehru, *Discovery of India* (New Delhi: Oxford University Press, 1989; originally Calcutta, Signet Press, 1946), pp. 397 ("appalling poverty"), 406 ("tractors"), 410 ("plus electrification" and "heavy engineering"), 29 ("Soviet Revolution").
4. Nehru, *Discovery,* p. 501 ("planned society"); Sukhamoy Chakravarty, "P. C. Mahalanobis: A Personal Tribute," in Sukhamoy Chakravarty, *Selected Economic Writings* (New Delhi: Oxford University Press, 1993), p. 523 ("qualitative reasoning"). On planning in India, see A. H. Hanson, *The Process of Planning: A Study of India's Five-Year Plans* (London: Oxford University Press, 1966); Sukhamoy Chakravarty, *Development Planning: The Indian Experience* (Oxford: Clarendon Press, 1987).
5. Gerald M. Meier, "The Formative Period," in Meier and Dudley Seers, eds., *Pioneers in Development* (New York: Oxford University Press, 1984), p. 3 ("opulence"); Albert O. Hirschman, "A Dissenter's Confession: 'The Strategy of Economic Development' Revisited," in Meier and Seers, *Pioneers,* p. 111 ("Agenda for a Better World"); Walt Whitman Rostow,

6. McCraw, *Prophets,* p. 178 ("brewery horse" and "What husband?"); James M. Landis, *The Administrative Process* (New Haven: Yale University Press, 1938), pp. 1 ("simple tripartite"), 23 ("52 weeks"), 24 ("expanding interest"); Arthur M. Schlesinger, Jr., *The Politics of Upheaval* (Boston: Houghton Mifflin, 1988), p. 312 ("concentrated" and "private socialism").
7. Robert Skidelsky, *John Maynard Keynes,* vol. 2, *The Economist as Saviour, 1920-1937* (London: Macmillan, 1992), pp. 506 ("grand talk" and "not clever"), 89; Schlesinger, *Crisis,* p. 136 ("Too good"); Paul Samuelson, "In the Beginning," p. 33, and James Tobin, "A Revolution Remembered," pp. 38-39, both in "Keynesian Economics and Harvard," *Challenge,* July-August 1988 ("statist features" and "Hansen").
8. Alan Brinkley, *The End of Reform: New Deal Liberalism in Recession and War* (New York: Vintage Books, 1996), pp. 147 ("jarring reversal"), 176 ("In 1945").
9. Brinkley, *The End of Reform,* pp. 261 ("remunerative"), 263 (American Beveridge Plan and "to foster and promote"); Otis Graham, Jr., *Toward a Planned Society* (New York: Oxford University Press, 1976), p. 94 ("Saint Peter").
10. McCraw, *Prophets of Regulation,* pp. 217-219 ("jaunty," "hallmark," and "breakdown").
11. Herbert Stein, *Presidential Economics: The Making of Economic Policy from Roosevelt to Reagan and Beyond* (New York: Touchstone, 1985), pp. 393, 135-136 ("financial types" and "I am a Keynesian"), 162, 146 ("power, status"), 162 (Connally); Richard Nixon, *RN: The Memoirs of Richard Nixon* (New York: Grosset & Dunlap, 1978), pp. 517-518 ("burn up"); John F. Kennedy, "The Myth and Reality in our National Economy," *Vital Speeches* July 15, 1962, pp. 378-381 ("Harvard education").
12. Stein, *Presidential Economics,* pp. 157, 186, 190 ("more new regulation"); H. R. Haldeman, *The Haldeman Diaries: Inside the Nixon White House* (New York: G. P. Putnam's Sons, 1994), p. 346 ("mystic moods"), 308 ("jawboning"); Nixon, *RN,* pp. 519 ("*Pravda*"), 520 ("evils"), 521 (Shultz);

Peter Pulzer, *German Politics, 1945-1995* (Oxford: Oxford University Press, 1995), p. 63 ("prosperity"); Caron, *An Economic History of Modern France,* p. 190; Alistair Horne, *Harold Macmillan,* vol. 2, *1957-1986* (New York: Viking Penguin, 1989), pp. 64 ("You never"), 149.

第2章　巨大さという問題――アメリカの規制型資本主義

1. *New York Times,* July 17, 1938 ("Every home"); Arthur M. Schlesinger, Jr., *Crisis of the Old Order, 1919-1933* (Boston: Houghton Mifflin, 1988), p. 255 ("Why am I not"); Forrest McDonald, *Insull* (Chicago: University of Chicago Press, 1962), p. 314 ("the Insulls").
2. Thomas McCraw, *Prophets of Regulation* (Cambridge, Mass.: Belknap Press, 1984), pp. 67, 62; Ida Tarbell, *All in the Day's Work: An Autobiography* (New York: Macmillan Company, 1939), pp. 241-242 ("vile"); Adam Smith, *Inquiry into the Nature and Causes of the Wealth of Nations* (Oxford: Clarendon Press, 1869), p. 148 ("same trade"); Kathleen Brady, *Ida Tarbell: Portrait of a Muckraker* (New York: Seaview/Putnam, 1984), pp. 120-123 ("red hot"); George E. Mowry, *Era of Theodore Roosevelt, 1900-1912* (New York: Harper & Brothers, 1958), pp. 131-132 ("levees").
3. McCraw, *Prophets,* pp. 82 ("people's lawyer" and "curse"), 83 ("in mind" and "The Profs"), 110 ("regulated monopoly" and "regulated competition"), 95 ("Captains"), 112 ("In my opinion").
4. William Leuchtenburg, *The Perils of Prosperity* (Chicago: University of Chicago Press, 1993), pp. 89 ("not heroism"), 190 ("propaganda"), 201 ("big business" and Calvin Coolidge); Justin Kaplan, *Lincoln Steffens, A Biography* (New York: Simon & Schuster, 1974), p. 250 ("I have seen the future").
5. Schlesinger, *Crisis,* pp. 2 ("very solemn"), 116, 152-154; Arthur M. Schlesinger, Jr., *The Coming of the New Deal* (Boston: Houghton Mifflin, 1988), pp. 468, 98 ("laissez-faire" and "Herbert Hoover"); McCraw, *Prophets,* p. 173 ("Not Dick Whitney" and "trustees").

11. Herbert Giersch, Karl-Heinz Paqué, and Holger Schmieding, *The Fading Miracle: Four Decades of Market Economy in Germany* (Cambridge, England: Cambridge University Press, 1992), pp. 12, 37 ("capitalist economic system"); Barnet, *The Alliance,* p. 19; Yergin, *Shattered Peace,* pp. 310 ("close to starving"), 306; Jean Edward Smith, *Lucius D. Clay: An American Life* (New York: Henry Holt and Company, 1990), pp. 453-454.
12. Bark and Gress, *From Shadow to Substance,* pp. 207-208 ("Nazi totalitarianism," "hierarchy," and "no restriction").
13. Bark and Gress, *From Shadow to Substance,* pp. 192 ("truly fortunate"), 202 ("Herr General" and "most fateful"); Smith, *Lucius D. Clay,* pp. 484-485; Mayne, *The Recovery,* pp. 197-200.
14. Bark and Gress, *From Shadow to Substance,* pp. 110 ("American army"), 251 ("planned" and "market"), 244 ("My doctor"); Karl Hardach, *The Political Economy of Germany in the Twentieth Century* (Berkeley: University of California Press, 1980), pp. 155-177.
15. Einaudi, Byé, and Rossi, *Nationalization in France and Italy,* p. 199 ("unplanned").
16. Robert Skidelsky, *Keynes* (Oxford: Oxford University Press, 1996), pp. 46 ("*educated* bourgeoisie"), 10 ("from messing" and "always a bet").
17. Skidelsky, *Keynes,* pp. 119, 81 ("somewhat comprehensive"), 2 ("Keynes supplied"), 117 ("market is stupid"); Keynes, *General Theory,* p. 383 ("gradual encroachment"); William J. Barber, *A History of Economic Thought* (London: Penguin, 1967, reprinted 1979), p. 257 ("intellectual foundations").
18. Raymond Vernon and Deborah Spar, *Beyond Globalism* (New York: Free Press, 1989), p. 45 ("State Department"); Duchêne, *Jean Monnet,* p. 126; Mayne, *The Recovery,* pp. 146-148 ("code"); Raymond Vernon, "America's Foreign Trade Policy and the GATT," *Essays in International Finance,* no. 21, October 1954.
19. Giersch, Paqué, and Schmieding, *The Fading Miracle,* p. 4; Mayne, *The Recovery,* pp. 217-277; Hardach, *The Political Economy of Germany,* p. 162;

Green and Co., 1935).

5. Hennessy, *Never Again,* pp. 79 ("common ownership"), 183 ("public corporations"), 198 ("socialist principle"), 202; Jim Tomlinson, *Government and the Enterprise Since 1900: The Changing Problem of Efficiency* (New York: Oxford University Press, 1994), pp. 192-203, 162; Richard Saville, "Commanding Heights: The Nationalisation Programme," in Fyrth, *Labour's High Noon,* pp. 37-60.
6. Hennessy, *Never Again,* pp. 434 ("practically"), 195 ("grace of God"), 450-452; Tomlinson, *Government and the Enterprise,* p. 114; Robert Skidelsky, *Interest and Obsessions* (London: Macmillan, 1993), p. 133 ("full employment standard"); Harris, *Attlee,* p. 254 ("mixed economy").
7. Interview with Christian Stoffaes. Stanley Hoffmann, *In Search of France: The Economy, Society and Political System in the Twentieth Century* (Cambridge, Mass.: Harvard University Press, 1963), p. 6 ("rotten" and "freezing"); Einaudi, Byé, and Rossi, *Nationalization in France and Italy,* pp. 136, 33-34, 73-79 ("levers" and "weapon"); François Duchêne, *Jean Monnet: The First Statesman of Independence* (New York: W. W. Norton & Company, 1994), p. 157 ("privileged classes"); Daniel Yergin, *The Prize: The Epic Quest for Oil, Money and Power* (New York: Simon & Schuster, 1991), pp. 190-191.
8. Richard Barnet, *The Alliance: America, Europe, Japan, Makers of the Postwar World* (New York: Simon & Schuster, 1983), pp. 96-98 ("without lawyers"); Richard Mayne, *The Recovery of Europe, 1945-1973* (New York: Anchor Books, 1973), p. 210 ("my horse"); Duchêne, *Jean Monnet,* pp. 55, 89 ("arsenal").
9. Duchêne, *Jean Monnet,* pp. 145 (de Gaulle and Monnet), 157 ("crystallizing"), 145 ("*dirigistes*"), 171, 153; Einaudi, Byé, and Rossi, *Nationalization in France and Italy,* p. 80.
10. Duchêne, *Jean Monnet,* pp. 177, 166 ("balance sheets"), 148 ("odd thing"), 178-179 ("relative consensus"); François Caron, *An Economic History of Modern France* (London: Methuen & Co., 1979), p. 274.

of Technology (Oxford: Clarendon Press, 1980), vol. 5, p. 144 (Savannah), vol. 4, pp. 660-661 (telegraph cable).

第1章　栄光の三十年間——ヨーロッパの混合経済

1. Martin Gilbert, *Winston S. Churchill,* vol. 8, "*Never Despair," 1945-1965* (Boston: Houghton Mifflin Company, 1988), p. 108 ("Scurvy" and "effectively disguised"); Peter Hennessy, *Never Again: Britain 1945-1951* (London: Vintage, 1993), p. 6 ("greatest adventurer"); Kenneth Harris, *Attlee* (London: Weidenfeld & Nicolson, 1995), p. 564 ("Christian ethics"); David Holloway, *Stalin and the Bomb: The Soviet Union and Atomic Energy* (New Haven: Yale University Press, 1994), pp. 116-118.
2. Harris, *Attlee,* pp. 262 ("subdued and terse"), 564 ("agnostic"), 266 ("fixed"), 268 ("bark yourself"); Hennessy, *Never Again,* p. 199 ("bonkers").
3. Daniel Yergin, *Shattered Peace* (New York: Penguin Books, 1990), pp. 304 ("worse than anything"), 304-306; Dennis L. Bark and David R. Gress, *A History of West Germany: From Shadow to Substance, 1945-1963* (Oxford: Basil Blackwell, 1989), p. 193 ("Jacobites"); Charles Maier, "The Two Post War Eras," *American Historical Review,* 1981, p. 327; Mario Einaudi, Maurice Byé, and Ernesto Rossi, *Nationalization in France and Italy* (Ithaca, N.Y.: Cornell University Press, 1995), p. 14 ("we are all planners now").
4. Hennessy, *Never Again,* pp. 70 ("stress"), 75 ("five giants"); Nicholas Timmins, *The Five Giants: A Biography of the Welfare State* (London: HarperCollins, 1995), pp. 34, 25, 12-14; Harris, *Attlee,* p. 257 ("pathetic faith"); Richard Cockett, *Thinking the Unthinkable: Think-tanks and the Economic Counter-Revolution, 1931-1983* (London: Fontana Press, 1995), pp. 14-15 ("Collective Welfare" and "installment of Socialism"); Jim Fyrth, ed., *Labour's High Noon: The Government and the Economy 1945-51* (London: Lawrence & Wishart, 1993); Sidney and Beatrice Webb, *Soviet Communism: A New Civilization?,* 2 vols. (London: Longmans,

原　注

はじめに——フロンティアにて

1. Interview with Brian Fall. V. I. Lenin, "Five Years of the Russian Revolution and the Prospects of the World Revolution: Report to the Fourth Congress of the Communist International, November 13, 1922," in Lenin, *Collected Works,* vol. 33 (Moscow: Progress Publishers, 1966), pp. 418-432; E. H. Carr, *The Bolshevik Revolution,* vol. 3 (London: Macmillan, 1953), pp. 441-451.
2. Interview with Paul Volcker. John Maynard Keynes, *The General Theory of Employment, Interest and Money* (London: Macmillan, 1936), pp. 383-384 ("madmen"). On market failure versus government failure, see Nicholas Stern, "The Economics of Development: A Survey," *Economic Journal,* vol. 99, September 1989, pp. 597-685, especially sec. III; Nicholas Stern, "Public Policy and the Economics of Development," *European Economic Review,* vol. 35, 1991, pp. 241-271. On government spending, see World Bank, *World Development Report 1997* (New York: Oxford University Press, 1997); Clive Crook, ed., "The Future of the State: A Survey of the World Economy," *The Economist,* September 20-26, 1997.
3. Ronald D. Rotunda, "The 'Liberal' Label: Roosevelt's Capture of a Symbol," *Public Policy,* vol. 17, 1968, pp. 377-408, 389 ("Radical-Red"), 408; Alan Brinkley, *The End of Reform: New Deal Liberalism in Recession and War* (New York: Vintage Books, 1996), p. 10 ("plain English"); Charles Singer, E. J. Holmyard, A. R. Hall, and Trevor I. Williams, eds., *A History*

口絵写真提供

Archive Photos: 21, 27, 30

Corbis-Bettmann: 3, 4, 5, 6, 7, 8, 9, 10, 11, 13, 14, 15, 23, 25, 26, 29

Hulton-Getty/Tony Stone Images: 1, 2, 16, 17, 18, 19, 20

Photo Researchers: 24

SYGMA: 22, 28

Time-Life: 12

［訳者紹介］
山岡洋一（やまおか・よういち）

1949年神奈川県生まれ。翻訳家。
主要著書：『ビジネスマンのための経済・金融英和実用辞典』（日経ＢＰ社）
主要訳書：Ｂ・ウッドワード『大統領執務室』（文藝春秋社）、Ｋ・カーディス『見えざる富の帝国』（講談社）、Ｇ・パスカル・ザカリー『闘うプログラマー』（日経ＢＰ社）、Ｊ・アベグレン『巨大アジア市場』（ＴＢＳブリタニカ）、Ａ・サンプソン『カンパニーマンの終焉』（同）、Ｌ・サロー『資本主義の未来』（共訳、同）、Ｐ・クルーグマン『クルーグマンの良い経済学 悪い経済学』（日本経済新聞社）など。

市場対国家〈上巻〉

一九九八年十一月十八日　第一刷
一九九八年十二月　一　日　第二刷

著　者　ダニエル・ヤーギン
　　　　ジョゼフ・スタニスロー
訳　者　山岡洋一
発行者　上田克己
発行所　日本経済新聞社
東京都千代田区大手町一―九―五
郵便番号一〇〇―八〇六六
電話（〇三）三二七〇―〇二五一
振替　〇〇一三〇―七―五五五

印刷・製本　凸版印刷

ISBN4-532-16278-5
Printed in Japan